音声のご案内

本書では，無料アプリ「いいずなボイス」を利用して，スマートフォンで手軽に音声を聞くことができます。音声を効果的に使って，学習に役立ててください。

いいずな
ボイス

書籍認識用 QRコードの読み取り〈初回のみ〉

❶ スマートフォンで，専用アプリ「いいずなボイス」（無料）をインストール

　アプリのダウンロードはApp Store（iOS版），Google Play（Android版）から可能です（※通信料は別途かかります）。

❷ 「いいずなボイス」を起動

❸ 右の書籍認識用 QRコードを読み取る

> アプリでQRコードを読み取ってください　➡

以降は各ページのQRコードにスマートフォンをかざすだけで，音声を聞くことができます。

音声の再生

❶ 「いいずなボイス」を起動

❷ 各ページにあるQRコードを読み取る

❸ すぐに音声が流れ，画面上で文字情報も確認できます

　▶| ボタンで次の音声へ飛ぶことができます

　　　　　※詳しい操作方法については，アプリ内のマニュアルをご覧ください

※「いいずなボイス」のご利用は無料ですが，通信料が別途かかります。Wi-Fi環境下でご利用いただくか，パケット定額制への加入をおすすめします。

※ QRコードの部分が汚れると，アプリで読み取れなくなることがあります。QRコードの上に，何かを書いたり塗ったりしないでください。

※「いいずなボイス」のアプリは，スマートフォンの機種によってはご利用いただけない場合がございます。

- -

いいずな書店のウェブサイトでも音声をご用意

いいずな書店のウェブサイトからも，無料で音声を聞いたり，ダウンロードしたりできます。

→https://www.iizuna-shoten.com

音声ダウンロード
無料

CEFR
B2レベル

英単語・熟語

Bricks2
ブリックス

見出し語1968語 ＋ 熟語850

小崎 充・山川 修司＝編著
こ ざき まこと　やま かわ しゅうじ

LISTEN！
スマホで音声

IIZUNA SHOTEN

本書の特長と使い方

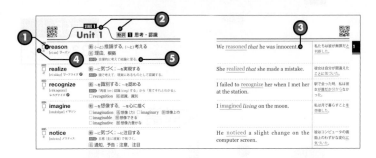

特長1 ▶ 入試を徹底分析

語いを選定するにあたり, 全国大学入試問題を徹底的に分析しました (国公立大2次・私大の近年5年分。特にMARCH, 関関同立は10年分) (❶)。そして最新入試の実情にあった, 出現頻度の高い語を1,968語選びました。

特長2 ▶ 頻度順のSTAGE, 品詞のUnit, 意味の見開きグループ

本書は7STAGEで構成されています (❷)。各STAGEで学ぶ語は入試に出る頻度の高いものから順に並ぶようにしています。頻度が高いということは使いやすいということなので結果的に基本的な語が中心になり, 難しい語になるほど頻度は低くなります。それをふまえSTAGE1〜2は**高校必修語**, 3は**入試最頻出語**, 4〜5は**入試頻出語**, 6〜7は**国公立大2次・私大上位で差をつける語**と題しました。

各STAGEは**動詞** (Unit 1), **名詞** (Unit 2), **形容詞** (**副詞**) (Unit 3), **熟語** (Unit 4) と4Unitsで構成されています。さらに各Unitは, 意味的に関連のあるもの同士でグループにして見出しをつけて見開きに入れました。このようによく整理された配列なので効率的かつ体系的 (システマティック) に学ぶことができます。

特長3 ▶ 簡潔で学習効果の高い例文・フレーズ

例文は, 学習にかける労力を最大限生かすため, 短くてイメージがしやすいものを心がけました (❸)。**動詞**では, その動詞を使って文を作る力をつけてほしいので, 例も文の形にしてあります。いっぽう**名詞**や**形容詞**は, 短いフレーズ (句) にしてあります。

内容は, 入試によく出る語の組み合わせをできるだけ使っています。また新聞, 雑誌, 書籍や実社会のコミュニケーションの使われ方も多く取り入れました。入試には, 近年話題になっている英語の記事や書籍の一部がよく出題されます。本書の例文を覚えると, そうした英文を読む力がついていきます。

特長4 CEFR-Jレベルの表示

CEFR (Common European Framework for References 欧州共通言語参照枠) をもとに, 日本の英語教育での利用を目的に構築された新しい英語能力の到達度指標CEFR-Jのレベルを示しました (**❹**) 。(CEFR-Jレベルは『CEFR-J Wordlist Version 1.5』 東京外国語大学投野由紀夫研究室. を使用しております。(URL: http://www.cefr-j.org/ より2019年4月ダウンロード))

特長5 定着を補助するさまざまな解説

単語の意味や使い方の定着に役立つよう, さまざまな観点の解説をつけました (**❺**) 。

イメージ ：語の記憶を助ける感覚的なイメージやコアのイメージを解説。

入試 ：大学入試における出題傾向を紹介。

発信 ：会話などに役立つ表現を紹介。

語法 ：その語を使う際の形や注意点を解説。

語源 ：その語の語源を紹介。

TIPS ：その他, 学習に役立つ情報を紹介。

本書で使用している記号

発 … 発音に注意すべき語

ア … アクセントに注意すべき語

≒ … ほぼ同じ意味を表す語・熟語

　　　(例) lawful 形 合法的な (≒legal)

⇔ … 見出し語の反対語

　　　(例) advantage 長所(⇔disadvantage)

cf. … 参照・比較してほしい情報

▶ … 見出し語を含む熟語・イディオム・句

□ … 見出し語の派生語・関連語

[ ] … 置き換え可能な語句

　　　(例) bear [keep] ～ in mind 句 ～を覚えている

( ) … 省略可能な語句

　　　(例) for fear (that) ～ 句 ～を恐れて, ～しないように

本書の使い方

本書は，各ページ，折りたたんで使えるように編集しました。

❶ まずは折らずに，単語と意味を覚えましょう。付録の赤シートを活用しましょう。

折る

縦線

❷ 次にページを折って学習します。まず，英語⇒日本語の学習です。左のページを右のページに重ね，右ページの青い縦線の位置で，山折りに折ります。折った面に単語が並んで出ますので，それを見て裏面の意味が言えるか確認しましょう。できたものについては，それぞれの単語の横にあるチェック欄に印をつけていきましょう。

---

❸ 意味を覚えたら日本語⇒英語の学習です。ページをめくって，単語の意味から英語とそのスペル（単語のつづり）がわかるかを確認してみましょう。ノートなどにスペルを書いて覚えるのもおすすめです。

めくる

折る

めくる

④ 左ページで単語の意味を覚えたら，右ページの例文や句を使ってさらに学習してみましょう。まず，**英語⇒日本語**です。青い縦線で山折りに折って，表面の英語から裏面の日本語を言えるか試します。ページをめくって確認しましょう。

⑤ 最後に，**日本語⇒英語**ができるかを確認してみるのもいいでしょう。英語で自分のことを表現してみたい人はぜひチャレンジしてみてください。また，スマホを使って音声を聞くようにしてください。紙面から覚えるのと異なり，音声だと記憶に残りやすいので，英文を覚えるのに有効です。

CONTENTS

Bricks2

スマホを使った学習

アプリでQRコードを読み取ると、音声を聞きながら、画面でも学習ができる

専用アプリ『いいずなボイス』でQRコードを読み取ると，スマホやタブレットで『英単語・熟語Bricks 2』の音声を聞きながら，学習することができます。

左ページ

左ページのQRコードにスマホをかざすと，単語と語義の音声を聞くことができます。
音声は「英語（見出し語）」→「日本語（語義）」の順で流れます。
画面にも英語（見出し語）と日本語（語義）が表示されます。

右ページ

右ページのQRコードにスマホをかざすと，「英語（例文）」→「日本語（例文の意味）」の音声を聞くことができます。
画面にも英語と日本語が表示されます。

スマホを使った学習の提案

視覚から覚えるよりも聴覚から覚える方が記憶に残るので，単語学習には音声を使った学習が効果的です。

音声は「英語」→「日本語」の順で読まれますので，英語を読まれたとき，頭の中で日本語に変換するようにしましょう。日本語の音声と同時に思い出すようにするといいでしょう。この思い出す行為を繰り返すうちに，短期記憶に入っていた情報が長期記憶に移行されるため，「せっかく覚えたのにすぐに忘れてしまう」ということが少なくなります。

スマホの画面には，英単語と意味，例文と日本語訳が表示されます。その場で英語のスペルの確認もできるので，本を開かなくても学習ができます。

STAGE 1

高校必修語：基礎レベル

語い力の基盤を築くステージです。一つひとつしっかり学んでいきましょう。易しいように思える語も，読んでわかるだけでなく自分で使えるようになることが重要です。語義だけではなく，前後の語との関係を含めた語の使い方を意識した学習が必要です。

0001
☐ **reason**
A1
[ríːzn] リーズン

動 (〜と) 推論する, (〜と) 考える
名 理由, 根拠
イメージ 合理的に考えて結論に至る。

0002
☐ **realize**
A2
[ríːəlàɪz] リーアライズ 🅐

動 〜に気づく; 〜を実現する
イメージ 頭で考えて, 現実にあるものとして認識する。

0003
☐ **recognize**
B1
[rékəgnàɪz]
レカグナイズ 🅐

動 〜を識別する; 〜を認める
イメージ 「再度 (re-) 認識 (cog) する」から「見てそれとわかる」。
☐ recognítion 名 認識, 識別

0004
☐ **imagine**
A1
[ɪmǽdʒɪn] イマジン

動 〜を想像する, 〜を心に描く
☐ imaginátion 名 想像 (力) ☐ imaginary 形 想像上の
☐ imaginable 形 想像できる
☐ imaginative 形 想像力豊かな

0005
☐ **notice**
B1
[nóutɪs] ノウティス

動 〜に気づく; 〜に注目する
イメージ 五感 (主に視覚) で気づく。
名 通知, 予告; 注意, 注目
▶ without notice 句 予告なしに, 断りなしに

0006
☐ **guess**
A1
[gés] ゲス

動 (〜を) 推測する; (〜を) 考えて当てる
発信 Guess what?[!] 句 (話の切り出しで) ねえ聞いてよ, あのね
名 推測, 推量

0007
☐ **identify**
B2
[aɪdéntəfàɪ]
アイデンタファイ

動 〜を確認する; 〜を同一と見なす
☐ identity 名 身元; 独自性, 主体性
☐ identical 形 同一の

0008
☐ **suppose**
B1
[səpóuz] サポウズ

動 〜を仮定する; 〜と思う
▶ be supposed to do 句 do することになっている
[s(ə)póustə] 発 この句では発音が異なることに注意。

0009
☐ **observe**
B1
[əbzə́ːrv] アブザーヴ

動 〜を観察する; 〜と述べる; (規則など) を守る;
(式典など) を祝う
☐ observátion 名 観察
☐ observance 名 遵守; 祝うこと

We <u>reasoned</u> *that* he was innocent.	私たちは彼が無罪だ<u>と</u><u>判断した</u>。
She <u>realized</u> *that* she had made a mistake.	彼女は自分が間違えた<u>こと</u><u>に気づいた</u>。
I failed to <u>recognize</u> her when I met her at the station.	駅で会ったとき，私は<u>彼女が誰だかわからな</u><u>かった</u>。
I <u>imagined</u> *living* on the moon.	私は月で暮らすこと<u>を</u><u>想像した</u>。
He <u>noticed</u> a slight change on the computer screen.	彼はコンピュータの画面上のわずかな変化<u>に</u><u>気づいた</u>。
<u>Guess</u> *what* I have in my hand.	私が手に<u>何</u>を持っている<u>か当ててみて</u>。
People tend to <u>identify</u> happiness *with* money.	人々は幸せ<u>を</u>お金と<u>同</u><u>一視する</u>傾向がある。
Let us <u>suppose</u> he is right.	彼が正しい<u>と仮定して</u>みよう。
They <u>observed</u> the behavior of that rare animal.	彼らはその珍しい動物の行動を<u>観察した</u>。

Unit 1 [動詞] 2 発話・表現 (1)

0010 □ **suggest** A2
[sə(g)dʒést] サ(ッ)ジェスト

[動] ～を**提案する**；～を示唆する
[語法] 「提案する」の〈suggest (that) S + V〉では，that 節中の動詞 V は (should +) 原形にする。
[語法] ×suggest to *do* は不可。suggest *doing* は OK。
□ suggestion [名] 提案

0011 □ **state** B2
[stéɪt] ステイト

[動] ～を**述べる**；～を言い表す
[名] 状態，様子；国家；州
□ statement [名] 述べたこと；声明

0012 □ **explain** A2
[ɪkspléɪn] イクスプレイン

[動] ～を**説明する**
□ explanátion [名] 説明，解説

0013 □ **claim** A2
[kléɪm] クレイム

[動] ～を**主張する**，～を要求する
[TIPS] 日本語の「クレーム」に当たる，「苦情を言う」の意味はない。「苦情を言う」の意味では complain を用いる。
[名] 主張；要求

0014 □ **refer** A2
[rɪfə́ːr] リファー [ア]

[動] 〈+ to ～〉(～に) **言及する**；(～を) 参照する；
〈+ A to B〉A に B を参照させる
□ réference [名] 言及，参照

0015 □ **mention** B1
[ménʃ(ə)n] メンシャン

[動] ～に**言及する**；～について述べる
▶ not to mention ～ [句] ～は言うまでもなく
[名] 言及 (すること)

0016 □ **publish** A2
[pʌ́blɪʃ] パブリッシュ

[動] ～を**出版する**；～を発表する
□ publicátion [名] 出版 (物) □ publisher [名] 出版社

0017 □ **express** B1
[ɪksprés] イクスプレス

[動] ～を**表現する**；～を言い表す
[語源] 外へ (ex-) ＋押し出す (-press)。
[形] 急行の，速達の [名] 急行列車；速達
□ expression [名] 表現；表情

0018 □ **account** B1
[əkáunt] アカウント

[動] 〈+ for ～〉(～を) **説明する**；(～の) 割合を占める
[名] 説明，報告；預金口座
▶ on account of ～ [句] ～の理由で
□ accountable [形] (説明の) 責任がある

He <u>suggested</u> *holding* a meeting.	彼は会議の開催を提案した。
She <u>stated</u> her opinion clearly.	彼女は自分の意見を明確に<u>述べ</u>た。
Ted <u>explained</u> the reason for his absence.	テッドは欠席の理由を<u>説明し</u>た。
She <u>claimed</u> *that* she was innocent.	彼女は自分は無実だ<u>と主張し</u>た。
Peter <u>referred</u> *to* her report.	ピーターは彼女の報告書に<u>言及し</u>た。
She <u>mentioned</u> the event *to* me.	彼女は私にそのイベントのこと<u>を話し</u>た。
The writer <u>published</u> three novels last year.	その作家は去年 3 冊の小説を<u>出版し</u>た。
She <u>expressed</u> her gratitude for their cooperation.	彼女は彼らの協力に対し感謝の気持ち<u>を表し</u>た。
You must <u>account</u> *for* your conduct.	あなたは自分の行動を<u>説明し</u>なければいけない。

Unit 1 [動詞] 3 発話・表現 (2)

0019 □ **argue** A2
[ɑ́ːrgjuː] アーギュー

[動] (〜と)主張する：(を)論争する，口論する

[イメージ]「主張」(→「反論」)→「論争」→「口論」の語義展開。

▶ argue for [against] 〜 [句] 〜に賛成 [反対] の主張をする

□ argument [名]議論，論争

0020 □ **reveal** A2
[rɪvíːl] リヴィール

[動] 〜を明らかにする，〜を見せる

[イメージ]「ベールを後ろへ下げる」のでよく見えるようになる。

□ revelátion [名]発覚，暴露；啓示

0021 □ **represent** A2
[rèprɪzént] レプリゼント [ア]

[動] 〜を表す(≒ stand for 〜)，〜を象徴する；〜を代表する

□ representátion [名]表示，表現；代表

□ represéntative [名]代表者；《米》下院議員

0022 □ **indicate** A2
[índəkèɪt] インダケイト [ア]

[動] 〜を示す，〜を指し示す；〜を表示する

□ indicátion [名]兆候，印；表示

0023 □ **predict** A2
[prɪdíkt] プリディクト

[動] 〜を予測する；〜を予言する

[イメージ] 事実や自然法則に基づく予測。

[語源] 前もって (pre-) ＋語る (-dict)。

□ prediction [名]予測；予言

0024 □ **praise** B2
[préɪz] プレイズ

[動] 〜をほめる，〜を称賛する

[名] 称賛，賛美

0025 □ **respond** B1
[rɪspάnd] リスパンド

[動] 〈+ to 〜〉(〜に)反応する；返答する

□ response [名]反応；応答

0026 □ **imply** B2
[ɪmpláɪ] インプライ

[動] 〜をほのめかす，〜を暗に伝える

□ implicátion [名]含意；〈-s〉(予想される) 影響

0027 □ **demonstrate** B1
[démənstrèɪt] デマンストレイト [ア]

[動] 〜を証明する，〜を実証する；〜を実演する

□ demonstrátion [名]実演；デモ

We <u>argued</u> *against* his proposal.	私たちは彼の提案に反対の<u>主張をした</u>。
Their research <u>revealed</u> a surprising fact.	彼らの研究は驚くべき事実を<u>明らかにした</u>。
Stars on this list <u>represent</u> special members.	この表の星印は特別会員を<u>表している</u>。
The graph <u>indicates</u> the number of international students.	グラフは留学生数を<u>示している</u>。
It is impossible to <u>predict</u> when a big earthquake will occur.	大地震がいつ起こるかを<u>予測する</u>ことは不可能だ。
The teacher <u>praised</u> Lucy *for* her good behavior.	先生は行儀のよさでルーシーを<u>ほめた</u>。
Nobody <u>responded</u> *to* my call for help.	私が助けを求める声に誰も<u>反応し</u>なかった。
Silence usually <u>implies</u> agreement in this country.	この国では，沈黙はふつう同意を<u>暗に意味する</u>。
An experiment <u>demonstrated</u> his theory's validity.	実験が彼の理論の妥当性を<u>証明した</u>。

Unit 1

[動詞] 4 評価・判断

0028 accept A2
[æksépt] アクセプト
[動] ～を受け入れる；～を容認する
[イメージ] 積極的，好意的に受け入れる。
□ acceptance [名]容認，受け入れること

0029 object B2
[əbdʒékt] アブジェクト [ア]
[動] (～に) 反対する，(～に) 異議を唱える
▶ object to ～ [*doing*] [句]～(すること) に反対する
[名] [ɑ́bdʒɪkt] 目的，目標；物体
□ objection [名]異議，反対

0030 agree A1
[əgríː] アグリー
[動] 同意する，〈to *do*/to *doing*〉～(すること) に同意する
▶ agree with ～ [句](人) に賛成する
▶ agree to ～ [句](提案・計画) に賛成する
□ agreement [名]協定；一致，同意

0031 decline B2
[dɪkláɪn] ディクライン
[動] ～を断る，拒否する；減少する
[語源] 下へ (de-) ＋曲がる (-cline)。
[名] 下落，減少

0032 prefer A2
[prɪfə́ːr] プリファー [ア]
[動] ～をより好む；～の方を選ぶ
□ préference [名](他より) 好むこと，選択
□ préferable [形]好ましい，望ましい

0033 estimate B1
[éstəmèɪt] エスタメイト [発]
[動] ～を見積もる；～を推定する
[名] [éstəmət] 見積もり，評価

0034 doubt B2
[dáʊt] ダウト
[動] ～を疑う；～ではないと思う
[名] 疑い，疑念
□ doubtful [形]疑わしい

0035 charge B1
[tʃɑ́ːrdʒ] チャージ
[動] ～を非難する；～を請求する；(責任など) を負わせる；～を充電する
▶ charge A with B [句]B のことで A を非難する (≒ accuse A *of* B, blame A *for* B)
[名] 料金；管理；告発，非難；充電
▶ *be* in charge of ～ [句]～を担当 [管理] している

0036 examine B1
[ɪgzǽmɪn] イグザミン
[動] ～を調べる；～を試験する
□ examinátion [名]試験，検査

She accepted the job offer.	彼女はその仕事のオファーを受けた。
They objected *to* the proposal.	彼らはその提案に反対した。
I completely agree *with* you *on* this.	私はあなたにこのことについて完全に同意します。
She declined his invitation.	彼女は彼からの招待を断った。
I prefer an aisle seat *to* a window seat.	私は窓側の席より通路側の席の方が好きだ。
He estimated the value of the ring *at* $30,000.	彼は指輪の価値を3万ドルと見積もった。
I doubt *if* he will keep his promise.	彼が約束を守るかどうか疑わしい。
She charged me *with* telling a lie.	嘘をついたことで彼女は私を非難した。
The doctor examined the athlete's knee.	医師はその運動選手の膝を調べた。

0037
reduce
B1
[rɪd(j)úːs] リデュース

動 ~を減らす，~を減じる，減る，縮小する

語源 後ろへ (re-) ＋引く (duce)。

□ redúction 名減少，削減

0038
add
A1
[ǽd] アド

動 ~を足す，~を加える；~を言い足す；足し算を
する

▶ add to ~　句~を増す

□ addítion 名追加　□ addítional 形付加的な

0039
adapt
B1
[ədǽpt] アダプト

動 ~を(…に)適応させる；適応する，順応する

▶ adapt A to B　句A を B に適応 [順応] させる

□ adaptátion 名順応，適応

0040
occur
B1
[əkə́ːr] アカァー ⦿

動 起こる，生じる；(考えが)頭に浮かぶ

入試 S＋occur to＋~「S (考え) が~ (人) の頭に浮かぶ」は頻出。

□ occurrence 名発生；出来事，事件

0041
advance
B1
[ədvǽns] アドヴァンス

動 進歩する，前進する；~を前進させる

名 前進，進歩；上達

▶ in advance　句前もって

0042
exchange
B1
[ɪkstʃéɪndʒ]
イクスチェインジ

動 ~を交換する；~をやり取りする

▶ exchange A for B　句A を B と交換する

名 交換；やり取り；為替，両替

▶ in exchange for ~　句~と引き換えに

0043
spread
B2
[spréd] スプレッド ⦿

動 広がる；~を広げる，広める

活用 spread - spread - spread

名 普及，拡大

0044
promote
B1
[prəmóut] プラモウト

動 ~を促進する；~を宣伝する；~を昇進させる

語源 前へ (pro-) ＋動かす (mote)。

□ promotion 名促進；宣伝；昇進

0045
enter
A2
[éntər] エンタァ

動 ~に入る；~に参加する；~を入力する

□ entrance 名入口；入会，入場

0046
replace
A2
[rɪpléɪs] リプレイス

動 ~を(…と)取り替える；~に取って代わる

▶ replace A with B　句A を B に取り替える

□ replacement 名取り替え；交代の人 [物]

I have to reduce my weight.	私は体重を減らさなければいけない。
He added some milk *to* his coffee.	彼はコーヒーにミルクを少し足した。
She adapted her plan *to* the new situation.	彼女は計画を新しい状況に適応させた。
A terrible disaster occurred.	ひどい災害が発生した。
Technology has been advancing rapidly.	科学技術は急速に進歩している。
He exchanged the T-shirt *for* a larger size.	彼はそのTシャツをより大きいサイズと取り替えた。
The rumor about him spread quickly.	彼についてのうわさは素早く広まった。
We should promote world peace.	私たちは世界平和を促進すべきだ。
The students entered the auditorium.	学生たちは講堂に入った。
He replaced a broken part *with* a new one.	彼は壊れた部品を新しいものに取り替えた。

0047
☐ **raise**
A2　[réɪz] レイズ

動 ~を上げる，~を持ち上げる；~を育てる
TIPS raise は規則変化。自「上がる」rise - rose - risen と区別する。
入試 raise ＋金「金を集める」, raise ＋問題「問題を提起する」は和訳で狙われる。
名 昇給

0048
☐ **act**
B1　[ǽkt] アクト

動 行動する；演じる；(~の) 役割を果たす
名 行為，活動；法令
☐ active 形 活動的な

0049
☐ **seat**
A1　[síːt] スィート

動 ~を座らせる；~を収容できる
名 座席

0050
☐ **hide**
A1　[háɪd] ハイド

動 ~を隠す；隠れる
活用 hide - hid - hidden

0051
☐ **fail**
A2　[féɪl] フェイル

動 失敗する；~を不合格にする
▶ fail to *do* 句 do できない，do しない
☐ failure 名 失敗，落第
▶ without fail 句 間違いなく，きっと

0052
☐ **waste**
B1　[wéɪst] ウェイスト

動 ~を無駄にする，~を浪費する
名 浪費，無駄；廃棄物
同音 waist 腰
☐ wasteful 形 浪費になる

0053
☐ **attend**
B1　[əténd] アテンド

動 ~に出席する，~に参加する；⟨+ to ~⟩(~の) 世話をする；⟨+ to ~⟩(~に) 注意を向ける
入試 他 attend ＋ O と 自 attend to ~の区別は頻出。
☐ attendance 名 出席，参加
☐ attention 名 注意，世話

0054
☐ **ignore**
B1　[ɪgnɔ́ːr] イグノーァ

動 ~を無視する
☐ ígnorance 名 無知，無学

0055
☐ **succeed**
A2　[səksíːd] サクスィード

動 ⟨+ in ~⟩(~に) 成功する；⟨+ to ~⟩(~の) 後に続く，(~の) 後を継ぐ
☐ success 名 成功，合格　☐ successful 形 成功した
☐ succession 名 連続；継承

He *was* born and <u>raised</u> in Spain.	彼はスペインで生まれ<u>育った</u>。
She <u>acted</u> *as* a negotiator.	彼女は交渉人の<u>役割を果たした</u>。
They *remained* <u>seated</u> for a while.	彼らはしばらくの間<u>座ったままでいた</u>。
No one knows where the treasure *is* <u>hidden</u>.	その宝がどこに<u>隠されている</u>か誰も知らない。
He <u>failed</u> *to arrive* in time.	彼は時間内に到着<u>できなかった</u>。
We should not <u>waste</u> precious natural resources.	私たちは貴重な天然資源を<u>無駄遣いする</u>べきではない。
All the members <u>attended</u> the committee meeting.	メンバー全員が委員会に<u>出席した</u>。
She <u>ignored</u> me on purpose.	彼女はわざと私を<u>無視した</u>。
Fred <u>succeeded</u> *in* solving the problem.	フレッドは問題の解決に<u>成功した</u>。

021

0056 ☐ **own** B1	[óun] オウン	動 ~を所有する，~を持っている (≒ possess)

入試 状態動詞なので，進行形にはしない。

形 自分自身の　代 自分自身のもの

0057 ☐ **store** B2	[stɔ́:r] ストーァ	動 ~を蓄える，~を保管する；~を保存する 名 店；貯蔵，保管

☐ storage　名 貯蔵，保管；倉庫

0058 ☐ **remain** A2	[rɪméɪn] リメイン	動 ~のままである；残る；とどまる

語法 remain + C (補語)「~のままでいる」

名 〈-s〉遺跡，遺構

0059 ☐ **appear** A2	[əpíər] アピァ	動 ~に見える，~と思われる；現れる

語法 appear (to be) + C (補語)「~に見える」

☐ appearance　名 外観，外見；出現
☐ appárent　形 明白な；見せかけの

0060 ☐ **exist** A2	[ɪgzíst] イグズィスト	動 存在する，存続する；生きている

☐ existence　名 存在，生存

0061 ☐ **survive** A2	[sərváɪv] サヴァイヴ	動 ~を乗り越えて生きる；生き残る

語源 ~を越えて (sur-) +生きる (-vive)。

☐ survival　名 生存，生き延びること
☐ survivor　名 生存者

0062 ☐ **range** B2	[réɪndʒ] レインジ	動 及ぶ，広がる

▶ range from A to B　句 A から B に及ぶ

名 範囲，幅

0063 ☐ **maintain** B1	[meɪntéɪn] メインテイン	動 ~を維持する，~を保つ；~と主張する

イメージ 「手に (main-) +保つ (-tain)」から「維持する」。

☐ máintenance　名 維持，保持；整備

0064 ☐ **suffer** B1	[sʌ́fər] サファ	動 〈+ from ~〉(~の)病気にかかる；(~に)苦しむ； (損害など)を被る，(苦痛など)を受ける

☐ suffering　名 苦しみ，苦難

She <u>owns</u> a cottage in a small village.	彼女は小さな村に山荘を<u>所有している</u>。
We should <u>store</u> water for emergencies.	非常時に備えて水を<u>蓄えておく</u>べきだ。
All the students <u>remained</u> *silent*.	学生たちは皆，沈黙し<u>たままだった</u>。
She <u>appeared</u> *to be* clever.	彼女は利口そうに<u>見えた</u>。
That village does not <u>exist</u> any longer.	あの村はもう<u>存在して</u>いない。
Fortunately, she <u>survived</u> the plane crash.	幸運にも，彼女はその飛行機の墜落事故で<u>生き残った</u>。
The discounts <u>ranged</u> *from* 30% *to* 70%.	割引は30％から70％に<u>及んだ</u>。
The pilot tried to <u>maintain</u> the altitude of the plane.	パイロットは飛行機の高度を<u>維持し</u>ようとした。
He is <u>suffering</u> *from* the flu.	彼はインフルエンザに<u>かかって</u>いる。

0065 provide
A2 [prəváɪd] プラヴァイド

動 ~を(…に)**提供する**, **供給する**

語法 provide A with B ≒ provide B for[to] A「A に B を提供する」

▶ provided [providing] (that) ~ 接 仮に~だとすれば

□ provision 名供給；準備

0066 allow
A2 [əláʊ] アラウ 発

動 ~を**許す**, ~に**許可する**；~を**与える**

語法 allow + O + to do「O が do するのを許す」

□ allowance 名許可；小遣い

0067 prepare
A2 [prɪpéər] プリペア

動 〈+ for ~〉(~の)**準備をする**；~を**準備する**, ~を**用意する**

□ preparátion 名用意，準備
□ prepáratory 形準備的な

0068 serve
A2 [sə́:rv] サーヴ

動 〈+ as ~〉(~として)**役立つ**；~の**役に立つ**, (役割・任務など)を**果たす**；(食事など)を**出す**

□ service 名勤務；公共事業；サービス

0069 supply
B2 [səpláɪ] サプライ

動 ~を**供給する**, ~を**支給する**

語法 supply A with B ≒ supply B to[for] A「A に B を供給する」

イメージ supply は「足りない物を補充する」。provide は「あらかじめ準備して供給する」。

名 **供給(量)**；〈-ies〉**生活必需品**

0070 feed
B1 [fí:d] フィード

動 ~に**食物[餌]を与える**；~に**供給する**

活用 feed - fed - fed

▶ feed on ~ 句~を餌[常食]とする
▶ be fed up with ~ 句~にうんざりしている

0071 prevent
A2 [prɪvént] プリヴェント 7

動 ~を**阻止する**, **阻む**；~を**予防する**

語法 prevent + O + from doing「O に do させない」

□ prevention 名阻止，予防
□ preventive 形予防の

0072 apply
A2 [əpláɪ] アプライ

動 ~を(…に)**適用する**, **当てはめる**；(~に)**応用する**；(~に)**当てはまる**

▶ apply A to B 句A を B に適用[応用]する
▶ apply to ~ 句~に当てはまる，~に適用される
▶ apply for ~ 句~に申し込む，応募する
□ applicátion 名応用；申し込み，申請書

They <u>provided</u> the typhoon victims *with* food.	彼らは台風の被災者に食料を<u>提供した</u>。
You are not <u>allowed</u> *to use* your phone here.	ここでは電話を使うことは<u>許</u>されていない。
They were busy <u>preparing</u> *for* the party.	彼らはパーティーの準備をするのに忙しかった。
This sofa <u>serves</u> *as* a bed.	このソファはベッドとして<u>使える</u>。
Our company <u>supplies</u> materials *to* other companies.	わが社は他の会社に原料を<u>供給している</u>。
I have to <u>feed</u> the dog now.	すぐに犬に餌をやらねばならない。
High fever <u>prevented</u> her *from taking* part in the marathon.	高熱のため，彼女はマラソンに参加<u>できなかった</u>。
The rule cannot be <u>applied</u> *to* this case.	その規則はこのケースには<u>適用する</u>ことはできない。

025

Unit 1 [動詞] 9 要求・期待・達成

0073 □ **require** B1
[rɪkwáɪər] リクワイア

[動] ～を必要とする，～を要求する
[語法] require + O + to *do*「O に do するよう求める」
[入試]「～を必要とする」の need では×need + O + to *do* は不可。
□ requirement [名] 要求，必要（条件）

0074 □ **expect** A2
[ɪkspékt] イクスペクト

[動] ～を期待する；～を予測する
[語法] expect + O + to *do*「O が do するのを期待する［do すると思う］」
□ expectation [名] 予想；期待

0075 □ **force** B2
[fɔ́ːrs] フォース

[動] ～を強要する；～に（無理に）させる
[語法] force + O + to *do*「O に（無理やり）do させる」
[入試] force + O + to *do* は使役の make + O + *do* との書き換えに注意。
[名] 暴力，力，強さ；腕力；効力；軍隊

0076 □ **project** B2
[prədʒékt] プラジェクト [ア]

[動] ～を予想する；～を企画する；～を映写する
[語源] 前へ（pro-）＋投げる（-ject）。
▶ *be* projected to *do* [句] do する予定である
[名] [prádʒekt] 企画，プロジェクト
□ projéction [名] 予測；投影

0077 □ **achieve** A2
[ətʃíːv] アチーヴ

[動] ～を達成する；～を獲得する；～を成し遂げる
□ achievement [名] 達成，完遂；功績

0078 □ **establish** A2
[ɪstǽblɪʃ] イスタブリシュ

[動] ～を設立する，～を確立する
[イメージ] stable「安定した」ものにする。
□ establishment [名] 設立；施設

0079 □ **determine** B1
[dɪtə́ːrmɪn] ディターミン [ア]

[動] ～を決定する；～を決心する
▶ determine to *do* [句] do することを決心する
（≒ decide to *do*, make up *one's* mind to *do*）
□ determinátion [名] 決定，決心
□ determined [形] 固く決意した

0080 □ **manage** A2
[mǽnɪdʒ] マニジ [ア]

[動] ～を成し遂げる；～を経営する，～を管理する
▶ manage to *do* [句] なんとか do する
□ management [名] 管理，経営

Students *are* <u>required</u> *to attend* all the lectures.	学生たちはすべての講義に出席することが<u>求められている</u>。
We <u>expected</u> our son *to pass* the exam.	私たちは息子が試験に受かると<u>期待していた</u>。
She *was* <u>forced</u> *to sign* the contract.	彼女は無理やり契約書に署名させられた。
Oil prices *are* <u>projected</u> *to rise*.	石油価格が上昇すると<u>予想されている</u>。
She <u>achieved</u> great fame.	彼女は大変な名声<u>を手に入れた</u>。
This university *was* <u>established</u> more than 100 years ago.	この大学は 100 年以上前に<u>設立された</u>。
The venue of the party has yet to *be* <u>determined</u>.	パーティーの会場はまだ<u>決定して</u>いない。
She <u>managed</u> *to catch* the last train.	彼女は<u>なんとか</u>最終電車に乗る<u>ことができた</u>。

Unit 1 [動詞] [10] 関係・性質 (1)

0081 □ **face** A2
[féɪs] フェイス

[動] ～に直面する；～に面している
▶ (*be*) faced with ～ [句] ～に直面して(いる)
[名] 顔；前面

0082 □ **base** B1
[béɪs] ベイス

[動] ～を基礎とする；～の土台をつくる
▶ (*be*) based on ～ [句] ～に基づいて(いる)
[名] 基礎，基盤

0083 □ **tend** B1
[ténd] テンド

[動] (～する)傾向がある；〈+ to ～〉～の世話をする
▶ tend to *do* [句] do する傾向がある
□ tendency [名] 傾向

0084 □ **bear** A2
[béər] ベァ

[動] ～を耐える；～を支える；～を負う；～を心に抱く
[入試] 「～を耐える」の意味では can と共に否定文・疑問文で用いる。
[活用] bear - bore - born(e)
▶ bear [keep] ～ in mind [句] ～を覚えている

0085 □ **include** A2
[ɪnklúːd] インクルード

[動] ～を含む，～を包含する (⇔ exclude ～を除外する)
□ inclusion [名] 包含，含有
□ inclusive [形] 包括的な

0086 □ **affect** B1
[əfékt] アフェクト [ア]

[動] ～に影響する，～に作用する (≒ influence)
□ affection [名] 愛情，好意
cf. effect [名] 影響，効果

0087 □ **involve** B1
[ɪnvɑ́lv] インヴァルヴ

[動] ～を伴う；～を関わらせる；～を巻き込む
▶ (*be*) involved in ～ [句] ～に関与して(いる)
□ involvement [名] 関与

0088 □ **deal** B1
[díːl] ディール

[動] 〈+ with ～〉(～を)扱う；〈+ in ～〉(～を)商う；～を分配する
[活用] deal - dealt[delt] - dealt
▶ deal with ～ [句] ～を扱う，～を処理する
▶ deal in ～ [句] ～を商う
[名] 取引，取決め

0089 □ **approach** B2
[əpróʊtʃ] アプロウチ

[動] ～に近づく；～に接近する
[語法] 他動詞なので，×approach *to* ～とはしない。
[名] 接近；取り組み(方)

We *are* <u>faced</u> *with* serious environmental problems.	私たちは深刻な環境問題に<u>直面している</u>。
Her research *is* <u>based</u> *on* a new theory.	彼女の研究は新しい理論に<u>基づいている</u>。
Young people <u>tend</u> *to be* optimistic.	若者たちは楽観的な<u>傾向がある</u>。
She *couldn't* <u>bear</u> being alone.	彼女は一人でいるのを<u>耐える</u>ことができなかった。
Batteries *are* not <u>included</u> in the kit.	電池はそのキットに<u>含まれていません</u>。
This decision will <u>affect</u> people's everyday lives.	この決定は人々の日常生活に<u>影響を与える</u>だろう。
The police suspected that he *was* <u>involved</u> *in* the crime.	警察は彼がその犯罪に<u>関与している</u>と疑った。
You must <u>deal</u> *with* the problem by yourself.	君はその問題に一人で<u>対処し</u>なければならない。
The plane was <u>approaching</u> the airport.	飛行機は空港に<u>接近していた</u>。

0090
□ **relate**
B1
[rɪléɪt] リレイト

動 ~を(…と)関連付ける；関係がある；~を物語る
▶ *be* related to ~　句 ~と関係している
□ relation　名 関係, 関連
□ rélative　形 比較的な, 相対的な　名 肉親, 親類

0091
□ **depend**
A2
[dɪpénd] ディペンド

動 〈+ on ~〉~次第である；~を頼りにする
語源 下から (de-) ぶら下がっている (-pend)。
▶ depend on A (for B)　句 (B を) A に頼る
□ dependence　名 依存

0092
□ **contain**
B1
[kəntéɪn] カンテイン

動 ~を含む；~を抑制する
イメージ 「一緒に (con-) +保つ (-tain)」から「含む」。
□ cóntents　名 中味, 内容物
□ contáinment　名 抑制

0093
□ **treat**
B2
[tríːt] トリート 発

動 ~を扱う, ~を取り扱う；~を治療する
□ treatment　名 対処；治療

0094
□ **associate**
B1
[əsóuʃièɪt] アソウシエイト 発

動 ~を(…と)関連付ける；~を(…と)結び付けて考える
▶ associate A with B　句 A で B を連想する
□ associátion　名 関連；連想；協会

0095
□ **contact**
A2
[kántækt] カンタクト

動 ~と連絡を取る；~と接触する
語法 他動詞なので、×contact with ~とはしない。

名 連絡；接触
▶ keep in contact with ~　句 ~と連絡を取り続ける

0096
□ **link**
B1
[líŋk] リンク

動 ~を(…と)結び付ける, 関連付ける
▶ (*be*) linked with ~　句 ~と関連して (いる)
名 関連, 関係

0097
□ **reflect**
A2
[rɪflékt] リフレクト

動 ~を反映する；~を反射する；〈+ on ~〉~を熟考する
□ reflection　名 反射；反映

0098
□ **prove**
B1
[prúːv] プルーヴ

動 (~であると) わかる, 判明する (≒ turn out)；~を証明する
語法 prove (to be) + C (補語)「~だとわかる」
□ proof　名 証拠

These two events *are* <u>related</u> *to* each other.	これらの２つの出来事は互いに関連している。
Japan <u>depends</u> *on* foreign countries *for* oil.	日本は石油を外国に頼っている。
A lot of fast food <u>contains</u> too much salt.	多くのファストフードはあまりにも多量の塩分を含んでいる。
We mustn't <u>treat</u> animals cruelly.	私たちは動物を残酷に扱ってはいけない。
We often <u>associate</u> black *with* death.	私たちはしばしば，黒を死と結び付ける。
Don't hesitate to <u>contact</u> me if you have any questions.	何か疑問があったら，遠慮なく私に連絡してください。
This disease *is* closely <u>linked</u> *with* eating habits.	この病気は食習慣と密接に関連している。
The full moon *was* <u>reflected</u> *on* the lake.	満月が湖面に映っていた。
The rumor <u>proved</u> *to be* true.	その噂は真実であることがわかった。

0099
☐
B2
species
[spíːʃiːz] スピーシーズ 🔊

名 (生物の)種；種類

語法 単複同形で，単数・複数とも species。

0100
☐
A2
nature
[néɪtʃər] ネィチャ

名 自然(界)；本質，特性

語法 「自然」の意味では無冠詞で，a や the をつけない。
▶ by nature　句 生まれつき
▶ in nature　句 本質的に；本来(は)
☐ natural　形 自然の，天然の；当然の

0101
☐
B1
resource
[ríːsɔːrs | -sɔ́ːs]
リーソース

名 資源，資金；資質；資料；⟨-s⟩手段，やりくり

☐ resóurceful　形 臨機の才のある；資源の豊富な

0102
☐
A2
temperature
[témp(ə)rətʃər]
テンプラチャ

名 温度，気温；体温

cf. centigrade [Celsius] 名 摂氏(℃)
　　Fahrenheit 名 華氏(°F)

0103
☐
A2
creature
[kríːtʃər] クリーチャ 🔊

名 生き物，動物；人間

イメージ 神によって create(作る)されたもの。
☐ creátor　名 創造主，創作者

0104
☐
A2
insect
[ínsekt] インセクト

名 昆虫(≒ bug)

☐ insécticide　名 殺虫剤

0105
☐
B1
crop
[kráp] クラップ

名 作物，農作物；収穫高(≒ harvest)
動 〜を刈り込む；〜を収穫する

0106
☐
A1
emission
[ɪmíʃ(ə)n] イミッション

名 放出(物)，排出(物)，放射(物)

☐ emit　動 〜を放出する

0107
☐
B2
evolution
[èvəlúːʃ(ə)n]
エヴァルーション

名 進化；発達

☐ evólve　動 進化する，発展する
☐ evolutionary　形 進化(論)の

0108
☐
B1
disaster
[dɪzǽstər] ディザスタァ

名 災害，天災；(大きな)不幸；大失敗

語源 「幸運の星(star)」から「離れて(dis-)」。
☐ disastrous　形 悲惨な

0109
☐
A1
pollution
[pəlúːʃ(ə)n] パルーション

名 汚染，公害

☐ pollute　動 〜を汚染する

a <u>species</u> endangered to extinction	絶滅の危機にある<u>種</u>
a park full of the beauties of <u>nature</u>	<u>自然</u>の美しさでいっぱいの公園
a country rich in natural <u>resources</u>	天然<u>資源</u>の豊富な国
a gradual rise in the average <u>temperature</u>	平均<u>気温</u>の緩やかな上昇
an imaginary <u>creature</u> in a story	物語中の想像上の<u>生き物</u>
a sore <u>insect</u> bite	ひりひりする<u>虫</u>刺され
the main <u>crop</u> of this area	この地域の主要<u>作物</u>
the <u>emission</u> of carbon dioxide from power plants	発電所からの二酸化炭素の<u>放出</u>
the mysteries of human <u>evolution</u>	人類の<u>進化</u>の謎
a terrible natural <u>disaster</u>	ひどい自然<u>災害</u>
water <u>pollution</u> by chemical substances	化学物質による水質<u>汚染</u>

0110 □ A1
people
[píːpl] ピープル
[名] 国民，民族，人民；人々
[語法]「国民」の意味では，複数形は peoples。「人々」の意味では person の複数形として，複数扱い。

0111 □ A2
issue
[íʃuː] イシュー
[名] 問題（≒ problem）；関心事；（雑誌などの）号
[イメージ] 議論を要する社会的・政治的な問題。
[動] ～を発行する

0112 □ A2
law
[lɔ́ː] ロー
[名] 法律，法規；行動基準；司法
□ lawful [形] 合法的な（≒ legal）

0113 □ B1
policy
[pɑ́ləsɪ] パラスィ
[名] 政策，方針；保険契約［証券］

0114 □ B1
region
[ríːdʒ(ə)n] リージョン
[名] 地域，地帯；分野
□ regional [形] 地域の

0115 □ B2
revolution
[rèvəlúːʃ(ə)n] レヴァルーション
[名] 革命；大変革
□ revólve [動] 回転する；展開する
□ revolutionary [形] 革命の，革命的な

0116 □ A2
citizen
[sítɪzn] スィティズン [ア]
[名] 市民，国民；民間人
cf. citizenship [名] 市民権，公民権

0117 □ B2
institution
[ìnstət(j)úːʃ(ə)n] インスタテューション
[名]（公共）機関，施設；制度；設立，制定
□ institutional [形] 制度上の，機関の

0118 □ B2
immigrant
[íməgrənt] イミグラント [ア]
[名]（外国からの）移民，移住者
cf. emigrant「（外国への）移民，移住者」
□ immigrátion [名] 移民（すること）；入国
□ immigrate [動]（外国から）移住する

0119 □ B1
race
[réɪs] レイス
[名] 人種；〈the +〉人類（≒ the human race）；競争
□ racial [形] 人種の
[動] 大急ぎで走る

0120 □ B1
poverty
[pɑ́vərti] パヴァティ
[名] 貧困，貧乏；欠乏，欠如
□ poor [形] 貧しい

a peace-loving <u>people</u>	平和を愛する<u>国民</u>
the serious social <u>issue</u> of child abuse	児童虐待という深刻な社会<u>問題</u>
the enforcement of a new <u>law</u>	新しい<u>法律</u>の施行
the government's <u>policy</u> *on* education	政府の教育<u>政策</u>
mangrove forests in the tropical <u>region</u>	熱帯<u>地方</u>のマングローブの森
various inventions during the Industrial <u>Revolution</u>	産業<u>革命</u>の間のさまざまな発明
the representative of the <u>citizens</u> in the country	その国の<u>国民</u>の代表
the oldest <u>institution</u> of higher education	最古の高等教育<u>機関</u>
the laws concerning illegal <u>immigrants</u>	不法<u>移民</u>に関する法律
discrimination based on <u>race</u> and religion	<u>人種</u>や宗教に基づく差別
people living below *the* <u>poverty</u> *line*	<u>貧困</u>ライン以下の生活をしている人々

035

0121 □ **demand** B1
[dɪmǽnd] ディマンド

[名] 要求，要望；必要；需要
▶ in demand [句]需要があって
▶ on demand [句]要求があり次第
[動] ～を要求する
[語法] 〈demand＋that 節〉で that 節中の動詞は（should＋）原形。

0122 □ **industry** B1
[índəstri] インダストリ [ア]

[名] 工業，産業；産業界；勤勉
□ indústrial [形]工業の，産業の
□ indústrious [形]勤勉な
[入試] industrial と industrious の区別は頻出。

0123 □ **economy** B1
[ɪkánəmi] イカノミ [ア]

[名] 経済（活動），景気；節約，倹約
[語源] 家（eco-）の管理（-nomy）。
□ económic [形]経済の，経済に関する
□ económical [形]節約になる，経済的な
[入試] economic と economical の区別は頻出。

0124 □ **career** B1
[kəríər] カリァ [ア]

[名] 職業；経歴，キャリア
[同音] Korea 韓国，朝鮮

0125 □ **colleague** B2
[káli:g] カリーグ [ア]

[名] （特に専門職の）同僚，仲間
cf. co-worker [名]同僚

0126 □ **labor** A2
[léɪbər] レイバァ

[名] 労働，仕事；労働者，労働力
[動] 努力する，骨を折る
[イメージ] 重い荷物を持ってふらつきながら進む。
□ labórious [形]手間のかかる

0127 □ **status** B1
[stéɪtəs] ステイタス

[名] 地位，立場，身分；状況，情勢

0128 □ **executive** B2
[ɪgzékjətɪv]
イグゼキャティヴ [発]

[名] （会社などの）幹部，重役；（政府の）高官
[形] 経営の，管理の；行政の
cf. CEO（＝Chief Executive Officer） [句]最高経営責任者
□ execute [動]～を実行する；～を処刑する

0129 □ **contract** B2
[kántrækt]
カントラクト

[名] 契約（書），協定（書）
[動] [kəntrǽkt] ～を縮小させる，～を収縮させる；
[kántrækt]（～を）契約する

the balance of supply and <u>demand</u>	需要と供給のバランス
recent advances in the IT <u>industry</u>	近年の IT 産業の発達
an unexpected decline in the global <u>economy</u>	世界<u>経済</u>の予期せぬ後退
her long <u>career</u> *as* a lawyer	彼女の弁護士としての長い<u>経歴</u>
a <u>colleague</u> of mine at work	職場での私の<u>同僚</u>
elderly people as a potential <u>labor</u> *force*	潜在的な<u>労働</u>力としての高齢者
improvement in the social <u>status</u> of women	女性の社会的<u>地位</u>の向上
the <u>executives</u> of a leading automobile manufacturer	一流自動車メーカーの<u>重役</u>
a job with a 6-month <u>contract</u>	6 か月<u>契約</u>の仕事

Unit 2 [名詞] 4 金銭・利益

0130 □ **benefit** B1
[bénəfɪt] ベナフィット [ア]
[名] 利益；恩恵，ためになること
[動] 利益を得る，得をする
[イメージ] 個人・集団の幸福につながる，主に金銭以外の利益。

0131 □ **income** B1
[ínkʌm] インカム
[名] 収入，所得
[語法] high [large], low [small] で収入の多さ，少なさを表す。

0132 □ **tax** B1
[tǽks] タクス
[名] 税金，税
[入試] impose a tax on ～「～に税金を課す」は頻出。
□ taxátion [名] 課税

0133 □ **reward** B1
[rɪwɔ́ːrd] リウォード
[名] 報酬，ほうび；見返り；報奨金
[動] ～に報酬を与える
□ rewarding [形] 報われる

0134 □ **profit** B2
[prɑ́fɪt] プラフィット
[名] 利益；利点
[イメージ] 金銭や物質的な利益。
▶ make a profit [句] 利益を上げる
□ profitable [形] 利益になる

0135 □ **wage** B2
[wéɪdʒ] ウェイジ
[名] 賃金，時間給
[イメージ] 特に肉体労働に対する対価で，時給・週給・日給など。
[動] (戦争など) を (…に対して) 行う

0136 □ **wealth** A2
[wélθ] ウェルス
[名] 財産，富；多量，多数
▶ a wealth of ～ [句] 多数の～，多量の～
□ wealthy [形] 裕福な，金持ちの

0137 □ **fund** B1
[fʌ́nd] ファンド
[名] 資金；基金
[動] ～に資金を出す

0138 □ **salary** B2
[sǽləri] サラリ
[名] 給料，俸給
[語法] 「多い」，「少ない」は high [large]，low [small] で表す。
[発信] 「サラリーマン」は an office worker や a company employee で表現。

0139 □ **budget** A2
[bʌ́dʒət] バジャット
[名] 予算 (案)；経費
▶ within [under, below] budget [句] 予算内で
[形] 格安の

the benefits of the new device	新しい装置の恩恵
a comfortable life on a limited income	限られた収入での快適な生活
an extremely *high* tax *on* cigarettes	タバコに対する極端に高い税金
a reward *for* excellent sales performance	優れた販売実績に対する報酬
an attempt to *make a* quick profit	素早く利益を上げようとする試み
a *minimum* wage paid by the hour	時間単位で支払われる最低賃金
useful information to acquire great wealth	大きな財産を手に入れるために役立つ情報
a complete failure to *raise* funds	資金調達の完全な失敗
the average salary of veterinarians	獣医師の平均給与
the government budget *for* the next fiscal year	次の会計年度の政府予算

0140 □ A2	**influence** [ínfluəns] インフルエンス 🗾	名 影響 (力) (≒ effect) 〈イメージ〉行動や性質に対する間接的な影響。 ▶ have an influence on ～　句 ～に影響を与える 動 ～に影響を及ぼす □ inflúential　形 影響力のある
0141 □ B2	**factor** [fǽktər] ファクタァ	名 要因, 要素；係数 〈イメージ〉結果を生み出すもの。
0142 □ A2	**source** [sɔ́:rs] ソース	名 根源, 源；原因；情報源, 典拠
0143 □ A2	**impact** [ímpækt] インパクト 🗾	名 影響, 効果 (≒ effect)；衝撃, 衝突 ▶ have an impact on ～　句 ～に影響を与える 動 [ɪmpǽkt] ～に影響を及ぼす；～とぶつかる
0144 □ B1	**damage** [dǽmɪdʒ] ダミッジ 🔊🗾	名 被害, 損害, 損傷；⟨-s⟩ 損害賠償 (金) ▶ do [cause] damage to ～　句 ～に被害を与える 語法 日本語では「与える」だが, ×give damage to ～としない。
0145 □ A2	**solution** [səlú:ʃ(ə)n] サルーション	名 解決 (策), 解法；解答；溶解；溶液 発信 a solution to ～で「～に対する解決 (策)」。 □ sólve　動 ～を解決する, ～を解く
0146 □ B1	**progress** [prágres] プラグレス 🗾	名 進歩, 発達；前進, 進展 語源 前へ (pro-) +進む (-gress)。 入試 不可算名詞。 ▶ make progress　句 進歩する ▶ in progress　句 進行中で 動 [prəgrés] (物事が) 進む, 進展する
0147 □ A2	**consequence** [kánsəkwèns] カンサクウェンス 🗾	名 結果 (≒ result)；影響 ▶ as a consequence (of ～)　句 (～の) 結果として □ consequently　副 その結果, それゆえに
0148 □ B1	**origin** [ɔ́:rɪdʒɪn] オーリジン 🗾	名 起源；発端；先祖 *cf. On the Origin of Species*『種の起源』(Charles Darwin 著) □ oríginate　動 発生する；始まる □ original　形 最初の, 元の；独創的な

driving *under the* <u>influence</u> *of* alcohol	アルコールの<u>影響</u>下での運転
crucial <u>factors</u> influencing the decision	決定に影響を与える重要な<u>要因</u>
a new alternative <u>source</u> *of* energy	新しい代替エネルギー<u>源</u>
the <u>impact</u> *of* global warming *on* the environment	地球温暖化の環境に対する<u>影響</u>
the widespread <u>damage</u> caused by a tornado	竜巻によって引き起こされた広範囲な<u>被害</u>
a peaceful <u>solution</u> *to* a conflict between the two tribes	その2つの部族間の紛争に対する平和的<u>解決</u>策
the remarkable <u>progress</u> *made* in the field of artificial intelligence	人工知能の分野でなされた目覚ましい<u>進歩</u>
a disaster occurring *as a* <u>consequence</u> *of* bad planning	不十分な計画の結果として引き起こされた惨事
old customs of unknown <u>origin</u>	起源のわからない古い慣習

STAGE 1

Unit 2

[名詞] 6 感情・認識・思考 (1)

0149 □ **will** B2
[wíl] ウィル
[名] 意思，意志；決意
▶ against *one's* will [句]～の意に反して，いやいや

0150 □ **mind** A1
[máɪnd] マインド
[名] 心，精神；知性；意見，意向
▶ keep ～ in mind [句]～を覚えている
▶ make up *one's* mind to *do* [句]do する決心をする
[動] ～を嫌がる
▶ Would you mind if ～？ [句]～してもよろしいですか。

0151 □ **image** A2
[ímɪdʒ] イミッジ ㋐
[名] イメージ，心象；画像，像
[入試] image は同格の that 節で後置修飾できない。
□ imágine [動]～を想像する

0152 □ **emotion** B1
[ɪmóuʃ(ə)n] イモウション
[名] 感情，感動；興奮
[語源] 外へ (e-) ＋出てくる (-motion)。
□ emotional [形]感情的な，感情面の

0153 □ **concern** A2
[kənsə́ːrn] カンサーン
[名] 心配，不安；関心事；関連
[動] ～を心配させる；～に関係する
□ concerned [形]関係して；心配して
▶ *be* concerned with [in] ～ [句]～に関わっている
▶ *be* concerned about [for] ～ [句]～を心配している
▶ *be* concerned with ～ [句]～に関心がある

0154 □ **fear** A2
[fíər] フィア
[名] 恐怖，不安
▶ for fear of [(that)] ～ [句]～を恐れて，～しないように
[動] ～を恐れる，～を怖がる

0155 □ **taste** B1
[téɪst] テイスト
[名] 好み，嗜好(しこう)；味，味覚；風味；味見
▶ to *one's* taste [句]～の好みに合って
[動] ～の味がする；～の味見をする
□ tasty [形]風味のきいた，おいしい
□ tasteful [形]趣味のよい，上品な

0156 □ **attitude** A2
[ǽtɪt(j)ùːd] アティテュード
[名] 態度，姿勢；考え方

0157 □ **aspect** B1
[ǽspekt] アスペクト
[名] 様子，外見；状況，側面；見地

a person with a *strong* <u>will</u>	強い<u>意志</u>を持った人
various states of <u>mind</u>	<u>心</u>のさまざまな状態
the improved <u>image</u> of the company	その会社の改善した<u>イメージ</u>
mixed <u>emotions</u> shown on her face	彼女の顔に表れた複雑な<u>感情</u>
her <u>concern</u> *for* her aging parents	高齢の両親に対する彼女の<u>不安</u>
the constant <u>fear</u> of death	絶えることのない死の<u>恐怖</u>
a <u>taste</u> *for* healthy food	健康的な食品に対する<u>好み</u>
a positive <u>attitude</u> *toward* everything	すべてに対する積極的な<u>姿勢</u>
various <u>aspects</u> of Chinese culture	中国文化のさまざまな<u>側面</u>

0158
desire
[dızáıər] ディザィア
B1

名 願望，欲求
動 ～を(強く)願う

0159
respect
[rıspékt] リスペクト
B1

名 尊敬，敬意，尊重；関連，注意；(関連する)点
語源 「振り返って (re-) +見る (-spect)」からの意味の拡張。
▶ with respect to ～　句 ～に関して
動 ～を尊敬する
□ respectable 形立派な　□ respectful 形丁寧な
□ respective 形それぞれの

0160
concept
[kánsept]
カンセプト
B1

名 概念，観念；(製品などの)構想
□ concéive 動 ～を心に抱く
□ concéptual 形概念上の

0161
perspective
[pərspéktıv]
パァスペクティヴ
B2

名 視点，見方；遠近法，遠近感
▶ in perspective　句釣り合いが取れて

0162
principle
[prínsəpl] プリンサプル
B1

名 原理，原則；主義
TIPS principal「主要な；校長」と区別する。
▶ in principle　句原則的には

0163
sight
[sáıt] サイト
A1

名 見えること；視野；視覚；眺め；名所
▶ at the sight of ～　句 ～を見て
▶ catch the sight of ～　句 ～を見つける

0164
spirit
[spírıt] スピリット
B1

名 精神；気力；考え方；気迫；機嫌
▶ (be) in good spirits　句上機嫌で(ある)
□ spiritual 形精神的な；神聖な

0165
credit
[krédıt] クレディット
A2

名 名誉，功績；信用，信頼；(大学の)単位
▶ to one's credit　句 ～の名誉となって
動 ～を信用する

0166
vision
[víʒ(ə)n] ヴィジョン
B1

名 見通し，展望，心に描く像；視覚，視力
□ visionary 形先見の明のある

0167
confidence
[kánfıdəns] カンフィダンス
B1

名 信頼，信用；自信；秘密；確信
□ confident 形自信がある；確信している
□ confidéntial 形秘密の

a strong <u>desire</u> *to win* the championship	優勝したいという強い<u>願望</u>
a healthy <u>respect</u> *for* teachers	先生方へのきちんとした<u>敬意</u>
one of the basic <u>concepts</u> *of* physics	物理学の基本<u>概念</u>の1つ
consideration of the issue *from a* broader <u>perspective</u>	その問題に関するより広い<u>視点</u>からの考察
the <u>principle</u> of human rights	人権に関する<u>原則</u>
everything *in* <u>sight</u>	<u>目</u>に見えるものすべて
a <u>spirit</u> of cooperation	協力の<u>精神</u>
<u>credit</u> *for* the success of the project	プロジェクト成功の<u>功績</u>
a clear <u>vision</u> of the future	明確な未来<u>像</u>
a lack of public <u>confidence</u> *in* the government	政府に対する国民の<u>信頼</u>の欠如

0168
support
[səpɔ́ːrt] サポート
A2

名 支援, 援助, サポート
動 〜を支援する
語源〉「下から (sup-) ＋運ぶ (-port)」で「支える」。

0169
effort
[éfərt] エファート
A2

名 努力, 尽力
▶ make an effort to *do* 句do しようと努力する

0170
risk
[rísk] リスク
B1

名 危険 (性)
▶ at the risk of 〜 句〜の危険を冒して
▶ take the risk of *doing* 句あえて do する危険を冒す
▶ run the risk of *doing* 句(結果として) do する危険が ある
□ risky 形危険な

0171
purpose
[pə́ːrpəs] パーパス
A2

名 目的, 目標
▶ for the purpose of *doing* 句do する目的で, do する ために (≒ with the view to *doing*)
□ purposeful 形目的のある

0172
performance
[pərfɔ́ːrməns]
パァフォーマンス
A2

名 業績, 実績, 成績；性能；実行；演技, 上演
□ perform 動〜を実行する (≒ carry out)；〜を演じる

0173
conduct
[kándʌkt]
カンダクト
B1

名 行為, 品行, ふるまい (≒ behavior)
動 [kəndʌ́kt] 〜を行う, 〜を実施する；〜を案内する

0174
attempt
[ətémpt] アテンプト
A2

名 試み, 企て
イメージ 失敗に終わった試みを意味することが多い。
▶ make an attempt to *do* 句do しようと試みる
動 〜しようと試みる, 努力する

0175
struggle
[strʌ́gl] ストラグル
B1

名 奮闘；骨折り, 闘争
▶ struggle for survival[existence] 句生存競争
動 奮闘する；取り組む
▶ struggle to *do* 句do しようと努力する

0176
aid
[éid] エイド
B1

名 援助, 救援；手助け
動 〜を援助する

The charity provided financial <u>support</u> to the poor.	慈善団体は貧しい人々に経済的<u>援助</u>を提供した。
They *made a* great <u>effort</u> *to complete* the project.	彼らはプロジェクトを完了するために大いに<u>努力</u>した。
He *ran the* <u>risk</u> *of losing* his job.	彼は職を失う<u>危険</u>があった。
She went to Australia *for the* <u>purpose</u> *of* studying English.	彼女は英語を学ぶ<u>目的</u>でオーストラリアへ行った。
He was praised for his excellent academic <u>performance</u>.	彼は優れた学業<u>成績</u>でほめられた。
He was ashamed of his own <u>conduct</u>.	彼は自分自身の<u>行動</u>を恥じた。
She *made an* <u>attempt</u> *to swim* across the channel.	彼女はその海峡を泳いで渡ろうと<u>試みた</u>。
Their life was a desperate <u>struggle</u> *against* poverty.	彼らの生活は貧困との必死の<u>闘い</u>だった。
The government *gave* <u>aid</u> *to* the refugees.	政府は難民に<u>支援</u>を与えた。

0177
□ **quality**
A2 [kwáləti] クワラティ

名 質，性質；資質
cf. quantity 名 量
形 高品質の

0178
□ **advantage**
A2 [ədvǽntɪdʒ]
アドヴァンティッジ 🅐

名 有利な立場；利点；長所 (⇔ disadvantage)
イメージ 他人・他のものより優位に立たせるもの。
▶ to *one's* advantage 句 ～に都合よく
▶ take advantage of ～ 句 ～を利用する
□ advantágeous 形 有利な，好都合な

0179
□ **intelligence**
A2 [ɪntéləʒ(ə)ns]
インテラジャンス

名 知能，知性；機密情報；諜報（機関）
イメージ 知能の高さと問題処理能力の速さで優れていること。
cf. CIA (= Central Intelligence Agency)《米》中央情報局
□ intelligent 形 知的な

0180
□ **feature**
A2 [fíːtʃər] フィーチャ

名 特徴，特性；顔立ち；主要な物；特集記事
イメージ 人目を引くもの。
動 ～を呼び物にする；～の特色となる

0181
□ **character**
A1 [kǽrəktər] キャラクタァ 🅐

名 性格，性質；特徴；人柄；登場人物；文字
□ characterístic 形 特徴的な 名 特色，特質
入試 アルファベットなどの「（表音）文字」は letter。

0182
□ **trend**
B1 [trénd] トレンド

名 傾向，動向，トレンド；流行
□ trendy 形 流行の

0183
□ **personality**
A2 [pə̀ːrsənǽləti]
パーソナリティ

名 個性，性格，人格；著名人
□ pérsonal 形 個人の，個人的な

0184
□ **gift**
A1 [gíft] ギフト

名 （特別な）才能；贈答品
イメージ 神より贈られた能力。
□ gifted 形 才能ある

0185
□ **property**
B1 [prápərti] プラパティ

名 特性，性質；財産，所有物，資産；地所

0186
□ **capacity**
B1 [kəpǽsəti] キャパサティ

名 能力；容量；収容能力
イメージ 「受け入れられる容量」→「能力」
□ cápable 形 能力のある，〈+ of *doing*〉～できる

---

an improvement in the quality _of life_	生活の質の向上
many advantages of living in a big city	大都市に住むことの多くの利点
the rapid advances of _artificial_ intelligence	人工知能の急速な進歩
the unique geographical features of the region	その地域の独特な地理的特徴
the preservation of the historic character of the town	その町の歴史的な特色の保護
current trends _in_ theoretical physics	理論物理学の最新の動向
a nurse with a kind personality	優しい性格の看護師
a gift _for_ mathematics	数学の才能
the chemical properties of crystals	結晶の化学的特性
his incredible capacity _for_ memorizing numbers	数字を覚える彼の信じられないほどの能力

0187
task
A2
[tǽsk] タスク

名 **任務, 課題, タスク；仕事, 職務**
イメージ こなさなければならない仕事・課題。

0188
role
A1
[róʊl] ロウル

名 **役割, 役目；役, 役柄**
同音 roll 転がる
▶ play a role [part] (in ～) 句 (～で) 役割を果たす

0189
measure
B1
[méʒər] メジャァ 発

名 **手段, 方策；程度；測定, 計量；寸法, 量**
▶ take measures to *do* 句 *do* するための措置を講じる
動 **～を測定する**
□ measurement 名 測定する [される] こと

0190
opportunity
A2
[ὰpərt(j)úːnəti]
アパテューナティ ア

名 **(よい) 機会, 好機, チャンス**
▶ have an opportunity [a chance] to *do* 句 *do* する機会がある

0191
method
A2
[méθəd] メサッド

名 **方法, 手法**
イメージ 理路整然として秩序の整ったやり方。

0192
function
B1
[fʌ́ŋkʃ(ə)n] ファンクション

名 **機能, 作用, 働き；会合；(数学)関数**
動 **機能する**
□ functional 形 機能的な

0193
direction
A2
[dɪrékʃ(ə)n] ディレクション

名 **方向, 方角；道順 (案内)；指示, 命令**
▶ in the direction of ～ 句 ～の方向へ

0194
strategy
A2
[strǽtədʒi] ストラタジ

名 **(全体的な) 戦略；策略**
cf. tactics 名 (個々の) 戦術

0195
alternative
B1
[ɔːltə́ːrnətɪv]
オールターナティヴ ア

名 **代わりの手段, 別の可能性；選択肢**
形 **代わりの, 別の**
入試 和訳問題でよく狙われる語。
cf. alternative energy sources 句 代替エネルギー源

0196
vehicle
B1
[víːɪkl] ヴィークル 発

名 **乗り物, 車両, 車；手段(≒ means), 媒体**
入試 「手段」の意味は頻出。

---

a <u>task</u> impossible to carry out	実行不可能な<u>任務</u>
the important <u>role</u> of women in society	社会における女性の重要な<u>役割</u>
urgent <u>measures</u> *to stop* global warming	地球温暖化を止めるための緊急の<u>方策</u>
a rare <u>opportunity</u> *to meet* the President	大統領に会うめったにない<u>機会</u>
the introduction of a new <u>method</u> of production	新しい生産<u>方法</u>の導入
the vital <u>functions</u> of the heart	心臓の極めて重要な<u>機能</u>
an excellent *sense of* <u>direction</u>	優れた<u>方向</u>感覚
a new marketing <u>strategy</u> in the Asia-Pacific region	アジア・太平洋地域での新しい販売<u>戦略</u>
an <u>alternative</u> *to* plastic shopping bags	レジ袋の<u>代わり</u>となるもの
an effective <u>vehicle</u> for communication	コミュニケーションの効果的な<u>手段</u>

STAGE 1

Unit 2 [名詞] [11] 数量・単位・基準

0197 □ B1 **increase**
[íŋkri:s] インクリース ㋐

[名] 増加，増大 (⇔ decrease 減少)
▶ (*be*) on the increase [句] 次第に増加して（いる）
[動] [ɪnkrí:s] 増加する；～を増加させる

0198 □ B1 **amount**
[əmáunt] アマウント

[名] 量，金額；総計，総額
▶ a large [small] amount of ～ [句] 大［小］量の～
[動]〈+ to ～〉(合計～に) 達する

0199 □ A2 **rate**
[réɪt] レイト

[名] 割合，比率；速度；料金
▶ at the rate of ～ [句] ～の速度で，～の割合で
[動] ～を評価する

0200 □ A2 **lack**
[lǽk] ラック

[名] 不足，欠乏 (⇔ plenty たっぷり)
[動] ～を欠いている，～が不足している
▶ (*be*) lacking in ～ [句] ～を欠いて（いる）

0201 □ B1 **growth**
[gróuθ] グロウス

[名] 成長，発育；発展，発達；増加，増大
□ grow [動] 成長する

0202 □ B1 **standard**
[stǽndərd] スタンダァド ㋐

[名] 標準，基準，規格 [形] 標準の
▶ meet the standard [句] 標準に達する
□ standardize [動] ～を標準化する

0203 □ A2 **degree**
[dɪgrí:] ディグリー

[名] 程度，度合い (≒ extent)；学位；(温度などの) 度
▶ to a degree [an extent] [句] ある程度まで

0204 □ B2 **mass**
[mǽs] マス

[名] 塊，まとまり；質量；大量，多数
[形] 大衆の；大量の，多数の
▶ a (great) mass of [masses of] ～ [句] 大量の～

0205 □ A2 **scale**
[skéɪl] スケィル

[名] 規模；尺度；基準；(魚の) うろこ；はかり
▶ on a large scale [句] 大規模に，大量に

0206 □ B1 **balance**
[bǽləns] バランス ㋐

[名] 平衡，バランス；調和；残高
[動] バランスを保つ

0207 □ B1 **majority**
[mədʒɔ́:rəti] マジョーラティ

[名] 大多数，過半数；多数派
▶ a majority of ～ [句] ～の大多数，大多数の～
□ májor [形] 主要な，大きな

a large <u>increase</u> *in* the number of students	学生数の大幅な<u>増加</u>
an enormous <u>amount</u> of fuel	大<u>量</u>の燃料
the accelerating <u>rate</u> *of* scientific progress	ますます速まる科学の進歩の<u>速度</u>
health problems caused by *a* <u>lack</u> *of* sleep	睡眠<u>不足</u>により引き起こされる健康問題
a slowdown in economic <u>growth</u>	経済<u>成長</u>の鈍化
a high <u>standard</u> *of* living	高い生活<u>水準</u>
with *a* high <u>degree</u> *of* accuracy	高<u>精度</u>で
a great <u>mass</u> of waste	大<u>量</u>の廃棄物
the sheer <u>scale</u> of the disaster	大変な<u>規模</u>の災害
a <u>balance</u> *between* work *and* life	仕事と生活の<u>バランス</u>
the silent <u>majority</u> *of* citizens	声なき<u>大多数</u>の市民たち

0208 □ A2	**research** [rí:sə:rtʃ, risə́:rtʃ] リサーチ	名 研究，調査 ▶ do research on ～ 句 ～についての研究を行う 動 ～を研究する
0209 □ B1	**experiment** [ɪkspérəmənt] イクスペラメント 発	名 実験 動 [ɪkspérəmènt] 実験を行う □ experiméntal 形 実験の
0210 □ A1	**survey** [sə́:rveɪ] サーヴェイ ア	名 調査，検査；概観，概説；測量 ▶ carry out a survey of ～ 句 ～の調査を行う 動 [sə(:)véɪ] ～を調査する
0211 □ B1	**device** [dɪváɪs] ディヴァイス	名 装置，機器，道具；工夫，手段 □ devise 動 ～を考案する
0212 □ B1	**fuel** [fjú:əl] フューアル	名 燃料 動 (よくない状況)を悪化させる
0213 □ B1	**scholar** [skálər] スカラァ	名 学者；博識の人 TIPS 特に人文学分野の学者。自然科学の学者は scientist。
0214 □ B2	**carbon** [ká:rbən] カーバン	名 炭素；コピー TIPS 電子メールの CC は carbon copy [copies] の略。
0215 □ B1	**universe** [jú:nəvə:rs] ユーナヴァース	名 宇宙，銀河；全世界，全人類 □ univérsal 形 全世界の；普遍的な
0216 □ B1	**laboratory** [lǽbərətɔ̀:ri] ラバラトーリ	名 実験室，実習室；研究所
0217 □ B2	**innovation** [ìnəvéɪʃ(ə)n] イナヴェイション	名 革新，イノベーション；新機軸 □ ínnovate 動 ～を革新する □ innovative 形 革新的な

the soaring costs of <u>research</u> and development	急騰する<u>研究</u>開発費
a biological <u>experiment</u> with a new method	新しい方法での生物学<u>実験</u>
a detailed <u>survey</u> of students' reading habits	学生の読書習慣に関する詳細な<u>調査</u>
a new <u>device</u> *for transmitting* image data	新しい画像データ伝達<u>装置</u>
fossil <u>fuels</u> such as oil, gas and coal	石油，ガス，石炭のような<u>化石燃料</u>
an eminent <u>scholar</u> in the field of archaeology	考古学分野の著名な<u>学者</u>
a method for reducing <u>carbon</u> *dioxide* emissions	<u>二酸化炭素</u>排出を削減する方法
the theory of the ever-expanding <u>universe</u>	常に膨張し続ける<u>宇宙</u>という理論
<u>laboratory</u> research into animal behavior	動物の習性についての<u>実験</u>研究
<u>innovations</u> in alternative energy sources	代替エネルギー源における<u>革新</u>

0218 □ A2	**evidence** [évəd(ə)ns] エヴァダンス	名 証拠，証言；痕跡，形跡 □ evident 形 明白な
0219 □ B1	**variety** [vəráɪəti] ヴァライアティ 発	名 多様性，多様さ ▶ a variety of ~ 句 さまざまな~ □ várious 形 さまざまな □ váry 動 変化する
0220 □ B1	**distance** [dístəns] ディスタンス	名 距離，間隔 発信 What is the distance to ~ ? 「~までのどのくらいの距離ですか」。 ▶ in the distance 句 遠くに □ distant 形 遠い，離れた
0221 □ A2	**detail** [díːteɪl] ディーテイル ア	名 詳細，細部 ▶ in detail 句 詳細に 動 ~を詳述する □ detailed 形 詳細な
0222 □ B1	**instance** [ínstəns] インスタンス	名 例，実例 (≒ example) ▶ for instance 句 例えば (≒ for example)
0223 □ A2	**structure** [stráktʃər] ストラクチャ	名 構造，仕組み；体制，機構；建造物
0224 □ B1	**content** [kántent] カンテント ア	名 <-s> 内容 (物)，中味；(本・雑誌の) 内容，目次 形 [kəntént] 満足して 動 [kəntént] ~を満足させる ▶ content *oneself* with ~ 句 ~に満足する
0225 □ B1	**surface** [sə́ːrfɪs] サーフィス 発	名 表面；外見 ▶ on the surface 句 表面上は 形 表面の；地上の
0226 □ B1	**conflict** [kánflɪkt] カンフリクト ア	名 (意見などの) 対立，不一致，衝突 動 [kənflíkt] 対立する，矛盾する
0227 □ B1	**phenomenon** [fɪnámənàn] フィナマナン	名 現象，事象 (複数形 phenomena) □ phenomenal 形 驚異的な

clear <u>evidence</u> *of* his innocence	彼が無実であるという はっきりとした<u>証拠</u>
a <u>variety</u> *of* reasons for the cost increase	費用増加の<u>さまざまな</u> 理由
the <u>distance</u> *between* the Earth *and* the Sun	地球と太陽の間の<u>距離</u>
the <u>details</u> of the job contract	仕事の契約の<u>詳細</u>
a surprising <u>instance</u> of rapid evolution	急速な進化の驚くべき <u>事例</u>
the physical <u>structure</u> of the insect	その昆虫の身体<u>構造</u>
the <u>contents</u> of the new guidebook	新しいガイドブックの <u>内容</u>
landing *on the* <u>surface</u> *of* the planet	その惑星の<u>表面</u>への着 陸
the prolonged political <u>conflict</u> in the Middle East	中東の長引く政治<u>紛争</u>
a variety of natural <u>phenomena</u>	さまざまな自然<u>現象</u>

STAGE 1
Unit 3

形容詞 **1** 人の性質・状態・能力

0228
□ **fit**
A2
[fít] フィット

形 適した，ぴったりで；健康な，元気な
動 ～に適合する；～に合わせる

0229
□ **native**
A2
[néɪtɪv] ネイティヴ

形 原産の；生まれつきの；土着の
名 その土地で生まれた人；母語話者

0230
□ **patient**
B1
[péɪʃ(ə)nt] ペイシャント 発

形 忍耐強い，我慢強い　名 患者，病人
▶ *be* patient with ～　句 ～に我慢強い
□ patience 名忍耐力，我慢強さ

0231
□ **potential**
B2
[pəténʃ(ə)l] パテンシャル

形 潜在的な，可能性のある，起こりうる
名 潜在力，将来性

0232
□ **male**
B1
[méɪl] メイル

形 男性の；雄の
名 男性；雄
cf. female　形 女性[雌]の　名 女性，雌

0233
□ **mental**
B1
[méntl] メントル

形 心の，精神の；知能の (⇔ physical, bodily 身体の)
□ mentálity 名精神性，知性

0234
□ **aware**
B1
[əwéər] アウェア

形 (～を)知っている，気づいている
▶ (*be*) aware of ～　句 ～に気づいている
□ awareness 名気づいていること；意識，認識

0235
□ **familiar**
A2
[fəmíljər] ファミリア ア

形 よく知っている；なじみがある
▶ (*be*) familiar to ～　句 (物が)～によく知られている
▶ (*be*) familiar with ～　句 (人が)～をよく知っている
□ familiárity 名よく知っていること；親しみ

0236
□ **smart**
A1
[smá:rt] スマート

形 頭のいい，賢い；(機器が)高性能の
TIPS 「ほっそりした」には slim や slender を用いる。

0237
□ **responsible**
B1
[rɪspánsəbl]
リスパンサブル

形 (～の)責任がある，(～の)原因である
□ responsibílity 名責任

0238
□ **willing**
B2
[wílɪŋ] ウィリング

形 ～してもかまわない，～する気がある
TIPS この意味では積極的にやりたがるニュアンスはない。
□ willingly 副快く，進んで

---

a place not <u>fit</u> *to live* in	住むのに<u>適して</u>いない場所
crops <u>native</u> *to* the region	その地域<u>原産</u>の作物
The teacher *was* very <u>patient</u> *with* naughty students.	先生はいたずら好きの生徒たちにとても<u>忍耐強</u>かった。
the <u>potential</u> dangers of genetic modification	遺伝子組み換えの<u>潜在的な</u>危険性
the only <u>male</u> character in the movie	その映画の唯一の<u>男性</u>登場人物
The <u>mental</u> development of children	子どもの<u>心の</u>発達
The citizens *were* <u>aware</u> *of* that issue.	市民たちはその問題に<u>気づいて</u>いた。
Those English songs *are* quite <u>familiar</u> *to* us.	それらの英語の歌は私たちにとても<u>なじみがある。</u>
a <u>smart</u> decision to start exercising	運動を始めるという<u>賢明な</u>決断
an executive <u>responsible</u> *for* personnel	人事に<u>責任のある</u>重役
She *was* <u>willing</u> *to* work overtime.	彼女は残業しても<u>かまわない</u>と思った。

0239
□ **common**
A2
[kámən] カモン

形 普通の，一般的な，日常的な；共通の

イメージ 当たり前にあって，目立った特徴もない。
▶ common sense 句 (経験による) 常識，分別
▶ have ～ in common 句 ～の共通点がある

0240
□ **major**
A2
[méɪdʒər] メイジャ

形 重要な，主要な；大きい方の (⇔ minor 重要ではない；小さい方の)

動 〈+ in ～〉 (～を) 専攻する 名 専攻科目

□ majórity 名 大多数；多数派

0241
□ **serious**
B1
[sí(ə)riəs] スィァリアス

形 重大な，深刻な；真剣な，真面目な

□ seriousness 名 真剣さ；重大さ

0242
□ **appropriate**
A2
[əpróupriit]
アプロゥプリィト 発

形 適切な，適当な (≒ proper)

イメージ それ以上よいものがないほど適切な。

0243
□ **available**
B1
[əvéɪləbl] アヴェイラブル

形 利用できる，入手できる

□ availabílity 名 利用できること

0244
□ **positive**
B1
[pázətɪv] ポザティヴ

形 肯定的な，賛成の；積極的な；プラスの

0245
□ **negative**
A2
[négətɪv] ネガティヴ

形 否定的な，拒否の；消極的な；マイナスの

□ negáte 動 ～を否定する
□ negátion 名 否定

0246
□ **effective**
B1
[ɪféktɪv] イフェクティヴ

形 効果的な，有効な；実施されて

□ effect 名 影響，効果

0247
□ **significant**
A2
[sɪgnífɪkənt]
スィグニフィカント ア

形 重要な，意義深い；かなりの，相当の

□ significance 名 重要性

0248
□ **essential**
B1
[ɪsénʃ(ə)l] イセンシャル ア

形 不可欠な，極めて重要な；本質的な

入試 It is essential that S (should) do. (= It is essential for S to do.)「S が do することが不可欠だ」は頻出。

名 不可欠なもの

□ éssence 名 本質；エキス

customs <u>common</u> *to* many regions	多くの地域に共通の慣習
the <u>major</u> industries of that country	その国の主要な産業
the famous athlete's <u>serious</u> injury	有名選手の深刻なけが
an outfit <u>appropriate</u> for an interview	面接に適切な服装
the only information <u>available</u> *to* us	我々に入手できる唯一の情報
<u>positive</u> opinions on the new law	新しい法律に関する肯定的な意見
a <u>negative</u> attitude toward immigrants	移民に対する<u>否定的な</u>態度
<u>effective</u> treatments for cancer	効果的ながん治療法
a <u>significant</u> amount of natural resources	かなりの量の天然資源
<u>essential</u> factors in product design	製品設計の<u>極めて重要</u>な要素

0249
☐ **specific**
A2
[spəsífɪk] スペスィフィック ⑰
形 特定の；具体的な，明確な；特有の
☐ spécify 動 ～を詳しく述べる

0250
☐ **worth**
B1
[wə́ːrθ] ワース
形 (～の) 価値がある, (～に) 値する
▶ worth *doing* 句 do するに値する
名 価値
☐ worthy[wə́ːrði] 形〈+ of ～〉(～に) 値する

0251
☐ **unique**
B1
[juːníːk] ユーニーク
形 唯一の；珍しい；特有の
▶ unique to ～ 句 ～に特有の

0252
☐ **obvious**
B1
[ábviəs] アブヴィアス
形 明らかな，明白な
イメージ 隠れたところがなく，見てすぐにわかる。

0253
☐ **valuable**
B1
[vǽlju(ə)bl] ヴァリュァブル
形 貴重な, 価値のある；高価な (⇔ valueless)
名〈-s〉貴重品
☐ value 名価値；値段 動 ～を尊重する；～を評価する
cf. invaluable 形とても貴重な

0254
☐ **ordinary**
B1
[ɔ́ːrd(ə)nèri] オーディネリ
形 普通の；普段の，いつもの；平凡な
イメージ 他と比べて特別なところがない。
cf. extraordinary 形異常な，並はずれた

0255
☐ **novel**
A2
[návl] ナブル
形 新奇な，奇抜な
名 小説
☐ nóvelty 名新奇さ；目新しいこと [物]

0256
☐ **false**
A1
[fɔ́ːls] フォールス ⑱
形 誤った，虚偽の；本物でない (≒ fake)
☐ fálsify 動 ～を偽造する；～が誤りだと示す

0257
☐ **extreme**
B1
[ɪkstríːm] イクストリーム
形 極端な；過激な
名 極端，極度
▶ go to extremes 句 極端なことをする

0258
☐ **terrible**
A1
[térəbl] テラブル
形 ひどく悪い；極度の；恐ろしい
cf. terrífic 形素晴らしい

0259
☐ **complicated**
[kámpləkèɪtɪd]
カンプラケィティッド ⑰
形 複雑な，込み入った
☐ complicate 動 ～を複雑にする
☐ complicátion 名複雑な状況；合併症

characteristics specific *to* this species	この種に特有の性質
places which *are* worth *visiting*	訪れる価値のある場所
a variety of plants unique *to* this island	この島に特有のさまざまな植物
an obvious reason for her fear	彼女の恐怖心の明白な理由
the valuable experience of studying abroad	留学という貴重な経験
an ordinary weekend	普通の週末
a novel method for estimating the effects of a storm	嵐の影響を評価する奇抜な方法
false information on the Internet	インターネット上の誤った情報
the extreme policies of the political party	その政党の極端な政策
the terrible performance of the actress	その女優のひどい演技
the complicated details of the experiment	実験の複雑な詳細

0260 □ B1 **present**
[préz(ə)nt] プレザント [ア]

[形] [限定用法で]現在の，今の
[叙述用法で]出席して；存在して
[名] 現在
▶ for the present [句]差し当たり，当分は
□ presence [名]出席

0261 □ A1 **late**
[léɪt] レイト

[形] 遅い；遅れた；最近の；〈the +〉亡くなった
[比較変化] late - later（より遅れて）- latest（最新の）
latter（後者の）- last（最後の）

0262 □ A1 **due**
[d(j)úː] デュウー

[形] 〈+ to *do*〉〜する予定の；期限が来て
▶ due to 〜 [前]〜のために，〜が原因で
[名] 当然与えられるべきもの

0263 □ A2 **ancient**
[éɪnʃ(ə)nt]
エインシャント [発]

[形] 古代の；古来の（⇔ modern 現代の）
cf. áncestor [名]先祖

0264 □ B1 **current**
[kə́ːrənt]
カーラント

[形] 現在の，今の，最新の；流通している
[名] （空気・水などの）流れ，潮流；電流
□ currency [名]通貨；流通

0265 □ B1 **previous**
[príːviəs] プリーヴィァス

[形] （時間・順序が）前の，先の，以前の
▶ previous to 〜 [句]〜より前に（≒ prior to 〜）

0266 □ B1 **historical**
[hɪstɔ́(ː)rɪkl] ヒストーリクル

[形] 歴史の，歴史に関する；歴史上の
□ historic [形]歴史上重要な
[入試] historical と historic の区別は頻出。

0267 □ B1 **former**
[fɔ́ːrmər] フォーマァ

[形] 前の，かつての；〈the +〉（二者のうち）前者の
[名] 〈the +〉前者
cf. the latter [形][名]後者（の）

0268 □ A2 **elderly**
[éldərli] エルダリ

[形] 年配の，お年寄りの
▶ the elderly [名]高齢者，お年寄り

0269 □ B1 **rapid**
[rǽpɪd] ラピッド

[形] 急速な，迅速な；早急の
□ rapídity [名]急速，迅速

his <u>present</u> status at the company	会社での彼の<u>現在の</u>地位
All the members *were* <u>present</u> at the meeting.	メンバーは全員会議に<u>出席し</u>ていた。
They married in their <u>late</u> thirties.	彼らは 30 代<u>後半</u>に結婚した。
The report *is* <u>due</u> on Friday.	レポートは金曜日が<u>提出期限</u>だ。
the origin of the <u>ancient</u> *civilization*	その<u>古代</u>文明の起源
the <u>current</u> trends in women's fashions	女性のファッションの<u>最新の</u>流行
the problems dealt with at the <u>previous</u> meeting	<u>以前の</u>会議で扱われた問題
the <u>historical</u> background of the hotel	そのホテルの<u>歴史的</u>背景
the <u>former</u> president of the company	その会社の<u>前の</u>社長
the social welfare of <u>elderly</u> people	<u>年配の</u>人々の社会福祉
a <u>rapid</u> rise in household income	世帯収入の<u>急速な</u>増加

Unit 3

[形容詞] 5 程度・基準／部分・全体

0270 □ **complete** A2
[kəmplíːt] カンプリート

[形] 完全な，全部の；完成した
[イメージ] 必要なものが全部そろっている。
[動] ～を完成する，～を完了する
□ completion [名] 完成，完了

0271 □ **whole** A2
[hóul] ホウル

[形] 全体の，すべてを含む；欠けたものがない
[名] 全体，全部
▶ as a whole [句] (名詞のあとに置いて) 全体として (の)
▶ on the whole [句] 概して

0272 □ **particular** B2
[pərtíkjələr] パティキュラァ

[形] 特定の，個別の；好みのうるさい
[名] 〈-s〉詳細
▶ in particular [句] 特に，とりわけ
□ particularly [副] 特に，とりわけ (≒ especially)

0273 □ **general** B1
[dʒén(ə)rəl] ジェナラル

[形] 全般的な；一般的な，世間一般の；概略の
▶ in general [句] 一般的に，概して
□ generally [副] 一般に，広く

0274 □ **entire** B1
[ɪntáɪər] エンタイァ

[形] 全体の，全部の；全くの
□ entirely [副] 全体的に

0275 □ **primary** B2
[práɪmèri] プライメリ

[形] 第一の；主要な；最初の，初期の：初等の
▶ primary school [句]《英》小学校 (《米》elementary school)
□ primárily [副] 主として，主に

0276 □ **typical** B1
[típɪkl] ティピクル

[形] 典型的な，代表的な；特徴となる
▶ (*be*) typical of ～ [句] ～に典型的で (ある)

0277 □ **overall** B2
[òuvərɔ́ːl] オウヴァオール [ア]

[形] 全体の，全部の；全般的な
[副] 全部で；全体的に見て

0278 □ **severe** B1
[səvíər] サヴィァ

[形] 厳しい，深刻な；厳格な

0279 □ **widespread** B1
[wáɪdsprèd] ワィドスプレッド

[形] 広く行きわたった，普及した

a <u>complete</u> collection of the artist's works	その芸術家の作品の<u>完全な</u>コレクション
the opinion of the <u>whole</u> class	クラス<u>全体</u>の意見
the criticism of a <u>particular</u> author	<u>特定</u>の著者に対する批評
a theme of <u>general</u> *interest*	<u>世間一般</u>の興味を引くテーマ
effects on the <u>entire</u> continent	大陸<u>全体</u>への影響
the <u>primary</u> reason for his success	彼が成功した<u>第一</u>の理由
a <u>typical</u> example of human error	人為的ミスの<u>典型的な</u>例
the <u>overall</u> process of analysis	分析の<u>全体的な</u>過程
a <u>severe</u> shortage of water	<u>深刻な</u>水不足
the <u>widespread</u> impact of the Renaissance	ルネッサンスの<u>広範囲な</u>影響

0280
□ **live**
B1
[láɪv] ライヴ

形 [普通は限定用法で] 生きた, 生きている (≒ living);
(放送・演奏が) 生の
□ lively 形元気な, 快活な
□ alive 形 [叙述用法で] 生きている

0281
□ **level**
B1
[lévl] レヴル

形 平らな, 水平の
名 水準, レベル;水平面;量 動 ~を平らにする

0282
□ **physical**
A2
[fízɪkl] フィズィクル

形 身体の, 肉体の;物理の, 物質的な
cf. physics 名物理(学)

0283
□ **separate**
A2
[sép(ə)rət] セパラット 発

形 別々の, それぞれの;分かれた
動 [sépərèit] ~を分ける, ~を離す
□ separátion 名分離

0284
□ **firm**
B1
[fə́:rm] ファーム

形 堅い, しっかりした;断固とした
名 会社, (弁護士などの)事務所

0285
□ **artificial**
A2
[à:rtɪfíʃəl]
アーティフィシャル 発

形 人工の, 人工的な, 人為的な
cf. ártifact 名人工物

0286
□ **opposite**
A2
[ápəzɪt] アパズィット

形 正反対の, 逆の;向こう側の
名 逆のこと 前 ~の向こう側に [の]
□ oppóse 動~に反対する
□ opposítion 名反対, 対立

0287
□ **nuclear**
B1
[n(j)ú:klɪər]
ニュークリァ 発

形 原子力の, 核(兵器)の
cf. nuclear waste 句核廃棄物

0288
□ **electronic**
B1
[ɪlèktránɪk]
イレクトラニック

形 電子の, 電子に関する
cf. eléctric 形電気の

0289
□ **stable**
B1
[stéɪbl] ステイブル

形 安定した, 不変の
□ stabílity 名安定

0290
□ **internal**
B1
[ɪntə́:rnl] インターナル

形 内部の, 内側の
(⇔ external 外部の, 外側の)

<u>live</u> samples of endangered corals	絶滅に瀕したサンゴの<u>生きた</u>標本
an object placed on a <u>level</u> surface	<u>水平な</u>面に置かれた物体
<u>physical</u> characteristics common to primary school children	小学校の子どもに共通する<u>身体的</u>特徴
two <u>separate</u> routes to the same destination	同じ目的地までの2つの<u>別々な</u>経路
a <u>firm</u> handshake with an old friend	旧友との<u>堅い</u>握手
the rapid development of <u>artificial</u> *intelligence*	<u>人工</u>知能の急速な発達
the <u>opposite</u> results of two similar studies	似通った2つの研究での<u>正反対</u>の結果
the total abolition of <u>nuclear</u> *weapons*	<u>核</u>兵器の全廃
a variety of portable <u>electronic</u> devices	さまざまな携帯型<u>電子</u>機器
a long period of <u>stable</u> economic growth	長期間にわたる<u>安定し</u>た経済成長
the process of <u>internal</u> investigation	<u>内部</u>調査の過程

0291 □ B1 **individual**
[ìndɪvídʒuəl] インディヴィジュアル [ア]
[形] 個人の；個々の；独特な
[名] 個人，個体
[語源] (これ以上)分ける(-divide)ことができない(in-)。

0292 □ A2 **political**
[pəlítɪkl] ポリティクル
[形] 政治の，政治に関する；政党の
□ pólitics [名]政治(学)
□ polítician [名]政治家

0293 □ B1 **financial**
[fɪnǽnʃ(ə)l] フィナンシャル
[形] 財政(上)の；金融の
□ fínance [名]財政(状態)；財源

0294 □ B2 **urban**
[ə́ːrbən] アーバン
[形] 都会の，都市の，都市に住む (⇔ rural 田舎の)
[入試] urban は形容詞で，city は名詞。
□ urbanize [動]～を都市化する

0295 □ B2 **solar**
[sóulər] ソウラァ
[形] 太陽の，太陽光線を利用した
▶ solar calendar [句]太陽暦 ▶ solar eclipse [句]日食
cf. lunar [形]月の stellar [形]星の

0296 □ B1 **academic**
[æ̀kədémɪk] アカデミック
[形] 学問的な，学業の；学園の
[名] 大学教授，学者
□ acádemy [名]協会；専門学校

0297 □ B2 **rural**
[rú(ə)rəl] ルァラル
[形] 田舎の，地方の (⇔ urban 都会の)

0298 □ B1 **practical**
[prǽktɪkl] プラクティカル
[形] 実際的な，実務の；実用的な；現実的な
□ practice [名]実践；練習
□ practically [副]ほとんど…同然で (≒ almost)，事実上

0299 □ B1 **independent**
[ìndɪpéndənt] インディペンダント
[形] 独立した，自立した
▶ (*be*) independent of ～ [句]～から独立して(いる)
[入試] (*be*) dependent on ～「～に依存して(いる)」との区別に注意。
□ independence [名]独立，自立

0300 □ B2 **domestic**
[dəméstɪk] ドメスティック
[形] 家庭(内)の；国内の
cf. GDP (= Gross Domestic Product) [句]国内総生産
□ domesticate [動]～を飼いならす

a strong <u>individual</u> awareness of food waste	食品廃棄に対する強い<u>個人</u>の意識
the outcome of the <u>political</u> conflict	その<u>政治的</u>対立の結末
the prolonged global <u>financial</u> crisis	長引く世界の<u>金融</u>危機
<u>urban</u> residents living in rented housing	賃貸住宅に住む<u>都市</u>の住民
all the planets in the <u>solar</u> *system*	<u>太陽</u>系の全惑星
a prize for <u>academic</u> achievement	<u>学問的</u>業績に対する賞
the advantages of <u>rural</u> life	<u>田舎</u>生活の利点
a <u>practical</u> application of the theory	理論の<u>実践的</u>な応用
citizens of an <u>independent</u> nation	<u>独立</u>国家の市民
the problem of <u>domestic</u> *violence*	<u>家庭内</u>暴力という問題

1-1
☐ **A and B alike**

A も B も同様に

1-2
☐ **(*be*) at once A and B**

A であると同時に B で (ある)　TIPS〉ここでの at once は「一度に」の意味。

1-3
☐ **back and forth**

行ったり来たり, 一方から他方へ (繰り返して)

1-4
☐ **between you and me**

ここだけの話だが, 内緒の話だが　語法〉between us の形でも用いる。

1-5
☐ **by and by**

やがて, 間もなく

1-6
☐ **by and large**

全般的に, 概して (≒ generally)

1-7
☐ **off and on** 《英》**on and off**

断続的に　イメージ〉on と off が繰り返されて。

1-8
☐ **on and on**

どんどん, しきりに　TIPS〉on は「継続」を表す。

1-9
☐ **once and for all**

きっぱりと；これっきりで

1-10
☐ **over and over (again)**

何度も繰り返して, 再三再四

1-11
☐ **(every) now and then [again]**

ときどき, 時折

1-12
☐ **〜 and so forth [on]**

〜など　語法〉改まった文章では etc. と記す。

These names are used for boys and girls alike.

これらの名前は男子にも女子にも同様に用いられる。

He *is* at once kind and generous.

彼は親切であると同時に気前がよい。

The bus goes back and forth *between* the station and the hotel.

バスは駅とホテルの間を往復して運行する。

Just between you and me, I hate singing.

本当にここだけの話だけど，私は歌うのが大嫌いなんだ。

She will forget the painful experience by and by.

彼女もやがてそのつらい経験を忘れるだろう。

By and large, I enjoyed my trip to Sydney.

全般的に，私はシドニー旅行を楽しんだ。

It snowed off and on all day yesterday.

昨日は一日中，雪が断続的に降って（＝降ったりやんだりして）いた。

She walked on and on till she reached the harbor.

彼女はどんどん歩き，港に到着した。

He rejected the proposal once and for all.

彼はその提案をきっぱりと拒否した。

The man told the same story over and over again.

その男性は同じ話を何度も繰り返して語った。

She e-mails her father every now and then.

彼女はときどき父親にEメールを送る。

In Vietnam, they did shopping, sightseeing and so forth.

ベトナムで彼らは買い物や観光などをした。

▪ 基本動詞を使いこなそう

go　出発点［起点］からの移動・変化

ある点から離れて，別の場所へ向かって行くという，場所の移動が基本的な意味。
この基本的な「場所の変化」が比喩的に拡大されて，「状態の変化」も表す。

自 行く，出発する，進む，到達する，去る；（ある状態に）なる

go の基本

■ I think we must <u>go</u> now.　もう<u>おいとまし</u>なければなりません。
- ●今いる場所を離れる。

■ This road <u>goes</u> *to* the station.　この道で駅まで<u>行けます</u>。
- ● to the station で「到着点」の意味が示される。

■ How *are* things <u>going</u>?　調子は<u>どう</u>ですか。
- ●「状況 (things)」はどのように「進行している」のか？

■ He <u>went</u> *gray* in his thirties.　彼は 30 代で白髪に<u>なった</u>。
- ●変化した結果，「(髪の毛が) 白髪交じりになった」。

■ His efforts <u>went</u> *unnoticed*.　彼の努力は気づかれない<u>ままだった</u>。
- ●「気づかれない (unnoticed)」のまま，事態が「進展した」。

■ All her money *is* <u>gone</u>.　彼女のお金はすべて<u>なくなってしまった</u>。
- ●「どこかに行く」→「手元にない」→「なくなる」

go を含む重要表現

■ **go a long way toward *doing*：** do するのに大いに役立つ

Her advice <u>went</u> <u>a long way</u> toward *solving* the problem.
彼女の忠告はその問題を解決する<u>のに大いに役立った</u>。
- ●「長い距離を進む」→「大いに前進する」

■ **go so [as] far as to *do*[*doing*]：** do しさえする

She <u>went</u> <u>so</u> <u>far</u> <u>as to</u> *say* he was a liar.
彼女は彼がうそつきだ<u>とまで</u>言った。
- ●「do するところまで行く」→「do までしてしまう」

go の群動詞

1

■ **go along with ～：～に賛成する**

I'll go along with your plan.
私はあなたの計画に賛成します。

●「道に沿って一緒に進む」→「賛成する」

■ **go by：(年月が) 経つ**

Five years have gone by since then.
それ以来，5年が経過した。

●「そばを通り過ぎていく」→「時が経つ」

■ **go on：(先へ) 進む；続く，～を (し) 続ける**

He went on *talking* about himself.
彼は自分の話をし続けた。

●「途切れずに進む」→「続ける」。あとには *doing* や〈with ＋名詞〉。

He finished doing the dishes and went on *to clean* his room.
彼は皿洗いを終え，続けて部屋の掃除をした。

●go on to *do* は「(あることを終えたあと) 引き続き別のことをする」。

■ **go out with ～：～と付き合う**

She has been going out with Mike for half a year.
彼女はマイクと半年付き合っている。

■ **go over ～：～を検討する，～に目を通す**

I went over the report before submitting it to my boss.
私は上司に提出する前に報告書に目を通した。

■ **go through ～：～を経験する；～を詳細に調べる**

They went through a lot of hardships.
彼らは多くの苦難を経験した。

●「通り抜けて行く」の意から「経験する」。

■ **go with ～：～と調和する；～に付属する**

Your scarf goes with your blouse very well.
あなたのスカーフはブラウスととてもよく合っていますね。

▪ 基本動詞を使いこなそう

come 話し手の方に近づく

自 来る，着く，届く；(ある状態に)なる；起こる

> 「来る」ことが基本。その到達点を意識すると「届く，達する」といった意味となり，さらには変化の結果をイメージできる。

come の基本

■ What time does the next bus <u>come</u>? 次のバスは何時に<u>着きます</u>か。
　●自分の所へやって来るというイメージをまず押さえる。

■ Where do you <u>come</u> *from*? <u>ご出身</u>はどちらですか。
　● come from ～で「～出身である」。Where are you from? とも言う。

■ At last my dream <u>came</u> *true*. ついに私の夢が<u>実現した</u>。
　●「真実である」状態への望ましい変化。

■ I <u>came</u> *to know* him three years ago. 3年前に彼を知る<u>ようになった</u>。
　●「do するようになる」は ×become to *do* とは言わないことに注意。

■ Whatever may <u>come</u>, I won't change my mind.
どんなことが<u>起こ</u>ろうとも，私は決心を変えない。
　●「やって来る」→「起こる」というイメージ。

come を含む重要表現

■ **when it comes to ～：～ (のこと) となると**

<u>When it comes to</u> wine, he is an expert.
<u>ワインの話となると</u>，彼は全くの通だ。
　●その場の話題が「～に到達する」。

■ **come into existence [being]：生まれる，成立する**

The organization <u>came into existence</u> five years ago.
その団体は 5 年前に<u>誕生した</u>。
　●「存在の中に入ってくる」が文字通りの意味。

come の群動詞

1

■ come about：(たまたま) 起こる，生じる

How did the incident come about?

その出来事はどのようにして起きたのですか。

● 「周りにやって来る」→「起こる，生じる」

■ come across 〜：(偶然) 〜に出くわす

She came across an old friend.

彼女は昔からの友人に出くわした。

● 「自分の進む方向を横切るようにやって来る」というイメージ。

■ come down with 〜：(病気) にかかる

He came down with a flu last month.

彼は先月インフルエンザにかかった。

● 「病気でダウンする」というイメージ。

■ come off：(〜が) 取れる，外れる

The button came off.

ボタンが取れた。

● 「離れた状態 (off)」への変化。

■ come out：(製品などが) 世に出る，発刊される

Her new novel will come out next week.

彼女の新しい小説が来週出版される。

● 「外に出てくる」→「世の中に出てくる」のイメージ。

■ come up with 〜：〜を思いつく，考え出す

She came up with a good idea.

彼女はよい考えを思いついた。

● 「何かを持ってやって来る」が文字通りの意味。

■ 重要な多義語・多品詞語

help

動 ❶ ~が do するのを**手伝う**
〈help O (to) do〉

He helped his wife *cook* lunch.
彼は妻が昼食を作るのを手伝った。

❷ ~が do するのに**役立つ**
〈help O (to) do〉

His advice helped her *to solve* the problem.
彼のアドバイスは彼女が問題を解決するのに役立った。

❸ ~を**避ける**

It can't be helped.
仕方がないよ。（＝それは避けられない）

成句 ❶ cannot help *doing*
＝ cannot help but *do*
do せずにはいられない

I couldn't help *laughing* at his joke.
私は彼の冗談に笑わずにはいられなかった。

❷ help *oneself* to ~
~を自分で取って食べる
[飲む・使う]

Please help yourself to the cookies.
遠慮なくクッキーを食べてください。

名 ❶ **助け，手伝い**

She *cried for* help.
彼女は助けを求めて叫んだ。

❷ **役に立つ物 [人]**

He *was a* great help.
彼は大いに役立った。

cause

動 ❶ ~の**原因となる，**
~を引き起こす

His reckless driving caused the accident.
彼の無謀な運転が事故の原因となった。

❷ 〈+ O to *do*〉
~に *do* させる

What caused her *to change* her mind?
何が彼女の気を変えさせたのだろう。

名 ❶ **原因**

What is the cause of the accident?
その事故の原因は何ですか。

❷ **理由，根拠**

He has *good* cause *for* complaint.
彼には不平を言う十分な理由がある。

❸ （大きな）**目的，大義**

The organization has been working *for the* cause *of* international peace.
その団体は国際平和の目的で活動している。

STAGE 2

高校必修語：発展レベル

語い力の基盤を完成させるステージです。
STAGE 1より抽象度の高い語も登場します
が, 各単語の語義をばらばらに覚えるので
はなく, 単語そのものが持つイメージを重視
した学習が効果的です。

0301 □ B1	**please** [plíːz] プリーズ	動 ~を満足させる，~を喜ばせる
		□ pléasure 名 楽しみ，喜び
		□ pléasant 形 楽しい，愉快な (≒ pleasing)

0302 □ B1	**attract** [ətrǽkt] アトラクト	動 ~の関心を引く；~を引きつける
		イメージ 何かの方へ引きつける (-tract)。
		□ attraction 名 魅力；人を引きつけるもの，呼び物
		□ attractive 形 魅力的な；関心を引く

0303 □ A1	**assume** [əs(j)úːm] アスーム	動 ~を仮定する；~と見なす；(責任など)を負う；(意味・性質など)を帯びる
		□ assumption 名 仮定，推定
		□ assuming (that) ~ 接 ~だと (仮定) すれば

0304 □ B1	**convince** [kənvíns] カンヴィンス	動 ~を確信させる，~を納得させる
		▶ convince A of B [A (that) S + V] 句 A に B [S + V] を確信させる
		□ conviction 名 確信
		□ convincing 形 説得力のある

0305 □ A2	**confuse** [kənfjúːz] カンフューズ	動 ~を困惑させる；~を混乱させる
		▶ confuse A with B 句 A を B と混同する
		□ confusion 名 混乱；混同

0306 □ B1	**puzzle** [pʌ́zl] パズル	動 ~を当惑させる；~をまごつかせる
		▶ be puzzled at [about] ~ 句 ~に当惑する
		名 難問，なぞ；パズル

0307 □ A2	**trust** [trʌ́st] トラスト	動 ~を信頼する
		▶ trust A with B 句 (信頼して) A に B を任せる
		名 信頼
		□ trustworthy 形 信頼に値する

0308 □ B1	**conclude** [kənklúːd] カンクルード	動 ~と結論を出す；~に結末をつける
		イメージ しっかり締めくくる。
		□ conclusion 名 結論
		□ conclusive 形 結論となる

0309 □ A2	**remind** [rɪmáɪnd] リマインド	動 ~を思い出させる；~に (…を) 気づかせる
		▶ remind A of B 句 A に B を思い出させる

It is difficult to <u>please</u> everybody.	皆を<u>満足させる</u>ことは難しい。
She *was* <u>attracted</u> by the idea of studying abroad.	彼女は留学という考えに<u>関心を持った</u>。
Let us <u>assume</u> *that* he is guilty.	彼が有罪だ<u>と仮定して</u>みよう。
His explanation <u>convinced</u> me *of* his innocence.	彼の説明で彼の無実を<u>確信する</u>ことができた。
The unexpected question <u>confused</u> him.	予期せぬ質問が彼を<u>困惑させた</u>。
What <u>puzzled</u> her most was his silence.	彼女を最も<u>当惑させた</u>のは彼の沈黙だった。
They completely <u>trusted</u> their teacher.	彼らは先生を完全に<u>信頼</u>していた。
The report <u>concluded</u> that the politician was not involved in the case.	報告書は，その政治家が事件に関与していないと<u>結論づけた</u>。
This song always <u>reminds</u> me *of* my grandmother.	この歌はいつも私に祖母を<u>思い出させる</u>。

0310 □ **recall** B1
[rɪkɔ́:l] リコール
[動] ～を思い出す；～を思い起こす
[名] 想起，回想；リコール
[イメージ] 意識的に努力して思い出す。

0311 □ **ensure** B1
[ɪnʃúər] インシュア
[動] ～を確かにする；～を確実にする (≒ make sure)；～を保証する (≒ guarantee)
[同音] insure [動] ～に保険をかける

0312 □ **perceive** B2
[pərsí:v] パァスィーヴ
[動] ～に気づく，～を知覚する；～がわかる
□ perception [名] 知覚；認識
□ perceptive [形] 知覚の

0313 □ **stimulate** B2
[stímjəlèɪt] スティミャレイト
[動] ～を刺激する，～を興奮させる
□ stimulus [名] 刺激 ([複数形] stimuli)

0314 □ **upset** B2
[ʌ̀psét] アプセット [ア]
[動] ～を動揺させる，怒らせる；～をひっくり返す
[活用] upset - upset - upset
[形] 動揺して [名] [ʌ́psèt] 混乱，動揺

0315 □ **inform** B1
[ɪnfɔ́:rm] インフォーム
[動] ～に (…について) 知らせる，通知する
▶ inform A of [about] B [句] A に B を知らせる
▶ inform A (that) ～ [句] A に～を知らせる
□ informátion [名] 情報

0316 □ **pretend** A2
[prɪténd] プリテンド
[動] ～のふりをする；～だと偽る
[イメージ] 真実だと見せかける。
▶ pretend to *do* [句] do するふりをする
□ pretense [名] 見せかけ，(～の) ふり

0317 □ **confirm** B1
[kənfə́:rm] カンファーム
[動] ～を確かめる，～を確認する
[語源] しっかり (con-) ＋固める (firm)。
□ confirmátion [名] 確認，確証

0318 □ **propose** B1
[prəpóuz] プラポウズ
[動] ～を提案する；～に結婚を申し込む
[語源]「前へ (pro-) ＋置く (-pose)」から「申し出る」。
[入試] propose (to ＋人) that ～「(人に) ～を提案する」は頻出。
□ proposal [名] 提案

She couldn't <u>recall</u> the client's name.	彼女は顧客の名前<u>を思い出せ</u>なかった。
Please <u>ensure</u> that all the doors are locked when you leave.	出かけるときにすべてのドアに鍵がかかっているか<u>確かめて</u>ください。
He <u>perceived</u> a change in her attitude.	彼は彼女の態度の変化<u>に気づいた</u>。
The government took effective measures to <u>stimulate</u> the economy.	政府は経済を<u>刺激する</u>効果的な方策を講じた。
His words really <u>upset</u> her.	彼の言葉は彼女をひどく<u>動揺させた</u>。
She <u>informed</u> her boss *of* her safe arrival in Paris.	彼女は無事にパリに着いたことを上司<u>に知らせた</u>。
He <u>pretended</u> not *to know* the truth.	彼は真実を知らない<u>ふり</u>をした。
Please <u>confirm</u> your hotel reservation.	あなたのホテルの予約<u>を確認して</u>ください。
The manager <u>proposed</u> a new marketing strategy.	部長は新しい販売戦略<u>を提案した</u>。

| 0319 □ A1 | **judge** [dʒʌ́dʒ] ジャッジ | 動 (～を)判断する, (～を)評価する ▶ judging from ～ 句 ～から判断すると 名 裁判官 □ judgment 名 判断 |

| 0320 □ A2 | **appreciate** [əprí:ʃièit] アプリーシエイト | 動 ～を正しく評価する, ～をよく理解する; ～をありがたく思う; ～を鑑賞する 入試 「～をありがたく思う」の意味では人を O にしない。 □ appreciátion 名 評価;鑑賞;感謝 |

| 0321 □ B1 | **refuse** [rɪfjúːz] リフューズ | 動 ～を拒む, ～を拒絶する; ～を断る ▶ refuse to do 句 do するのを拒む □ refusal 名 拒否, 拒絶 |

| 0322 □ B1 | **adopt** [ədápt] アダプト | 動 ～を採用する; ～を養子にする □ adoption 名 選択, 採用;養子縁組 |

| 0323 □ B1 | **reject** [rɪdʒékt] リジェクト | 動 ～を拒否する, ～を拒絶する; ～を却下する 語源 相手に投げ(-ject)返す(re-)。 □ rejection 名 拒否;却下 |

| 0324 □ B1 | **deny** [dɪnáɪ] ディナイ | 動 ～を否定する, ～を与えない ▶ deny doing 句 do したことを否定する □ denial 名 否定 |

| 0325 □ A2 | **admit** [ədmít] アドミット | 動 ～を認める; ～に入るのを許す □ admission 名 入場, 入学;入場料;承認 |

| 0326 □ A2 | **blame** [bléɪm] ブレイム | 動 ～を非難する; ～の責任にする ▶ blame A for B (≒ blame B on A) 句 B の理由で A を非難する, B を A の責任にする |

| 0327 □ B1 | **vote** [vóut] ヴォウト | 動 (～に)投票する; ～を投票で決める 名 投票;票 ▶ vote for [against] ～ 句 ～に賛成[反対]の投票をする |

| 0328 □ B1 | **distinguish** [dɪstíŋgwɪʃ] ディスティングウィッシュ | 動 ～を区別する ▶ distinguish A from B 句 A を B と区別する □ distinction 名 区別 □ distinguished 形 優れた, 著名な |

Judging *from* the look of the sky, it will probably rain tomorrow.	空模様から判断すると，明日はおそらく雨になるだろう。
He didn't *fully* appreciate the impact of his own mistake.	彼は自分自身の誤ちの影響を十分に理解していなかった。
He refused *to participate* in the expedition.	彼は探検に参加することを拒んだ。
The committee adopted a new policy.	委員会は新しい方針を採用した。
The executives rejected his proposal.	重役たちは彼の提案を却下した。
He denied *having* cheated on the exam.	彼は試験でカンニングをしたことを否定した。
She admitted *telling* a lie.	彼女はうそをついたことを認めた。
She blamed him *for* her own failure.	彼女は自分自身の失敗を彼の責任にした。
We voted *for* that candidate in the election.	私たちは選挙であの候補者に投票した。
Can you distinguish fake news *from* real news?	あなたは偽のニュースを本物のニュースと区別することができますか。

0329 □ **contribute** B1
[kəntríbju:t] カントリビュート [ア]
[動] (～に)貢献する；(～の)原因となる
▶ contribute to ～ [句]～に貢献する，～の原因となる
□ contribútion [名]貢献

0330 □ **release** A2
[rɪlí:s] リリース
[動] ～を解放する；～を発表する
[名] 解放；公開；発売

0331 □ **enable** B1
[ɪnéɪbl] イネイブル
[動] ～をできるようにする；～を可能にする
[語源]「できる (able)」ように「する (en-)」。
▶ enable O to *do* [句]O が do できるようにする
[入試] 無生物主語の構文は和訳・整序作文で頻出。

0332 □ **recommend** B1
[rèkəménd] レカメンド
[動] ～を推薦する，勧める
[語法] recommend (that) S＋(should) V「S が V するよう勧める」で should を用いない場合，V は原形。
□ recommendátion [名]推薦，推奨

0333 □ **invite** A2
[ɪnváɪt] インヴァイト
[動] ～を招く，～を誘う；～の誘因となる
▶ invite O to *do* [句]O に do するよう誘う [勧める]
□ invitátion [名]招待

0334 □ **afford** B1
[əfɔ́:rd] アフォード
[動] ～の余裕がある；～を買うことができる
[語法] ふつう否定文や疑問文で can [could], be able to などと共に用いる。
▶ afford to *do* [句]do する余裕がある

0335 □ **invest** B1
[ɪnvést] インヴェスト
[動] (～に)投資する；出資する；～を投資する
□ investment [名]投資，出資

0336 □ **ban** B2
[bǽn] バン
[動] ～を禁止する，～を禁ずる
[イメージ] 法律・規則などでの厳格な禁止。
▶ ban O from *doing* [句]O が do するのを禁ずる
[名] 禁止(令)；禁制

0337 □ **permit** B1
[pərmít] パァミット [ア]
[動] ～を許可する，～を許す
▶ permit O to *do* [句]O が do することを許可する
[名] [pə́:rmɪt] 許可証
□ permíssion [名]許可，許諾

His research <u>contributed</u> *to* the development of a new drug.	彼の研究は新薬の開発に<u>貢献した</u>。
The terrorists <u>released</u> the hostages.	テロリストは人質を<u>解放した</u>。
Her cooperation <u>enabled</u> him *to complete* the project.	彼女の協力で彼はプロジェクトを完了<u>できた</u>。
The doctor <u>recommended</u> *that* she *do* light exercise at least twice a week.	医師は彼女が少なくとも週に 2 回は軽い運動をすること<u>を勧めた</u>。
She <u>invited</u> me *to go* to the movies.	彼女は私に映画に行こうと<u>誘った</u>。
We *cannot* <u>afford</u> *to buy* such an expensive car.	私たちはそんな高価な車を買う<u>余裕はない</u>。
He decided to <u>invest</u> *in* a venture company.	彼はベンチャー企業に<u>投資する</u>ことに決めた。
Women *are* <u>banned</u> *from driving* cars in some countries.	一部の国では，女性は車を運転することを<u>禁じられている</u>。
Minors *are not* <u>permitted</u> *to buy* alcoholic beverages.	未成年者はアルコール飲料を買うのを<u>許されていない</u>。

0338 □ **advertise** B1
[ǽdvərtàɪz] アドヴァタイズ [ア]
[動] ～を宣伝する，～の広告をする
□ advertísement [名] 宣伝，広告

0339 □ **complain** A2
[kəmpléɪn] カンプレイン
[動] (～について) 不満を言う，苦情を言う
▶ complain of ～ [句] ～について不満を言う，(不調・苦痛など) を訴える
□ complaint [名] 不平；苦情

0340 □ **warn** B1
[wɔ́ːrn] ウォーン [発]
[動] ～に警告する，～に用心させる
▶ warn A of B [句] A に B を警告する
□ warning [名] 警告，警報

0341 □ **expose** B1
[ɪkspóuz] イクスポウズ
[動] ～を (…に) さらす；～を暴く
[イメージ] 「外へ (ex-)」＋「置く (pose)」から，「内部をさらす」。
▶ expose A to B [句] A を B にさらす
□ exposure [名] さらすこと；暴露

0342 □ **insist** B1
[ɪnsíst] インスィスト
[動] ～と主張する；(～を) 強く要求する
[語法] 目的語に that 節を取る場合，「主張する」の意味では that 節内の V は直説法，「要求する」では V は原形または should do の形。
▶ insist on ～ [句] ～を主張する；～を要求する

0343 □ **advise** A2
[ədváɪz] アドヴァイズ [発] [ア]
[動] ～に忠告する，アドバイスする
▶ advise O to *do* [句] O に do するよう忠告する
□ advice [ədváɪs] [名] 忠告，アドバイス

0344 □ **interpret** B2
[ɪntə́ːrprɪt] インタープリット [ア]
[動] ～を解釈する；～を通訳する
□ interpretátion [名] 解釈；通訳

0345 □ **translate** B1
[trænsléɪt] トランスレイト [ア]
[動] ～を翻訳する；～を通訳する
▶ translate A into B [句] A を B に翻訳する
□ translátion [名] 翻訳，通訳

0346 □ **reply** B1
[rɪpláɪ] リプライ
[動] (…に) 返答する，返事をする
▶ reply to ～ [句] ～に返答する
[名] 返答，回答
▶ in reply to ～ [句] ～への返答として

The company started to <u>advertise</u> their new product on the Internet.	その会社はインターネットで新製品を<u>宣伝し</u>始めた。
He is always <u>complaining</u> *about* his boss.	彼はいつも上司について<u>不満を言っている</u>。
The weather report <u>warned</u> us *of* a severe snowstorm.	天気予報は私たちにひどい吹雪への警戒を呼びかけた。
The government scandal *was* finally <u>exposed</u>.	政府の不祥事がついに<u>暴かれた</u>。
The hotel guest <u>insisted</u> *that* the room *be* cleaned immediately.	ホテルの客は部屋をすぐに掃除する<u>ように</u>要求した。
She <u>insisted</u> *on* doing the work by herself.	彼女はその仕事を独力でやると<u>言い張った</u>。
She <u>advised</u> me not *to jump* to any conclusions.	彼女は私に結論に飛びつかないよう<u>忠告した</u>。
She <u>interpreted</u> his response *as* a rejection.	彼女は彼の反応を拒否だと<u>解釈した</u>。
It was not difficult to <u>translate</u> the English passage *into* Japanese.	その英語の文章の一節を日本語に<u>訳す</u>のは難しくなかった。
He <u>replied</u> *to* my e-mail very promptly.	彼は私の E メールに即座に<u>返信した</u>。

0347
☐ **cost**
A2

[kɔ́ːst] コースト

動 (人に)(費用)がかかる 名 費用，経費

活用〉cost - cost - cost

▶ cost ＋人＋金額＋ to *do* 句 do するのに (人) に (金額) がかかる

0348
☐ **encourage**
A2

[ɪnkə́ːrɪdʒ]
インカーリッジ

動 ~を励ます；~に勧める

▶ encourage O to *do* 句 O に do するよう勧める

☐ encouragement 名 推薦，奨励

0349
☐ **seek**
A2

[síːk] スィーク

動 ~を探し求める；~しようと努力する

活用〉seek - sought - sought

▶ seek to *do* 句 do しようと努力する

0350
☐ **earn**
A2

[ə́ːrn] アーン

動 ~を得る；(生計)を立てる

☐ earnings 名 収入，(勤労) 所得

0351
☐ **acquire**
B1

[əkwáɪər] アクワイァ

動 ~を獲得する；~を習得する

☐ acquisítion 名 獲得；習得

0352
☐ **aim**
B2

[éɪm] エイム

動 (~を)狙う；(~を)目標とする

▶ aim at ~ 句 ~を狙う

▶ aim to *do* 句 do することを目指す

名 目標，目的；標的

0353
☐ **capture**
B1

[kǽptʃər] キャプチャ

動 ~を捕らえる，~を捕獲する

名 捕獲，逮捕

0354
☐ **intend**
B1

[ɪnténd] インテンド

動 ~を意図する，~するつもりである

▶ intend to *do* 句 do するつもりである

☐ intention 名 意図

0355
☐ **obtain**
B1

[əbtéɪn] アブテイン

動 ~を手に入れる，~を取得する

0356
☐ **consume**
B1

[kəns(j)úːm] カンスーム

動 ~を消費する；~を使い果たす

☐ consúmption 名 消費

cf. consumption tax 句 消費税

☐ consumer 名 消費者

It will <u>cost</u> you more than $500 to buy a new computer.	君が新しいコンピュータを買うのに 500 ドル以上かかるだろう。
She always <u>encourages</u> her students *to use* the library as much as possible.	彼女はいつも生徒たちに，できるだけ図書館を使うよう勧めている。
The company has been <u>seeking</u> *to survive* in the competitive market.	その会社は競争の激しい市場で生き残ろうと努力してきた。
The Japanese singer <u>earned</u> a worldwide reputation.	その日本人歌手は世界的な名声を得た。
She <u>acquired</u> advanced IT skills.	彼女は高度な IT 技能を習得した。
He <u>aims</u> *to achieve* his goal.	彼は自分の目標を達成することを目指している。
The police <u>captured</u> the suspected thief.	警察は窃盗の容疑者を捕まえた。
I <u>intend</u> *to finish* my homework by Friday.	私は金曜までに宿題を終わらせるつもりだ。
She succeeded in <u>obtaining</u> a large property.	彼女は広い土地を手に入れるのに成功した。
This vehicle <u>consumes</u> a large amount of fuel.	この乗り物は大量の燃料を消費する。

STAGE 2

Unit 1 [動詞] 7 変化・変更

0357 □ B1 **expand** [ɪkspǽnd] イクスパンド

[動] (～を)拡大する

[イメージ] 膨らんで全体的に広がっていく。

□ expansion [名]拡大，拡張

0358 □ B1 **shift** [ʃíft] シフト

[動] (位置・方向)を変える，移す；変わる，移る

[名] 交代，変更

0359 □ A2 **destroy** [dɪstrɔ́ɪ] ディストロイ

[動] ～を破壊する

□ destruction [名]破壊

□ destructive [形]破壊的な

0360 □ A2 **invent** [ɪnvént] インヴェント

[動] ～を発明する，～を考案する

[入試] invent a lie「うそをでっち上げる」も押さえておこう。

□ invention [名]発明，考案

0361 □ B1 **remove** [rɪmúːv] リムーヴ

[動] ～を取り除く，～を除去する

□ removal [名]除去

0362 □ B1 **extend** [ɪksténd] イクステンド

[動] ～を拡張する；～を延長する；(手・足)を伸ばす

[イメージ] 先に向かって伸びていく。

□ extension [名]拡大，拡張

0363 □ A2 **repair** [rɪpéər] リペァ

[動] ～を修理する，直す (≒ fix)

[TIPS] 専門的な技術を要するような修理。

[名] 修理

0364 □ A2 **adjust** [ədʒʌ́st] アジャスト

[動] ～を調整する，～を適合させる；(～に)順応する

□ adjustment [名]調整；適合，順応

0365 □ B1 **construct** [kənstrʌ́kt] カンストラクト [ア]

[動] ～を建設する，～を組み立てる

□ construction [名]建設，工事；(文などの)構造

□ constructive [形]建設的な

0366 □ B1 **tear** [téər] テァ [発]

[動] ～を引き裂く，～を破る；裂ける

[活用] tear - tore - torn

[名] [tíər] 涙

The country gradually <u>expanded</u> its territory.	その国は徐々に領土を<u>拡大</u>した。
The wind <u>shifted</u> *from* the south *to* the north.	風向きが南から北に変わった。
The war <u>destroyed</u> the whole city.	戦争はその都市全体を<u>破壊</u>した。
She <u>invented</u> an innovative distribution system.	彼女は革新的な流通システムを<u>発明</u>した。
They <u>removed</u> the obstacles on the road.	彼らは道路上の障害物<u>を取り除</u>いた。
They <u>extended</u> the contract for another year.	彼らはもう1年契約を<u>延長</u>した。
This photocopier needs <u>repairing</u>.	このコピー機は<u>修理する</u>必要がある。
She <u>adjusted</u> the seat *to* her height.	彼女は座席を自分の背の高さに<u>調整</u>した。
Ten high-rise buildings *were* <u>constructed</u> in that district five years ago.	その地区では5年前に10棟の高層ビルが<u>建設</u>された。
She <u>tore</u> the paper *into pieces*.	彼女は紙をびりびりに<u>引き裂</u>いた。

2

0367 B1 □ **escape**
[ɪskéɪp] イスケイプ

動 (~から)逃げる, 逃れる；~を免れる
▶ escape *doing* 句 do するのを免れる
名 脱出, 逃亡

0368 B1 □ **abandon**
[əbǽndən] アバンダン

動 ~を断念する；~を見捨てる
□ abandonment 名断念, 放棄

0369 B2 □ **purchase**
[pə́:rtʃəs] パーチェス ⦿

動 ~を購入する (≒ buy)
名 購入, 購買

0370 B1 □ **flow**
[flóu] フロウ

動 流れる
名 流れ；流入, 流出

0371 B2 □ **transport**
[trænspɔ́:rt]
トランスポート ⦿

動 ~を輸送する, ~を運ぶ
名 [trǽnspɔ:rt] 輸送, 運輸；輸送機関；交通手段
□ transportátion 名輸送；輸送機関；交通手段

0372 B1 □ **delay**
[dɪléɪ] ディレイ

動 ~を遅らせる, ~を遅延させる
名 遅延, 遅刻

0373 A2 □ **explore**
[ɪksplɔ́:r] イクスプロァ

動 ~を探検する；~を調査する
□ explorátion 名探検；調査

0374 B1 □ **press**
[prés] プレス

動 ~を押し付ける；~をしぼる；~を強調する
名 新聞, 雑誌；報道陣；押すこと, 圧迫
入試 the press「新聞, 報道機関」は必須。

0375 A2 □ **operate**
[ápərèit]
アパレイト ⦿

動 ~を操作する；~を運営する；作動する；
手術する
□ operátion 名操作；作動；運営；手術
□ operator 名操作者；オペレーター
□ operátional 形運営上の, 稼働可能な

0376 B1 □ **behave**
[bɪhéɪv] ビヘイヴ

動 ふるまう, 行動する
▶ behave *oneself* 句行儀よくする
□ behavior 名ふるまい, 行動

She *narrowly* <u>escaped</u> *being* injured in the accident.	彼女はその事故でかろうじてけがをするのを<u>免れた</u>。
The company <u>abandoned</u> its plan to construct a new plant.	その会社は新しい工場を建設する計画を<u>断念した</u>。
My colleague <u>purchased</u> a new house.	私の同僚は新居を購入<u>した</u>。
The river <u>flows</u> *through* the center of the town.	その川はその町の中央を<u>流れている</u>。
Relief supplies *were* <u>transported</u> by air.	救援物資は飛行機で<u>輸送された</u>。
Our plane *was* <u>delayed</u> due to strong winds.	私たちのフライトは強風のために<u>遅れた</u>。
He <u>explored</u> the Antarctic region.	彼は南極地方を<u>探検した</u>。
He <u>pressed</u> the button to start the engine.	彼はエンジンをかけるためにボタンを<u>押した</u>。
She showed me how to <u>operate</u> the machine.	彼女はその機械を<u>操作する</u>方法を私に教えてくれた。
He <u>behaved</u> *as if* there was nothing to worry about.	彼はまるで何も心配することはないかのように<u>ふるまった</u>。

0377 □ B2
sort [sɔ́ːrt] ソート
[動] ～を分類する，～を仕分ける
[名] 種類，部類
▶ a sort of ～ [句] 一種の～

0378 □ A2
organize [ɔ́ːrɡənàɪz] オーガナイズ
[動] ～を準備する；～を組織する；～をまとめる
□ organizátion [名] 組織，団体

0379 □ B1
engage [ɪnɡéɪdʒ] インゲイジ
[動] (人)を(…に)引きつける，引き込む；～を雇う
▶ *be* engaged in ～ [句] ～に従事する
▶ *be* engaged to ～ [句] ～と婚約している
□ engagement [名] 従事；婚約(期間)

0380 □ A2
attack [ətǽk] アタック
[動] ～を攻撃する；～を激しく非難する；～に取り組む
[名] 攻撃，襲撃

0381 □ B1
rely [rɪláɪ] リライ
[動] (～に)頼る，依存する；(～を)信頼する
▶ rely on ～ (for ...) [句] (…を) ～に頼る
□ reliable [形] 信頼できる
□ reliance [名] 依存

0382 □ B1
define [dɪfáɪn] ディファイン
[動] ～を定義する，～を規定する
[イメージ] 境界を定めて範囲をはっきり決める。
□ definítion [名] 定義，規定

0383 □ A2
gather [ɡǽðər] ギャザァ
[動] 集まる，集合する；～を集める
□ gathering [名] 集まり，集会

0384 □ B1
stick [stík] スティック
[動] くっつく；～をくっつける，貼る；突き刺す
[活用] stick - stuck - stuck
▶ stick to ～ [句] ～に固執する
[名] 小枝，細枝；棒切れ，棒状のもの
□ sticky [形] ねばねばする

0385 □ B1
address [ədrés] アドレス [ア]
[動] ～に取り組む；～に宛て先を書く；～に話しかける
[名] (《米》[ǽdres] も) 住所，宛先；演説；対処

0386 □ B1
combine [kəmbáɪn] カンバイン
[動] ～を(…と)組み合わせる，結び付ける；(～と)結合する
□ combinátion [名] 組み合わせ，結合

The documents *are* <u>sorted</u> by date.	書類は日付で<u>分類され</u><u>ています</u>。
They <u>organized</u> a new committee.	彼らは新しい委員会を<u>組織した</u>。
It was difficult to <u>engage</u> him *in* meaningful conversation.	彼を意味のある会話に<u>引き込む</u>のは難しかった。
The politician *was* <u>attacked</u> by the media.	その政治家はマスコミに痛烈に<u>批判された</u>。
He still <u>relies</u> *on* his parents *for* financial support.	彼はまだ親に金銭的支援を<u>頼っている</u>。
Dry ice can *be* loosely <u>defined</u> *as* frozen carbon dioxide.	ドライアイスは，おおまかには冷凍二酸化炭素と<u>定義する</u>ことができる。
All the members <u>gathered</u> at the committee meeting.	メンバーは全員，委員会に<u>集まった</u>。
She <u>stuck</u> her shopping list on the fridge.	彼女は冷蔵庫に買い物リストを<u>貼った</u>。
They were seriously <u>addressing</u> the issue.	彼らはその問題に真剣に<u>取り組んでいた</u>。
He <u>combined</u> a healthy diet *with* exercise to lose weight.	彼は体重を減らすために，健康な食事を運動と<u>組み合わせた</u>。

0387 □ **participate** B1
[pɑːrtísəpèɪt] パーティサペイト [ア]
[動] (～に) 参加する
▶ participate in ～ [句]～に参加する (≒ take part in ～)
□ participátion [名]参加
□ participant [名]参加者

0388 □ **divide** A2
[dɪváɪd] ディヴァイド
[動] ～を分ける；～を分割する
▶ divide A into B [句]A を B に分ける
□ division [名]区別，区分

0389 □ **inspire** B1
[ɪnspáɪər] インスパイァ
[動] ～に着想を与える；～を奮い立たせる
▶ inspire O to *do* [句]O に do するよう奮起させる
□ inspirátion [名]ひらめき，着想

0390 □ **compete** B1
[kəmpíːt] カンピート
[動] (～と) 競合する，競争する
[イメージ] 「一緒に（com-）」なって何かを「求める（-pete）」。
[入試] not + compete with ～で「～にかなわない」。
□ competítion [名]競争，競合
□ competitive [形]競争力のある

0391 □ **hire** B1
[háɪər] ハイァ
[動] ～を雇う；～を (お金を払って短期間) 借りる

0392 □ **suit** A2
[súːt] スート
[動] ～に似合う；～に好都合だ；～に合う
□ suitable [形]適切な

0393 □ **surround** B1
[səráund] サラウンド
[動] ～を取り囲む；～を包囲する
□ surroundings [名]環境

0394 □ **label** B2
[léɪbl] レイブル [発][ア]
[動] ～に (…の) レッテルを貼る；(～に) ラベルを貼る
[名] ラベル；名札

0395 □ **arrange** B1
[əréɪndʒ] アレインジ
[動] ～を配置する，～を整える；～を手配する
□ arrangement [名]配置；手配

0396 □ **settle** B1
[sétl] セトル
[動] 定住する；落ち着く；～を解決する
[発信] It's (all) settled.「それで決まり」
□ settlement [名]定住；解決

The athlete was permitted to <u>participate</u> *in* the competition.	その運動選手は大会に<u>参加する</u>ことを認められた。
This chapter *is* <u>divided</u> *into* three sections.	この章は3つのセクションに<u>分けられている</u>。
She *was* <u>inspired</u> *to write* a new novel by her experiences.	彼女は自分の経験から新しい小説を書く<u>気持ちになった</u>。
Those two students <u>competed</u> *with* each other in the contest.	あの2人の学生は競技会で互いに<u>競い合って</u>いた。
Our company <u>hires</u> a large number of university graduates every year.	当社は毎年，多くの大学卒業生<u>を雇う</u>。
This dress really <u>suits</u> you.	このドレスは本当にあなたに<u>似合っている</u>。
The teacher was sitting on the floor <u>surrounded</u> by her schoolchildren.	先生は児童たちに<u>囲まれて</u>床に座っていた。
People <u>labeled</u> him *as* a liar.	人々は彼にうそつきの<u>レッテルを貼った</u>。
The chairs *were* <u>arranged</u> in a circle.	イスは円形に<u>配置されていた</u>。
The immigrants finally <u>settled</u> *in* their new country.	その移民たちは，ついに新しい国に<u>定住した</u>。

Unit 1

[動詞] 11 存在・持続・保持

0397 □ **disappear** A2
[dìsəpíər] ディサピア
[動] 消える，見えなくなる (⇔ appear 現れる)
□ disappearance [名] 消失

0398 □ **emerge** B1
[ɪmə́ːrdʒ] イマージ
[動] 現れる，出現する；(問題などが) 持ち上がる
[イメージ] (水から) 浮き上がって姿を現す。
□ emergence [名] 台頭；出現

0399 □ **preserve** B1
[prɪzə́ːrv] プリザーヴ
[動] ～を保護する，保つ；～を保存する
[語源]「前に (pre-) 保つ (-serve)」から「保護する」。
□ preservátion [名] 保存
□ preservative [名] 保存剤

0400 □ **generate** B1
[dʒénərèɪt] ジェナレイト [ア]
[動] ～を生む，～を起こす；(電気・熱) を発生させる
□ generátion [名] 発生；発電；世代

0401 □ **belong** A2
[bɪlɔ́ːŋ] ビローング
[動] 〈+ to ～〉(～に) 属する；(～の) 一員である
□ belongings [名] 持ち物，所有物

0402 □ **last** B1
[læst] ラスト
[動] 続く，存続する；持ちこたえる
[形] 最後の，最終の；この前の，最近の
[名] 最後の人 [物]，結末
[副] 最後に；一番最近

0403 □ **breed** B1
[bríːd] ブリード
[動] (動物が子) を生む；(動植物) を育てる；～を引き起こす
[活用] breed - bred - bred
[名] (動植物の) 品種

0404 □ **arise** B1
[əráɪz] アライズ
[動] 起こる，生じる；現れる
[活用] arise - arose - arisen

0405 □ **sustain** B2
[səstéɪn] サステイン
[動] ～を維持する，～を持続する；～を養う
[イメージ] 下から支えて保ち続ける。
□ sústenance [名] 維持，持続；(生命維持の) 食物
□ sustainable [形] 持続可能な

0406 □ **endure** B1
[ɪnd(j)ʊ́ər] インデュア
[動] ～に耐える，～を我慢する
□ enduring [形] 耐久性のある
□ endurance [名] 忍耐；耐用性

The ship gradually <u>disappeared</u> over the horizon.	船は次第に水平線の向こうに<u>見えなくなった</u>。
An old hunter <u>emerged</u> *from* the trees.	年老いた猟師が木々の間から<u>現れた</u>。
We have to <u>preserve</u> the natural habitat of polar bears.	私たちはホッキョクグマの自然生息地を<u>保護</u>しなければいけない。
The event will <u>generate</u> a lot of profit.	そのイベントは多くの利益を<u>生む</u>だろう。
The insect was found to <u>belong</u> *to* a new species.	その昆虫は新しい種に<u>属する</u>ことがわかった。
Our discussion <u>lasted</u> for more than three hours.	私たちの議論は 3 時間以上<u>続いた</u>。
Poverty doesn't necessarily <u>breed</u> crime.	貧困は必ずしも犯罪を<u>生む</u>とは限らない。
Problems <u>arose</u> one after another.	問題が次々に<u>生じた</u>。
The doctors took every possible measure to <u>sustain</u> her life.	医師たちは彼女の生命を<u>維持する</u>ために，可能な限りのあらゆる手段を講じた。
They <u>endured</u> a long spell of hot and dry weather.	彼らは長く続いた暑く乾いた天気に<u>耐えた</u>。

0407
□ B1
ape
[éɪp] エイプ

图 類人猿

TIPS〉尾がないかとても短い大型のサルのこと。尾の長いサルは monkey。

0408
□ A2
fossil
[fás(ə)l] ファスル 発

图 化石；時代遅れの人［制度］

□ fossilize 動 ～を化石化する

0409
□ A2
landscape
[lǽn(d)skèɪp]
ラン（ド）スケイプ

图 景色，風景，景観；風景画

イメージ 一目で見渡せる陸地の風景。

他 ～を緑化する

cf. landscaping 图 造園

0410
□ B1
atmosphere
[ǽtməsfɪər]
アトマスフィア 🅐

图 大気，空気；雰囲気

発信 atmosphere は日本語の「（場や状況などの）ムード」に相当。
mood は「（個人などの）気分」。

□ atmosphéric 形 大気（中）の

0411
□ B2
soil
[sɔ́ɪl] ソイル

图 土，土壌；国土

イメージ 作物の生育のための土壌。

0412
□ B2
circumstance
[sə́ːrkəmstæns]
サーカムスタンス 🅐

图 事情，状況；境遇

入試 複数形で用いるのが原則。

▶ under the circumstances 句 このような状況では
▶ under [in] no circumstances 句 どんな状況でも…
　（し）ない

□ circumstántial 形 状況による

0413
□ B1
greenhouse
[gríːnhàus]
グリーンハウス 🅐

图 温室

▶ the greenhouse effect 句 温室効果

0414
□ B2
migration
[maɪgréɪʃ(ə)n]
マイグレイション

图 移動，移住；（鳥などの）渡り，（魚の）回遊

□ mígrate 動 移動する，移住する
□ mígratory 形 （動物などが）移動する

0415
□ A2
dinosaur
[dáɪnəsɔ̀ːr] ダイナソー

图 恐竜；時代遅れの人［物］

0416
□ B1
habitat
[hǽbətæt] ハビタット

图 生息地，自生地

□ habitátion 图 居住

<u>apes</u> such as chimpanzees and gorillas	チンパンジーやゴリラ などの<u>類人猿</u>
<u>fossils</u> of ammonite	アンモナイトの<u>化石</u>
a famous <u>landscape</u> architect	有名な<u>景観</u>設計家
the peaceful <u>atmosphere</u> of the countryside	田舎ののどかな<u>雰囲気</u>
<u>soil</u> rich in minerals	ミネラル分豊富な<u>土壌</u>
the severe <u>circumstances</u> surrounding the domestic market	国内市場を取り巻く厳しい<u>状況</u>
the emission of <u>greenhouse</u> *gases*	温室効果ガスの放出
the long-distance <u>migration</u> of butterflies	チョウの長距離の<u>渡り</u>
fossils of a new species of <u>dinosaur</u>	新種の<u>恐竜</u>の化石
the natural <u>habitat</u> of platypus	カモノハシの自然<u>生息地</u>

0417 □ A1 **mammal** [mǽml] マムル
[名] 哺乳類，哺乳動物
□ mammálian [形] 哺乳動物の

0418 □ B1 **ecosystem** [í:kousìstəm] イーコウスィステム [ア]
[名] 生態系
cf. bíosphere [名] 生物圏

0419 □ A2 **seed** [sí:d] スィード
[名] 種（たね），実，種子；根源；(特にテニスの) シード
[動] 種を落とす；種をまく；～をシードにする

0420 □ A1 **predator** [prédətər] プレダタァ
[名] 捕食動物；略奪者
□ predatory [形] 捕食性の

0421 □ A2 **harvest** [hɑ́:rvɪst] ハーヴィスト
[名] 収穫，取り入れ；収穫期；収穫高
[動] ～を収穫する

0422 □ B2 **grain** [gréɪn] グレイン
[名] 穀物，穀類；1粒；ごく少量
▶ a grain of ～ [句] ～1粒，1粒の～

0423 □ B1 **extinction** [ɪkstíŋ(k)ʃ(ə)n] イクスティンクション
[名] 絶滅，廃れること，消滅；鎮火
□ extinct [形] 絶滅した
□ extinguish [動] (火・光など) を消す (≒ put out)

0424 □ A1 **nest** [nést] ネスト
[名] 巣
[動] 巣を作る

0425 □ A2 **ray** [réɪ] レイ
[名] 光線；放射線

0426 □ B1 **layer** [léɪər] レイア
[名] 層，重なり
[動] ～を層にする
□ lay [動] ～を横にする

the origin of <u>mammals</u> on earth	地球上の<u>哺乳類</u>の起源
the destruction of our <u>ecosystem</u>	私たちの<u>生態系</u>の破壊
<u>seeds</u> sown in good soil	よい土壌にまかれた<u>種</u>
the balance between <u>predator</u> and prey	捕食動物と獲物との間のバランス
a good wheat <u>harvest</u>	十分な小麦の<u>収穫</u>
<u>grain</u> imported from Australia	オーストラリアから輸入された<u>穀物</u>
a species *in danger of* <u>extinction</u>	<u>絶滅</u>の危機にある種
a bird <u>nest</u> built in a barn	納屋に作られた鳥の<u>巣</u>
invisible *ultraviolet* <u>rays</u>	目に見えない<u>紫外線</u>
a large hole in *the ozone* <u>layer</u>	オゾン<u>層</u>にできた大きな穴

0427 □ **court** A2
[kɔ́:rt] コート
[名] 裁判所，法廷；裁判；コート；中庭
[語源]（建物などに）囲まれた場所。

0428 □ **institute** B1
[ínstət(j)ù:t]
インスタテュート [ア]
[名] 研究所，大学；学会，協会
[動] ～を制定する

0429 □ **threat** B1
[θrét] スレット
[名] 脅威；脅迫，脅し
□ threaten [動] ～を脅かす，～を脅迫する

0430 □ **crime** A2
[kráɪm] クライム
[名] 犯罪（行為），罪
[TIPS] 道徳的・宗教的な「罪」は sin。
□ criminal [形] 犯罪の [名] 犯罪者，犯人

0431 □ **authority** B1
[əθɔ́:rəti] アソーラティ [ア]
[名] 権限，権力；権威（のある人）；〈-ies〉当局
□ áuthorize [動] ～に権限を与える

0432 □ **colony** A1
[kάləni] カロニィ
[名] 植民地；生活集団
[入試] 生物関連では動植物の「群落」の意味でも用いる。
□ colonize [動] ～を植民地化する
□ colónial [形] 植民地の

0433 □ **crisis** B1
[kráɪsɪs] クライスィス
[名] 危機，難局；転機（[複数形] crises[kráɪsɪ:z]）
□ critical [形] 極めて重大な；危機の；批判的な

0434 □ **civilization** B1
[sìvələzéɪʃ(ə)n]
スィヴァラゼイション
[名] 文明
□ cívilize [動] ～を文明化する

0435 □ **gender** A2
[dʒéndər] ジェンダァ
[名]（社会的・文化的）性別
[TIPS] 生物としての性別は sex。

0436 □ **tribe** B2
[tráɪb] トライブ
[名] 部族，種族
□ tribal [形] 部族の
[TIPS] 差別的なニュアンスを伴うことがあるので，歴史的文脈を除いては people や community を用いるのがベター。

a judge of the district <u>court</u>	地方裁判所の判事
a world-famous *research* <u>institute</u>	世界的に有名な研究所
a serious <u>threat</u> *to* our society	私たちの社会に対する深刻な脅威
violent <u>crimes</u> committed by some young people	数人の若者たちが犯した暴力的犯罪
government officials in positions of <u>authority</u>	権限のある地位の政府の役人
a former French <u>colony</u> in Africa	アフリカのかつてのフランス植民地
an expert in <u>crisis</u> management	危機管理の専門家
the ancient Egyptian <u>civilization</u> developed along the Nile River	ナイル川沿いに発達した古代エジプト文明
a demonstration against <u>gender</u> *discrimination*	性差別に反対するデモ
the languages spoken by *native* <u>tribes</u> in Papua New Guinea	パプア・ニューギニアの先住部族が話す諸言語

0437 □ B2	**conference** [kánf(ə)rəns] カンファレンス	名 会議, 協議 イメージ 「一緒に (con-) + 運ぶ (-fer)」から「意見を集める」。 □ confér 動相談する
0438 □ A2	**agency** [éɪdʒənsi] エイジェンスィ	名 代理店, 取次店;機関, 庁 □ agent 名代行業者;代理人;捜査官
0439 □ B1	**army** [áːrmi] アーミ	名 (陸上の) 軍隊, 兵力;陸軍;多数 cf. navy 名海軍　air force 名空軍 cf. arms 名武器, 兵器
0440 □ A2	**soldier** [sóʊldʒər] ソゥルジャ	名 兵士
0441 □ B2	**territory** [térətɔ̀ːri] テリトーリ	名 領土, 領地;地域;領域;縄張り □ territórial 形領土の, 領海の;縄張りを守る
0442 □ B2	**candidate** [kǽndədət] キャンダデット	名 候補者, 志願者 □ candidacy 名立候補
0443 □ A2	**capital** [kǽpətl] キャピトル	名 首都;資本 (金);大文字 ▶ write ～ in capitals [capital letters] 句 ～を大文字で書く 形 主要な;資本の;大文字の □ capitalize 動～に出資する;～を大文字で書く □ capitalism 名資本主義
0444 □ B1	**council** [káʊns(ə)l] カウンスル	名 (地方自治体の) 議会;審議会, 協議会 同音 counsel 名助言;弁護人 □ councilor 名 (地方議会の) 議員
0445 □ B1	**facility** [fəsíləti] ファスィラティ	名 施設, 設備;能力 語法 「施設, 設備」の意味では, 通例複数形で用いる。
0446 □ B1	**humanity** [hjuːmǽnəti] ヒューマナティ	名 人類 (≒ humankind);人間性;人情; 〈-ties〉人文学

the annual conference of the academic society	その学会の年に1度の会議
a hotel reservation made at a *travel* agency	旅行代理店でなされたホテルの予約
veterans of *the* army	陸軍の退役軍人たち
soldiers wounded in battle	戦闘で負傷した兵士たち
a conflict between the two countries over territory	その領土をめぐる2国間の対立
candidates *in* the next election	次の選挙の候補者たち
Beijing, the capital of China	中国の首都, 北京
the capital necessary for the project	プロジェクトに必要な資本
a member of the *city* council	市議会のメンバー
the construction of new *leisure* facilities	新しいレジャー施設の建設
various challenges for humanity to solve	人類が解決せねばならないさまざまな難題

STAGE 2

Unit 2

[名詞] [5] 国家・社会・政治・法律 (3)

0447 □ **minister** B2
[mínəstər] ミナスタァ

[名] 大臣，長官；公使；牧師

[語源] 本来は「小さい者」の意味で，そこから「仕える人」。

□ ministry [名]省

0448 □ **democracy** B1
[dɪmɑ́krəsi]
ディマクラスィ [ア]

[名] 民主主義；民主主義国家

□ democrátic [形]民主主義の；民主的な

[TIPS] Democrat「民主党員」，Republican「共和党員」

0449 □ **minority** B1
[mənɔ́:rəti] マノーラティ

[名] 少数，少数派 (⇔ majority)；少数集団［民族］

[形] 少数の，少数派の；少数民族の

□ mínor [形]小さな，重要でない [名]未成年者

0450 □ **slave** A2
[sléɪv] スレイヴ

[名] 奴隷；自由を奪われた人

□ slavery [名]奴隷制度；奴隷の身分

□ enslåve [動]～を奴隷にする

0451 □ **witness** B2
[wítnəs] ウィットナス

[名] 目撃者，証人；証拠

[動] ～を目撃する

0452 □ **reform** B2
[rɪfɔ́:rm] リフォーム

[名] 改革，改善

[動] ～を改革する，改善する

[発信] 日本語の「リフォームする」は remodel や renovate を用いる。

□ reformer [名]改革者

0453 □ **trial** B2
[tráɪəl] トライアル

[名] 裁判，審理；試み；試験

▶ on trial [句]〈+ for ～〉(～の容疑で) 裁判にかけられて；試験的に

0454 □ **empire** B1
[émpaɪər] エンパイア [ア]

[名] 帝国；巨大企業

□ emperor [名]皇帝；天皇

□ empress [名]女帝；皇后

0455 □ **pioneer** A1
[pàɪəníər] パイアニア [ア]

[名] 先駆者，創始者；開拓者

[動] ～の先駆者となる；～を開拓する

0456 □ **kingdom** A2
[kíŋdəm] キングダム

[名] 王国；分野，世界

[語源]「王の (king)」＋「領地 (dom)」。

▶ animal kingdom [句]動物界

the newly appointed Minister of Foreign Affairs	新しく任命された外務大臣
the basic principles of democracy	民主主義の基本的な原理
the equal treatment of minorities in society	社会における少数集団への平等な扱い
the abolition of the slave *trade*	奴隷貿易の廃止
a witness *to* the crime	犯罪の目撃者
an urgent need for educational reform	切迫した教育改革の必要性
a person *on* trial *for* robbery	強盗の罪で裁判にかけられている人物
the rise and fall of the empire	その帝国の栄枯盛衰
pioneers in the field of learning disabilities	学習障害の分野の先駆者たち
all the subjects of the kingdom	その王国のすべての国民

0457 □ **psychology** B2
[saɪkɑ́lədʒi] サイカロジ
[名] 心理学；心理（状態）
[語源]「精神・心理の (psycho-)」＋「学問 (-logy)」。
□ psycholóɡical [形] 心理（学）の；心理的な
cf. psychothérapy [名] 心理［精神］療法

0458 □ **literature** B1
[lít(ə)rətʃər]
リタラチャァ [ア]
[名] 文学，文芸；文献
□ literary [形] 文学の □ literal [形] 文字通りの
□ literate [形] 読み書きができる

0459 □ **analysis** B1
[ənǽlɪsɪs] アナリスィス [ア]
[名] 分析（結果），解析，解説（[複数形] analyses）
□ analýtical [形] 分析的な
□ ánalyze [動] ～を分析する

0460 □ **philosophy** B1
[fɪlɑ́səfi] フィラサフィ [ア]
[名] 哲学；人生観，原理
[語源]「知 (-sophy)」を「愛する (philo-)」。
□ philosóphical [形] 哲学的な，哲学上の
□ philosopher [名] 哲学者

0461 □ **oxygen** B1
[ɑ́ksɪdʒ(ə)n] アクスィジャン
[名] 酸素
cf. hýdrogen [名] 水素

0462 □ **statistics** B2
[stətístɪks]
スタティスティクス [ア]
[名] 統計，統計資料；統計学
[語法] データの意味では複数扱い。学問名としては単数扱い。
□ statistical [形] 統計的な，統計上の

0463 □ **mechanism** A1
[mékənìz(ə)m]
メカニズム [ア]
[名] 機械装置；機構，構造，仕組み
□ mechánical [形] 機械の，機械的な

0464 □ **biology** B1
[baɪɑ́lədʒi]
バイアラジ
[名] 生物学；生態
[語源]「生命の (bio-)」＋「学問 (-logy)」。
□ biolóɡical [形] 生物（学）の，生体の

0465 □ **discipline** B2
[dísəplɪn] ディサプリン [ア]
[名] 学問分野；しつけ，鍛練；規律，統制
[入試]「しつけ」は training，「規律」は order と同義。
[動] ～をしつける，鍛える；～を罰する
□ disciplinary [形] しつけの，規律の；懲罰の

0466 □ **logic** B1
[lɑ́dʒɪk] ラジック
[名] 論理，論法；論理学；道理
□ logical [形] 論理的な，理にかなった

an excellent study in the field of *cognitive psychology*	認知心理学の分野での優れた研究
the classics of American literature	アメリカ文学の古典作品
a *detailed* analysis of the cause of the explosion	爆発の原因の詳細な分析
major figures in ancient Greek philosophy	古代ギリシャ哲学における主要人物
molecules of oxygen and hydrogen	酸素と水素の分子
an effective strategy based on statistics	統計に基づいた効果的な戦略
the mechanism of the human body	人体の構造
an authority on cellular biology	細胞生物学の権威
viewpoints from multiple disciplines	多様な学問分野からの視点
the logic *behind* her argument	彼女の主張を支える論理

0467 □ A2
passage
[pǽsɪdʒ] パッスィジ
[名] (文の) 一節；通行，通過；通路；経過
[イメージ] 通り過ぎる (pass) もの・場所。

0468 □ A2
context
[kántekst] カンテクスト
[名] 文脈，前後関係；(事件・考えなどの) 背景
▶ in context [句] 状況に照らして

0469 □ B2
popularity
[pὰpjəlǽrəti]
パピュラリティ
[名] 人気，流行
□ pópular [形] 人気のある，流行した；大衆向きの

0470 □ B1
tale
[téɪl] テイル
[名] 話，物語；作り話
[同音] tail [名] 尾
[イメージ] 完全には事実ではない，架空または伝説上の話。
▶ a fairy tale [句] おとぎ話

0471 □ A2
tradition
[trədíʃ(ə)n]
トラディション [ア]
[名] 伝統，慣例，しきたり；伝説
□ traditional [形] 伝統的な，従来の

0472 □ A1
dialect
[dáɪəlèkt] ダイアレクト
[名] 方言，なまり
[TIPS] dialect は語句のなまりで，accent は音のなまり。

0473 □ B2
heritage
[hérətɪdʒ] ヘラティジ
[名] 遺産，伝統

0474 □ A2
description
[dɪskrípʃ(ə)n]
ディスクリプション
[名] 記述，説明，描写
▶ beyond description [句] 言葉では言い表せない
□ describe [動] ～を説明する，～を描写する

0475 □ A2
custom
[kʌ́stəm] カスタム
[名] 習慣，風習，慣行；〈-s〉税関，関税
[TIPS] custom は社会の「習慣」で，個人の「習慣」は habit。
□ customary [形] 習慣的な

0476 □ B2
theme
[θíːm] スィーム [発]
[名] 主題，テーマ；様式

0477 □ B1
myth
[míθ] ミス
[名] 神話；(広く信じられている) 作り話
□ mythical [形] 神話の；架空の
cf. mythólogy [名] (集合的に) 神話

a famous <u>passage</u> *from* the Bible	聖書からの有名な<u>一節</u>
the meaning of the phrase in this <u>context</u>	この<u>文脈</u>におけるそのフレーズの意味
the *great* <u>popularity</u> of that rock band	そのロックバンドのすごい<u>人気</u>
imaginary characters in a *fairy* <u>tale</u>	おとぎ話の中の架空の登場人物たち
a strict family <u>tradition</u>	家の厳格な<u>伝統</u>
the speakers of a particular <u>dialect</u>	特定の<u>方言</u>の話者
a region designated as a *World* <u>Heritage</u> *site*	世界<u>遺産</u>に指定された地域
a *vivid* <u>description</u> of her trip to China	彼女の中国旅行の生き生きとした<u>描写</u>
the *traditional* <u>customs</u> of the tribe	その部族の伝統的な<u>習慣</u>
the <u>theme</u> of her essay	彼女の随筆の<u>テーマ</u>
a religious <u>myth</u> about human nature	人間の本質についての宗教上の<u>神話</u>

0478 □ B1	**disease** [dɪzíːz] ディズィーズ	名 病気，疾病 イメージ 「安楽 (ease) がない状態」から「病気」。

0479 □ A2	**diet** [dáɪət] ダイアット	名 (日常の) 食物，常食；ダイエット，食事制限； 〈the D-〉 (日本の) 国会 ▶ *be* [*go*] *on a diet* 句ダイエットをしている [する]

0480 □ B1	**pain** [péɪn] ペイン	名 痛み，苦痛 TIPS 身体的・精神的どちらの痛みにも用いる。比較的短期間の「痛み」を表し，「継続する痛み」は ache。 ▶ take pains 句大いに骨を折る，苦労する □ painful 形痛い；つらい

0481 □ B1	**cell** [sél] セル	名 細胞；小部屋；電池；携帯電話 (同音 sell) □ cellular 形細胞の ▶ cellular phone 句携帯電話

0482 □ B2	**fat** [fǽt] ファット	名 脂肪；(料理用の) 油；脂身 形 太った，肥えた (⇔ thin, lean 痩せた) □ fatty 形脂肪分の多い，脂っこい

0483 □ B1	**injury** [índʒəri] インジャリィ	名 けが，負傷，傷害；損傷 TIPS injury は事故などによる「けが」。武器・凶器による「けが」は wound。 □ injure 動 〜をけがさせる，〜を傷つける

0484 □ B1	**gene** [dʒíːn] ジーン	名 遺伝子 □ genetic 形遺伝子の，遺伝学的な

0485 □ A1	**obesity** [oʊbíːsəti] オウビーサティ	名 (病的な) 肥満 □ obese 形肥満の

0486 □ B1	**organ** [ɔ́ːrɡən] オーガン	名 器官，臓器；オルガン ▶ organ transplant 句臓器移植 *cf.* donor 名臓器提供者

0487 □ B1	**tongue** [tʌ́ŋ] タング	名 舌；言語 ▶ mother tongue 句母語

0488 □ B2	**welfare** [wélfèər] ウェルフェア	名 福祉；幸福；生活保護 TIPS farewéll (名別れ (のあいさつ)) と混同しない。

patients with a *fatal* <u>disease</u>	死に至る<u>病</u>の患者
a person *on a* strict <u>diet</u>	厳しい<u>食事制限</u>をしている人
a *sharp* <u>pain</u> *in* the stomach	胃の鋭い<u>痛み</u>
the structure of a plant <u>cell</u>	植物<u>細胞</u>の構造
the use of <u>fat</u> as a source of energy	エネルギー源としての<u>脂肪</u>の利用
a slight <u>injury</u> *to* the face	顔の軽い<u>けが</u>
the potentials of <u>gene</u> *therapy*	<u>遺伝子</u>治療の潜在的可能性
an effective therapy for <u>obesity</u>	<u>肥満</u>に効果的な治療法
the *sensory* <u>organs</u> of our body	人体の感覚<u>器官</u>
the tip of the <u>tongue</u>	<u>舌</u>先
the <u>welfare</u> of elderly people	高齢者の<u>福祉</u>

0489 □ **basis** B1
[béɪsɪs] ベイスィス
[名] 基礎，根拠；基準，原則
▶ on the basis of ～ [句]～に基づいて
□ basic [形]基本的な

0490 □ **quarter** A1
[kwɔ́ːrtər] クウォータァ
[名] 4分の1；15分；四半期；(都市の) 地域
[形] 4分の1の

0491 □ **extent** B1
[ɪkstént] イクステント
[名] 程度，範囲；広がり，広さ
[イメージ]「伸びて広がっている」から「広がっている範囲」。
▶ to some [a certain] extent [句]ある程度は［まで］
□ extend [動]広がる；～を拡張する

0492 □ **era** B1
[í(ə)rə] イ(ァ)ラ
[名] 時代，年代
[イメージ] 重大な出来事で区分される「時代」。
cf. epoch [名] (新たな展開や変化を伴う) 時代

0493 □ **shortage** B1
[ʃɔ́ːrtɪdʒ] ショーティジ
[名] 不足，欠乏状態
▶ (*be*) short of ～ [句]～が不足して (いる)

0494 □ **quantity** B1
[kwántəti] クウァンタティ
[名] 量，数量，分量
□ quantitative [形]量的な
▶ a quantity [quantities] of ～ [句]大量の～
cf. quality [名]質

0495 □ **diversity** A1
[dɪvə́ːrsəti] ディヴァーサティ
[名] 多様性，相違点
□ diverse [形]さまざまの，多様な
□ diversify [動]～を多様化する，多角化する

0496 □ **dozen** B1
[dʌ́zn] ダズン
[名] ダース，(同種の) 12個；〈-s〉多数
▶ dozens of ～ [句]多数の～

0497 □ **proportion** B1
[prəpɔ́ːrʃ(ə)n] プラポーション
[名] 割合，比率 (≒ ratio)；割り当て；釣り合い；規模
▶ in proportion to ～ [句]～に比例して

0498 □ **square** A2
[skwéər] スクウェァ
[名] 正方形，四角形；広場；2乗
[形] 正方形の，四角形の；直角の；2乗の

0499 □ **volume** B1
[váljəm] ヴァリャム [ア]
[名] 量，体積，容積；音量；(書籍などの) 巻
□ volúminous [動] (服などが) ゆったりした；(書物などが) 大部の

payment *on a weekly* basis	週を基準とした支払い
a quarter *of* the regular price	定価の4分の1
the extent of the typhoon's damage	台風の被害の程度
the dawn of a *new* era	新しい時代の幕開け
the possibility of a global food shortage	世界規模の食糧不足の可能性
a large quantity *of* oil	大量の油
the preservation of biological diversity	生物的多様性の保護
goods sold *by the* dozen	ダース単位で売られる商品
the proportion of elderly people in the total population	総人口中の高齢者の比率
two right triangles and three squares	2つの正三角形と3つの正方形
the decreasing volume of imports	減少する輸入量

STAGE 2

Unit 2

[名詞] 10 性質・形状／部分・全体・配置

0500 □ B1 **gap** [gǽp] ギャップ

[名] 隙間，裂け目；隔たり，相違，格差

▶ the gap between the rich and the poor [句] 貧富の差

0501 □ A2 **root** [rúːt] ルート

[名] 根；付け根；根源，根本；(数学の)ルート

[動] ～を根付かせる，～を定着させる

▶ take root [句] (考え方などが) 根を下ろす，定着する

0502 □ B1 **element** [éləmənt] エレマント

[名] 要素，成分；元素；〈the -s〉自然の力

□ eleméntary [形] 初歩の，初等の

0503 □ B1 **stretch** [strétʃ] ストレッチ

[名] 広がり，範囲；(体の)ストレッチ；(ひと続きの)期間

[動] ～を伸ばす，広げる；～を無理に使う

□ stretcher [名] 担架

0504 □ B1 **ingredient** [ɪngríːdiənt] イングリーディアント [ア]

[名] (食品などの)材料，成分；(成功などの)要因

[語源] 「中に (in-)」＋「入っている (-gredi)」＋「もの (-ent)」。

0505 □ B2 **portion** [pɔ́ːrʃ(ə)n] ポーション

[名] 部分，一部；(食べ物の)一人前

[イメージ] 個々に割り当てられる部分。

0506 □ A1 **row** [róu] ロウ

[名] (横に並んだ)列，並び；こぐこと

[動] (舟)をこぐ

▶ in a row [句] 一列に (なって)，連続で

0507 □ **boundary** [báund(ə)ri] バウンダリィ

[名] 境界(線)，国境；限界，範囲

0508 □ B2 **component** [kəmpóunənt] カンポウネント

[名] 構成部分，部品；要素

the gap *between* the ideal *and* reality	理想と現実の隔たり
the root of the problem	その問題の根源
an *essential* element of healthcare	健康管理の重要な要素
a large stretch *of* cornfield	広大な広がりのトウモロコシ畑
all the ingredients of the recipe	そのレシピのすべての材料
a *significant* portion of the profits	利益の大部分
the seats *in the front* row of the theater	劇場の最前列の席
the boundaries of human intelligence	人間の知能の限界
key components of the network	ネットワークの重要な要素

0509
☐ **household**
B1
[háushòuld] ハウスホウルド

名 世帯，家庭，家族
形 家庭の，家事の

0510
☐ **encounter**
B1
[ɪnkáuntər] インカウンタァ

名 遭遇，(偶然の)出会い
動 ～に遭遇する，出くわす

0511
☐ **neighbor**
A1
[néɪbər] ネイバァ 発

名 隣人，近所の人；隣国
☐ neighborhood 名 近所(の人たち)，近隣；地域

0512
☐ **infant**
B2
[ínfənt] インファント

名 乳児，幼児
TIPS 十分に歩いたり，話したりできない2歳以下の子どもを指すことが多い。

形 乳児の，幼児の
☐ infancy 名 幼児期
cf. toddler 名 (歩き始めの)幼児

0513
☐ **marriage**
B1
[mǽrɪdʒ] マリッジ

名 結婚，婚姻；結婚生活
☐ marry 動 ～と結婚する
☐ married 形 結婚した，既婚の

0514
☐ **equipment**
B1
[ɪkwípmənt]
イクウィップメント

名 設備，備品，装備，機器
語法 不可算名詞。数える場合は a piece [an item] of ～などを用いる。

☐ equip 動 ～に(…を)備え付ける

0515
☐ **violence**
B1
[váɪələns] ヴァイアレンス

名 暴力，乱暴，暴行
▶ domestic violence 名 家庭内暴力
☐ violent 形 乱暴な，暴力的な；激しい

0516
☐ **destination**
B1
[dèstənéɪʃ(ə)n]
デスタネイション

名 目的地，到着地
☐ déstiny 名 運命，宿命

0517
☐ **grocery**
[gróus(ə)ri] グロウスリィ

名 ⟨-ies⟩食料雑貨類；《英》食料雑貨店
(《米》grocery store)

TIPS grocery store はしばしば supermarket の意味で用いられる。

2

an increase in the number of <u>households</u>	世帯数の増加
an unexpected <u>encounter</u> *with* an old friend	旧友との予期せぬ<u>遭遇</u>
a close relationship with <u>neighbors</u>	<u>隣人</u>との親密な関係
the mental development of <u>infants</u>	<u>乳児</u>の知的発達
her long-awaited <u>marriage</u> *to* the prince	彼女の長く待ち望まれていた王子との<u>結婚</u>
appropriate <u>equipment</u> *for* winter climbing	冬の登山に適切な<u>装備</u>
victims of verbal <u>violence</u>	言葉による<u>暴力</u>の犠牲者
the final <u>destination</u> on their voyage	彼らの航海の最終<u>目的地</u>
a plastic bag full of <u>groceries</u>	<u>食料雑貨</u>がいっぱい詰まったポリ袋

Unit 2 [名詞] 12 日常生活 (2)

0518 □ A2
youth
[jú:θ] ユース
[名] 〈the +〉若者(たち);少年;青春(期);若さ
□ young [形]若い
□ youthful [形]若々しい, 若者らしい

0519 □ A2
instrument
[ínstrəmənt]
インストラマント [ア]
[名] 器具, 道具;楽器
□ instruméntal [形]役に立つ;楽器の [名]器楽曲

0520 □ A2
stuff
[stʌ́f] スタッフ
[名] 物質, 物;材料;物事
[入試] 不可算名詞。staff「スタッフ」と区別する。
[動] ～を押し込む, 詰め込む
▶ stuffed animal [句]動物のぬいぐるみ

0521 □ B2
stock
[stɑ́k] スタック
[名] 貯蔵品, 蓄え;在庫;株
▶ stock exchange [句]証券取引所
[動] ～の在庫を置く, ～を仕入れる

0522 □ B1
laughter
[lǽftər] ラフタァ
[名] 笑い, 笑い声
▶ burst into laughter (≒ burst out laughing) [句]どっと笑う
□ laugh [動]笑う

0523 □ A2
trick
[trík] トリック
[名] たくらみ, 策略;いたずら;手品;こつ
▶ play a trick on ～ [句]～にいたずらをする
[動] ～をだます
▶ trick O into *doing* [句]O をだまして do させる
[入試] trick「たくらみを用いてだます」
cheat「自分の利益のためにだます」
deceive「真実を隠してだます」

the <u>youth</u> of our country	わが国の<u>若者たち</u>
the purchase of laboratory <u>instruments</u>	実験<u>器具</u>の購入
a lot of <u>stuff</u> in the garage	車庫の中にあるたくさんの<u>物</u>
a large <u>stock</u> of food	大量の食品の<u>蓄え</u>
a variety of medical benefits of <u>laughter</u>	<u>笑い</u>のさまざまな医学的利点
They *played a* <u>trick</u> *on* their teacher.	彼らは先生に<u>いたずら</u>をした。

0524
□ **bilingual**
B1
[baɪlíŋɡwəl]
バイリングワァル

形 2言語を話す，2言語併用の
名 2言語使用者
cf. multilingual 形多言語での

0525
□ **calm**
B1
[káːm] カーム 発

形 落ち着いた，冷静な；(天気などが) 穏やかな
動 ～を静める；落ち着く

0526
□ **intellectual**
B2
[ɪntəléktʃuəl]
インタレクチュアル

形 知的な，知力の；学識のある
名 知識人，インテリ
□ íntellect 名知性，知力；識者

0527
□ **anxious**
A2
[æŋkʃəs] アンクシャス

形 心配して；切望して，～したがって
イメージ 結果に対する不安を抱きながらの願望。
▶ *be* anxious to *do* 句do したがっている
□ anxíety 名不安，心配 (事)

0528
□ **eager**
B1
[íːɡər] イーガァ

形 熱望して；熱心な
▶ *be* eager [keen] to *do* 句しきりに do したがる
□ eagerness 名熱心，熱望

0529
□ **indigenous**
[ɪndídʒənəs]
インディジャナス 発

形 土着の，(その土地に) 固有の，原産の
TIPS ingénious (形巧妙な) と混同しないように注意。

0530
□ **curious**
B1
[kjú(ə)riəs]
キュ(ア) リアス

形 好奇心の強い；奇妙な
イメージ 人の好奇心を引くような奇妙さ。
□ curiósity 名好奇心

0531
□ **aggressive**
B1
[əɡrésɪv] アグレッスィヴ

形 攻撃的な (⇔ defensive 防御的な)；積極的な
イメージ 「対象に向かって突き進んでいく」から「攻撃性や積極性のある」。
□ aggression 名攻撃 (性)；侵略

0532
□ **reluctant**
B2
[rɪlʌ́ktənt] リラクタント

形 気が進まない，(～することを)嫌がる
▶ *be* reluctant to *do* 句do するのを嫌がる
□ reluctance 名気が進まないこと

0533
□ **generous**
B1
[dʒén(ə)rəs] ジェネラス

形 気前のよい，物惜しみしない；寛大な
□ generósity 名気前のよさ；寛大さ

---

a bilingual *speaker* of Chinese and Korean	中国語と韓国語の2言語の話者
a calm attitude to the problem	問題に対する冷静な態度
intellectual *abilities* of a 2-year-old child	2歳児の知的能力
She *is* anxious *about* her daughter's future.	彼女は娘の将来のことを心配している。
He *is* eager *to study* abroad.	彼は留学を熱望している。
the indigenous tribes on the island	その島の土着の部族
The boy *was* curious *about* everything.	少年は何についても好奇心が強かった。
the aggressive behavior of the boy	その少年の攻撃的な行動
She *was* reluctant *to attend* the conference.	彼女は会議に出席したがらなかった。
It was generous *of* him *to pay* for our lunch.	私たちの昼食代を払ってくれるとは彼は気前がよかった。

Unit 3 [形容詞] 2 評価・判断 (1)

0534 □ B1 **legal**
[líːgl] リーグル

[形] 合法的な；法律(上)の (⇔ illegal 不法の)
□ legalize [動] ～を合法化する

0535 □ B2 **crucial**
[krúːʃ(ə)l] クルーシャル

[形] (極めて)重大な，決定的な
[入試] It is crucial that S (should) *do*「S が *do* することは極めて重要だ」は頻出。

0536 □ B1 **formal**
[fɔ́ːrm(ə)l] フォーマル

[形] 格式ばった；公式の，正式の；形の上での
[イメージ]「一定の決まった形に従っている」という感覚。
□ formally [副] 正式に，公式に

0537 □ B1 **remarkable**
[rɪmάːrkəbl] リマーカブル

[形] 注目すべき，著しい，驚くべき
□ remarkably [副] 著しく，驚くほど

0538 □ A1 **ideal**
[aɪdíː(ə)l]
アイディー(ァ)ル

[形] 理想的な，理想の
[名] 理想，理想的な人 [物]
□ idealize [動] ～を理想化する

0539 □ B1 **efficient**
[ɪfíʃ(ə)nt] イフィシャント ㋐

[形] 有能な；効率のよい，有効な
[入試] efficient は「労力を無駄にしない」，effective は「目標達成に効果がある」。
□ efficiency [名] 能率，効率

0540 □ B1 **accurate**
[ǽkjərɪt]
アキャリット ㋐

[形] 正確な，精密な
□ accuracy [名] 正確さ，精密さ

0541 □ B2 **fundamental**
[fʌ̀ndəméntl]
ファンダメントル

[形] 基礎の，基本的な (≒ basic)；必須の
[名] 〈the -s〉基本，基礎
□ fundamentally [副] 根本的に

0542 □ B2 **moral**
[mɔ́ːrəl] モーラル

[形] 道徳の，道徳上の，道徳的な
[名] 道徳，品行，モラル；教訓
□ morálity [名] 道徳；品行

0543 □ **ethical**
[éθɪkl] エスィクル

[形] 倫理(上)の，道徳上の；倫理的な
□ ethics [名] 倫理，道義；倫理学

the legal *rights* of suspected criminals	犯罪容疑者の法的権利
a crucial *decision* to be made	下さなければいけない重大な決定
a formal *invitation* to the reception	レセプションへの正式な招待
remarkable progress in computer technology	コンピュータ技術の驚くべき進歩
an ideal way of life in the countryside	田舎での理想的な暮らし方
a more efficient diagnosis of cancer	より効率のよいがんの診断法
an accurate measurement of the distance	距離の正確な計測
fundamental *human rights*	基本的人権
the moral *standards* of society	社会の道徳的基準
an ethical *code* of conduct	行動の倫理的規範

Unit 3 [形容詞] 3 評価・判断(2)

0544 □ **strict** A1
[stríkt] ストリクト
[形] 厳しい，厳格な；厳密な，正確な
[イメージ] 規則に厳しく，忠実な。
□ strictly [副]厳しく，厳密に
▶ strictly speaking [句]厳密に言うと

0545 □ **proper** A2
[prɑ́pər] プラパァ
[形] 適切な，ふさわしい；礼儀正しい；本来の
[イメージ] 当然そうあるべきふさわしさ。
□ properly [副]適切に；礼儀正しく；当然のことながら

0546 □ **elementary** A1
[èləmént(ə)ri] エレメンタリ
[形] 初歩の，初等の；初歩的な，単純な
▶ elementary education [句]初等教育

0547 □ **sophisticated** B2
[səfístəkèɪtɪd] ソフィスタケイティド [ア]
[形] 洗練された，高い教養のある；精巧な

0548 □ **superior** B1
[supí(ə)riər] スピ(ア)リア
[形] 優れた，優秀な；優勢な；上位の (⇔ inferior)
[語法] 「～より優れて(いる)」は，than ではなく to を用いて (*be*) superior to ～。
□ superióրity [名]優越，優勢；上位

0549 □ **vital** B2
[váɪtl] ヴァイタル
[形] 極めて重大な，不可欠な；生命の；活気ある
□ vitálity [名]活気，元気；生命力

0550 □ **distinct**
[dɪstíŋkt] ディスティンクト
[形] 別の，違った；はっきりした，明確な
□ distinction [名]区別，差異；特徴
□ distinctive [形]区別を示す，特有の

0551 □ **exact** B1
[ɪgzǽkt] イグザクト
[形] 正確な；厳密な
▶ to be exact [句]正確に言えば
□ exactly [副]正確に；まさに

0552 □ **prime** B2
[práɪm] プライム
[形] 最も重要な，第一の；最高級の
[名] 〈the [*one's*] +〉全盛期

0553 □ **odd** B2
[ɑ́d] アッド
[形] 変な，風変わりな；臨時の；奇数の
▶ odd number [句]奇数 (⇔ even number [句]偶数)
□ odds [名]見込み，可能性；勝ち目

<u>strict</u> standards of product quality	製品の品質に対する<u>厳しい</u>基準
the <u>proper</u> words to express gratitude	感謝の気持ちを表すのに<u>適切な</u>言葉
<u>elementary</u> errors in calculation	計算での<u>初歩的な</u>誤ち
the <u>sophisticated</u> movements of the dancers	ダンサーたちの<u>洗練された</u>動き
Mobile phones *are* <u>superior</u> *to* computers in some aspects.	携帯電話はいくつかの点でコンピュータより<u>優れている</u>。
<u>vital</u> *equipment* for business	ビジネスに<u>不可欠な</u>装備
the <u>distinct</u> *characteristics* of mammals	哺乳動物の<u>明確な</u>特徴
the <u>exact</u> boundaries of the land	その土地の<u>正確な</u>境界線
an issue of <u>prime</u> *concern*	<u>最大の</u>関心が向けられる問題
an <u>odd</u> grinding *noise*	ギシギシいう<u>変な</u>音

0554 □ **vast** B1
[vǽst] ヴァスト
[形] 広大な，巨大な；(数・量が) 膨大な (≒ huge)
[イメージ] 空間的に大きく広がっている。

0555 □ **enormous** A2
[ɪnɔ́:rməs] イノーマス
[形] 巨大な，莫大な (≒ huge)
[イメージ] 規模や程度が並外れている。

0556 □ **senior** A2
[sí:njər] スィーニャ
[形] (地位などが) 上の，上司の；年長の方の (⇔ junior)
▶ *be* senior to ～ [句] ～より地位が上である
[名] 年上の人；上役；(大学・高校の) 最上級生
□ seniórity [名] 地位が上 [年長] であること；年功序列

0557 □ **multiple** B2
[mʌ́ltəpl] マルティプル
[形] 多様な，複合的な，多数の
□ multiplícity [名] 多様であること，多様性

0558 □ **numerous** B1
[n(j)ú:m(ə)rəs] ニューマラス [発]
[形] 多数の，たくさんの (≒ many)
□ numérical [形] 数の，数字で表した

0559 □ **sufficient** B1
[səfíʃ(ə)nt] サフィシャント
[形] 十分な，足りる (≒ enough) (⇔ insufficient)
[イメージ] 目的を果たせるほどの数・量がある。
□ sufficiency [名] 十分，充足

0560 □ **immediate** B1
[ɪmí:diət] イミーディアト
[形] すぐの，即座の；直接の
□ immediately [副] 直ちに，すぐに；直接に
[発信] immediately より right away, right now の方が口語的。

0561 □ **annual** B1
[ǽnjuəl] アニュアル
[形] 毎年の，年 1 回の (≒ yearly)；1 年分の
cf. biánnual [形] 年 2 回の
cf. biénnial [形] 2 年に 1 回の

0562 □ **brief** B1
[brí:f] ブリーフ
[形] 短時間の；手短な，簡潔な
▶ in brief [句] 手短に；要するに
□ briefly [副] 少しの間；簡単に (言えば)

0563 □ **contemporary** B2
[kəmtémpərèri] カンテンパレリィ [ア]
[形] 現代の；同時代の
[名] 同時代の人，同年者

0564 □ **approximate** B2
[əprɑ́ksəmət] アプラクサマト [ア]
[形] (数・量などが) おおよその
□ approximately [副] おおよそ，約…

that scholar's <u>vast</u> *amount of* knowledge	その学者の膨大な量の知識
an <u>enormous</u> stock of goods	<u>莫大な在庫量</u>の商品
a <u>senior</u> financial analyst	<u>上級</u>金融アナリスト
opinions from <u>multiple</u> viewpoints	<u>多様な</u>視点からの意見
<u>numerous</u> planets in the universe	宇宙の<u>多くの</u>惑星
<u>sufficient</u> income to live comfortably on	快適に暮らすのに<u>十分な</u>収入
an <u>immediate</u> *response* to a stimulus	刺激に対する<u>即座の</u>反応
the <u>annual</u> issue of the academic journal	その学術誌の<u>年1回の</u>発行
a <u>brief</u> explanation of the budget	予算についての<u>手短な</u>説明
<u>contemporary</u> British literature	<u>現代</u>イギリス文学
the <u>approximate</u> arrival time of the flight	飛行機の<u>おおよその</u>到着時間

0565 □ **cognitive** [kágnətɪv] カグナティヴ [ア]
[形] 認知の，認知的な
□ cognítion [名] 認知，認識

0566 □ B2 **actual** [ǽktʃuəl] アクチュアル
[形] 現実の，実際の
□ actually [副] 実際に，本当は

0567 □ **alien** [éɪljən] エイリャン
[形] 外国(人)の，なじみのない；異星人の
[名] 外国人；異星人
TIPS 「外国人」の意味では軽蔑的なニュアンスがある。

0568 □ B1 **abstract** [ǽbstrækt] アブストラクト [ア]
[形] 抽象的な (⇔ concrete)
[名] 要約，要旨
[動] ～を抽出する；～を要約する
□ abstráction [名] 抽象概念

0569 □ B2 **concrete** [kɑnkríːt] カンクリート [ア]
[形] 具体的な，形のある (⇔ abstract)
[名][形] [kɑ́nkriːt] コンクリート(製の)

0570 □ B1 **conscious** [kɑ́nʃəs] カンシャス
[形] (～に) 気づいて，意識して (≒ aware)；意識のある；(複合語で) 意識の高い
▶ health-conscious [形] 健康志向の
□ consciousness [名] 意識；自覚

0571 □ B1 **unexpected** [ʌ̀nɪkspéktɪd] アニィクスペクティッド [ア]
[形] 予期しない，思いがけない，意外な
TIPS expected「予期される」に否定の接頭辞 un- が付いた語。
□ unexpectedly [副] 思いがけなく，意外にも

0572 □ B2 **sensitive** [sénsətɪv] センサティヴ
[形] 敏感な；感じやすい
□ sensible [形] 思慮深い，分別のある
□ sensory [形] 感覚の
□ sensuous [形] 感覚に訴える

0573 □ B2 **subtle** [sʌ́tl] サトル [発]
[形] 微妙な，かすかな
□ subtlety [名] 微妙さ，精妙さ

the <u>cognitive</u> *functions* of the brain	脳の<u>認知</u>機能
an <u>actual</u> experience of volunteer work	ボランティア活動の<u>実</u>際の体験
a language <u>alien</u> *to* the people in that area	その地域の人々には<u>な</u>じみのない言語
an <u>abstract</u> *concept* of time	時間という<u>抽象的な</u>概念
a <u>concrete</u> plan for reform	<u>具体的な</u>改革計画
She *was* <u>conscious</u> *of* being stared at.	彼女はじっと見つめられているのに<u>気づいて</u>いた。
the <u>unexpected</u> ending of the movie	映画の<u>予期せぬ</u>結末
Her skin *is* <u>sensitive</u> *to* sunlight.	彼女の肌は日光に<u>敏感</u>だ。
<u>subtle</u> *differences* in opinion	意見の<u>微妙な</u>相違

0574 □ B1	**contrary** [kántreri] カントレリィ	形 反対の，逆の　名 〈the +〉正反対，逆

▶ on the contrary 句 それどころか，全く反対で
▶ to the contrary 句 それとは反対の
入試 on the contrary は原則，文頭で用いる。to the contrary は主に名詞を後ろから修飾する。

0575 □ B1	**secure** [sɪkjúər] スィキュア	形 安全な；安定した，不安のない 名 ～を確保する，獲得する；～を安全にする

□ security 名 安全 (保障)，警備；安心

0576 □ B2	**technical** [téknɪkl] テクニクル 🕐	形 専門の；技術上の，技術的な

□ technique 名 技術，手法；技法

0577 □ A1	**thin** [θín] スィン	形 薄い (⇔ thick 厚い)；細い，やせた 動 ～を薄くする；薄くなる

0578 □ B1	**flat** [flǽt] フラット	形 平らな，平たい；退屈な 名 平らな部分；平地；《英》アパート

0579 □ B1	**fake** [féɪk] フェイク	形 偽の，偽造の 名 偽物，インチキ 動 ～を偽造する，でっち上げる

0580 □ B2	**reverse** [rɪvə́:rs] リヴァース	形 逆の，あべこべの；裏の 名 逆，反対；裏，背面 動 ～を逆にする；～を大転換する

0581 □ A2	**raw** [rɔ́:] ロー	形 生の，加熱していない；未加工の

0582 □	**equivalent** [ɪkwív(ə)lənt] イクウィヴァラント 🕐	形 同等の，同量の，同数の

▶ be equivalent to ～ 句 ～に相当する [等しい]
語源 「同じ (equi-)」＋「価値 (value)」。

名 同等物，等価値のもの
□ equivalence 名 同等，同量，同数

0583 □ B1	**productive** [prədʌ́ktɪv] プラダクティヴ	形 生産力のある，生産的な；生産の

□ productívity 名 生産力，生産性

views <u>contrary</u> *to* public opinion	世論と<u>反対</u>の見解
a peaceful and <u>secure</u> life	平和で<u>安全</u>な生活
<u>technical</u> cooperation between the two countries	2国間の<u>技術</u>協力
the <u>thin</u> layer of clay	粘土の<u>薄い</u>層
the <u>flat</u> surface of the rock	岩の<u>平ら</u>な表面
<u>fake</u> bills and coins	<u>偽の</u>紙幣と硬貨
repetition of the steps *in* <u>reverse</u> *order*	<u>逆</u>の順番での手順の反復
the danger of eating <u>raw</u> meat	<u>生</u>の肉を食べることの危険性
an <u>equivalent</u> role in the company	会社での<u>同等</u>の役割
<u>productive</u> land suitable for agriculture	農業に向いた<u>生産性の高い</u>土地

0584 □ B1 **thus** [ðʌ́s] ザス

[副] 従って，こうして；このように；そこまでは

[語法] 先行する文脈を受け，文頭で「こうして」と前後を論理的に結ぶ。

0585 □ B1 **eventually** [ɪvéntʃuəli] イヴェンチュアリィ

[副] 結局は，最後には (≒ finally)；いずれ

□ eventual [形] いつかは起こる，最終的な

0586 □ A2 **indeed** [ɪndíːd] インディード

[副] 確かに；実際，実のところ

0587 □ B1 **otherwise** [ʌ́ðərwàɪz] アザァワイズ

[副] さもないと，そうしなければ；その他の点では

0588 □ B1 **moreover** [mɔːróuvər] モーロウヴァ

[副] その上，さらに (≒ in addition; besides)

0589 □ A2 **unfortunately** [ʌ̀nfɔ́ːrtʃ(ə)nətli] アンフォーチャナトリィ

[副] 不運にも，不幸にも (⇔ fortunately 幸運にも)

□ unfortunate [形] 不運な，不幸な；残念な

0590 □ B1 **nevertheless** [nèvərðəlés] ネヴァザレス [ア]

[副] それにもかかわらず，それでも (≒ nonetheless)

0591 □ A2 **gradually** [grǽdʒuəli] グラジュアリィ

[副] だんだんと，次第に，徐々に

□ gradual [形] 徐々に進む，段階的な

0592 □ A2 **fairly** [féərli] フェアリィ

[副] まあまあ，かなり，相当に；公平に

[イメージ] very や quite ほどには程度が強くない。

[入試] 「まあまあ，かなり」は頻出。

0593 □ B1 **merely** [míərli] ミアリィ

[副] 単に (～だけ)；わずかに (～しか) (≒ only)

□ mere [形] ほんの，ただの

<u>Thus</u>, she solved all the problems.	<u>こうして</u>，彼女はすべての問題を解決した。
He <u>eventually</u> passed the exam.	彼は<u>結局</u>，試験に合格した。
He is a man of few words. <u>Indeed</u>, he did not utter a word.	彼は口数の少ない男だ。<u>実際</u>，一言も発言しなかった。
You should leave now; <u>otherwise</u> you'll be late for school.	今すぐ出かけなさい。<u>さもないと</u>学校に遅れます。
He fell deeply in debt; <u>moreover</u>, he lost his job.	彼は多額の負債を負った。<u>その上</u>，仕事も失った。
<u>Unfortunately</u>, she had her purse stolen on a crowded train.	<u>不運にも</u>，彼女は混雑した電車で財布を盗まれた。
The story was short; <u>nevertheless</u>, it was quite amusing.	物語は短かったが，<u>にもかかわらず</u>，とても面白かった。
The population of this country has been <u>gradually</u> decreasing.	この国の人口は<u>次第に</u>減少してきている。
a <u>fairly</u> good speaker of English	<u>まあまあ</u>上手に英語を話せる人
I <u>merely</u> did what I was told to do.	私はするように言われたことを<u>ただ</u>やった<u>だけ</u>です。

I-13
☐ **for fear of ～**

～を恐れて，～が心配で 入試 〈for fear that S ＋ V〉は「S が V しないように」。

I-14
☐ **for lack of ～**

～が不足のため，～がないため

I-15
☐ **for (the) want of ～**

～が不足のため，～が（入手でき）ないため

I-16
☐ **for the sake of ～ [= for ～'s sake]**

（目的・利益を示し）～のため

I-17
☐ **for sure [certain]**

確かに，はっきりと

I-18
☐ **for ages**

長い間

I-19
☐ **for good**

永久に，これを最後に

I-20
☐ **for long**

長い間 語法 否定文・疑問文・条件文で用いる。

I-21
☐ **for ～'s part [= for the part of ～]**

～（の方）としては（≒ as for ～）

I-22
☐ **for the most part**

大部分は，大体は

I-23
☐ **for one thing**

1 つには 語法 for another とセットで用いることが多い。

I-24
☐ **in return for ～**

～のお返しに，～の返礼として

2

She remained silent for fear of being misunderstood.

誤解されることを恐れて，彼女は黙っていた。

The pond dried up for lack of rain.

雨不足のため，池は干上がった。

We decided not to go to Europe for want of money.

お金が足りないので，私たちはヨーロッパには行かないことにした。

She goes jogging every day for the sake of her health.

彼女は健康のために毎日ジョギングをしている。

We didn't know for sure whether he would come or not.

私たちは彼が来るかどうかは確かにはわからなかった。

I haven't seen her for ages.

彼女には長い間会っていない。

He gave up smoking for good.

彼は永久にタバコをやめた。

We did not wait for her for long.

私たちは彼女を長くは待たなかった。

For my part, I have nothing to complain about.

私としては，何も文句はありません。

The participants were, for the most part, students.

参加者は大部分が学生だった。

For one thing, he is bright; for another, he is diligent.

1つには彼は聡明であり，さらに1つには彼は勤勉だ。

I sent her a gift in return for her hospitality.

もてなしのお返しに，私は彼女に贈り物を送った。

I-25
☐ **at a loss**

途方に暮れて，当惑して

I-26
☐ **at any rate**

とにかく，ともかく (≒ anyway)

I-27
☐ **(be [feel]) ill at ease**

落ち着かずに，不安で

I-28
☐ **at large**

捕えられないで，自由で；一般の，全体として　　入試▶「一般の，全体として」は和訳頻出。

I-29
☐ **at length**

詳細に，長々と

I-30
☐ **at peace**

心安らかで，安心して；平和で

I-31
☐ **at random**

無作為に，手当たり次第に，でたらめに

I-32
☐ **at risk**

危険にさらされて

I-33
☐ **at ~'s own risk**

自分の責任で

I-34
☐ **at stake**

危うくなって，賭けられて　　TIPS▶この stake は「賭け」の意味。

I-35
☐ **at the cost of ~**

~を犠牲にして

I-36
☐ **at the mercy of ~ [= at ~'s mercy]**

~のなすがままに (なって)

She *was* at a loss about what to do.

彼女はどうしてよいか途方に暮れた。

At any rate, give it a try.

とにかく，それをやってみなさい。

He *was* ill at ease with strangers.

彼は知らない人と一緒で落ち着かなかった。

The suspect *is* still at large.

容疑者はまだ逃走中だ。

He explained at length how to handle the product.

彼はその製品の扱い方を詳細に説明した。

He *has been* at peace since then.

彼はそれ以来，心安らかである。

The teacher selected 10 students at random.

教師は 10 人の学生を無作為に選んだ。

He *put* his life at risk.

彼は自分の命を危険にさらした。

Park here at *your* own risk.

自己責任でここに駐車してください。

The region's independence *is* at stake.

その地域の独立性が危うくなっている。

She worked very hard at the cost of her health.

彼女は健康を犠牲にして非常に懸命に働いた。

The yacht *was* at the mercy of the wind.

ヨットは風のなすがままだった。

give　何かを与える

他 ~を与える，やる，供給する
自 つぶれる，へこむ

「物を与える」ことから，何かに対して動作の影響を与えることを表す。さらに，「与える」＝「自分の物ではなくなる」というイメージから「譲る」，さらには「屈する」の意味にも広がる。

give の基本

■ She gave the tickets *to* her mother.
彼女はチケットを母親にあげた。
● She gave her mother the tickets. とも言える。

■ He gave his son a kiss.　彼は息子にキスをした。
● 〈give ＋動作を表す名詞〉で，その動作を行うことを表す。

■ He gave his life for his country.　彼は祖国のために命をささげた。
● 「命を与える」→「命をささげる」

■ We'll be giving a party this evening.
私たちは今晩パーティーを開く。
● have [throw] a party とも言う。

■ The ice gave under our feet.　氷は足元から割れた。
● 「氷が場所を譲ってしまう」というイメージ。

give を含む重要表現

■ **given**：形 決められた，一定の

We met at the given time.
私たちは決められた時刻に会った。
● 「与えられた」→「あらかじめ決められた」

■ **given**：前 ~を考慮すると，~と仮定すると

Given his inexperience, he did quite well.
経験のなさを考えると，彼はかなりよくやった。
● 「~を与えられたとすると」→「前提として考えると」

give の群動詞

■ give away ～ : (不要な物)をあげる，譲る；～の正体を明らかにする

She <u>gave</u> all her toy figures <u>away</u>.
彼女はおもちゃの人形をすべて譲った。

● 与える対象を明示する場合は to ～「～に」を続ける。

■ give in (to ～) : (～に)屈する，降参する

The President didn't <u>give in to</u> the terrorists' demands.
大統領はテロリストの要求に屈しなかった。

● 「要求」に合わせるように自分の立場を譲る。

■ give out ～ : ～を配る；(光・音など)を発する

They <u>gave out</u> leaflets *to* passers-by.
彼らは通行人にちらしを配った。

● 「外に向けて手渡す」というイメージ。

■ give off ～ : (煙・光など)を放つ

The refrigerator is <u>giving off</u> a strange smell.
冷蔵庫から変な臭いがしている。

● 「臭いを離れた所まで届かせる」という感覚。

■ give over ～ : ～を引き渡す

They <u>gave</u> the suspect <u>over</u> *to* the police.
彼らは容疑者を警察に引き渡した。

● 「向こう側へ渡してしまう」というイメージ。

■ give up ～ : (～を)やめる，(～を)諦める，～を放棄する；～を譲る，引き渡す

At last he <u>gave up</u> *smoking*.
彼はついにタバコをやめた。

● 諦めて断念する。

He <u>gave up</u> his seat *to* an old lady on the train.
彼は電車で老婦人に席を譲った。

● 自分の権利を放棄して，人に渡す。

■ 基本動詞を使いこなそう

get　動いて手に入れる

他 ～を受ける，買う，得る；～に…をさせる，
　　…してもらう，…される
自 （ある状態に）なる

「受け取る」が基本的な意味。
「（行為の結果生じた状態）を
受け取る」の意味へと拡張し，
さらに場所の移動や使役・受
動の意味に広がる。

get の基本

■ She got a letter *from* Liz.　彼女はリズから手紙を受け取った。
  ● 手紙の方から彼女に近づいて，彼女が「受け取った」。

■ My uncle got me a T-shirt.　叔父は私にTシャツを買ってくれた。
  ● My uncle got a T-shirt for me. とも言える。

■ I hope you get *well* soon.　早くよくなるといいですね。
  ● 「具合がよい（well）」状態に「至る」ことを望む。

■ He got *scolded* by his teacher.　彼は先生に叱られた。
  ● 「叱られる（scolded）」状況を「受け取る」。

■ She got her work *done* by three o'clock.
彼女は3時までに仕事を終えた。
  ● 「仕事が終わった状態」を「手に入れた」。

get を含む重要表現

■ **get it**：理解する，わかる；(You('ve) got it. の表現で)正解だ

You've got it.
その通り。
  ●推測などが当たっていることを示して，「理解しているね」。

■ **get *doing***：～し始める

Let's get *going*.
さあ始めよう。（さあ行きましょう）
  ●「事態が先へ進む」（going）ことを「手に入れる」という意味で「始める」。

get の群動詞

■ get ~ across : ~を理解してもらう，~が伝わる

She couldn't <u>get</u> her idea <u>across</u> *to* them.
彼女は自分の考え<u>を</u>彼らに<u>理解してもらえ</u>なかった。

- ●自分の考えを向こう側へ渡らせる。

■ get along with ~ : ~をうまくやる；~と仲よくやっていく

How are you <u>getting</u> <u>along</u> <u>with</u> the job?
仕事は<u>はかどって</u>いますか。

- ●「仕事と一緒に道に沿って先へ進んで行く」というイメージ。

■ get down to ~ : ~に(本気で)取りかかる

It's time for you to <u>get</u> <u>down</u> <u>to</u> your studies.
君もそろそろ勉強<u>に取りかかる</u>べきだね。

- ●「腰を下ろして(down)じっくり取り組む」というイメージ。

■ get off (~) : (乗り物から)降りる (⇔ get on (~) :(~に)乗る)

He suddenly <u>got</u> <u>off</u> the bus.
彼は突然バス<u>を降りた</u>。

- ●バスから離れた状態を手に入れる。

■ get over ~ : ~から立ち直る，~から回復する；~を克服する

She hasn't <u>gotten</u> <u>over</u> the shock of her dog's death.
彼女は飼い犬の死のショック<u>から立ち直って</u>いない。

- ●「飼い犬の死」という困難を乗り越えた所まで到達する。

■ get to ~ : ~に到着する

We <u>got</u> <u>to</u> the station just in time.
私たちはぎりぎりに駅<u>に着いた</u>。

- ●「駅に到着した状態(to the station)」を手に入れた。

■ get through ~ : ~を終わらせる

I want to <u>get</u> <u>through</u> this homework today.
私は今日中にこの宿題<u>を終わらせ</u>たい。

- ●「宿題」を通り抜けた所まで行く。

■ 重要な多義語・多品詞語

order

動 ❶ ⟨+ O + to *do*⟩
~にdoするよう命令する

The court ordered the man *to stay* away from her.
裁判所は男に彼女に近づかないよう命じた。

❷ (~を) 注文する

Are you ready to order?
ご注文はお決まりですか。

名 ❶ 順序, 順番

in alphabetical order
アルファベット順で

❷ 命令

Our boss *gave* us orders to work overtime.
上司は私たちに残業をするよう命令した。

❸ 注文, 注文品

She *placed an* order online.
彼女はネットで注文をした。

❹ 整頓, 整理

You must *keep* your room *in* order.
自分の部屋は整頓しておきなさい。

❺ 治安, 秩序

The police restored order in the city.
警察は市内の治安を回復した。

meet

動 ❶ ~に会う,
~に知り合う

She met her neighbor at the station.
彼女は駅で隣人に会った。

❷ ~を出迎える

He kindly met me at the airport.
彼は親切にも空港まで私を迎えに来てくれた。

❸ ⟨+ with ~⟩
(問題などに)遭遇する

The proposal met *with* strong protest.
その提案は強い抗議を受けた。

❹ (要求など)を満たす

These products meet the standards.
これらの製品は規格を満たしている。

❺ (日時を決めて)集まる

We meet together every other month.
私たちは1か月おきに集まっています。

名 競技会

a track meet　陸上競技会

STAGE 3

入試最頻出語

大学入試に向けて必ず覚えておくべき重要単語を学ぶステージです。共通テストに対応できる語い力の獲得を目指します。フレーズや例文の中で, 語がどのような用いられ方をしているのかを意識しながら学習していきましょう。

Unit 1

[動詞] 1 思考・認識・感情

0594 □ **regret**
A2
[rɪgrét] リグレット

[動] ～を残念に思う，後悔する
[語法] 〈+ *doing*〉は「do したことを後悔する」，〈+ to *do*〉は「残念ながら do する」。
[名] 後悔；残念
□ regretful [形] 悔やんでいる □ regrettable [形] 残念な

0595 □ **discourage**
B1
[dɪskə́ːrɪdʒ]
ディスカーリッジ

[動] ～をがっかりさせる；～に思いとどまらせる
▶ discourage O from *doing* [句] Oが do するのを思いとどまらせる（⇔ encourage O to *do*）

0596 □ **calculate**
B1
[kǽlkjəlèɪt] カルキャレイト

[動] ～を計算する，～を算出する（≒ figure out）
□ calculátion [名] 計算

0597 □ **detect**
B2
[dɪtékt] ディテクト

[動] ～を見つける；～を探知する
□ detection [名] 探知 □ detective [名] 刑事，探偵

0598 □ **bother**
A2
[bɑ́ðər] バザァ

[動] ～を悩ます，心配させる；わざわざ～する
[名] 面倒，苦労
▶（否定文・疑問文で）bother to *do* [句] わざわざ do する
□ bothersome [形] やっかいな

0599 □ **acknowledge**
B1
[əknɑ́lɪdʒ]
アクナリジ

[動] ～を（事実だと）認める，～を承認する
□ acknowledgement [名] 認めること，承認

0600 □ **suspect**
B2
[səspékt] サスペクト [ア]

[動] ～を疑わしく思う，～ではないかと思う
[名] [sʌ́spekt] 容疑者，被疑者
□ suspícion [名] 疑い，疑念 □ suspícious [形] 疑わしい

0601 □ **stare**
B1
[stéər] ステア

[動]（～を）じっと見る，凝視する
▶ stare at ～ [句] ～をじっと見る
[名] じっと見つめること，凝視

0602 □ **neglect**
B2
[nɪglékt] ニグレクト

[動] ～を怠る；〈+ to *do*〉（怠慢・不注意で）～しない
[イメージ] やるべきことを不注意や故意にしない。
□ négligent [形] 怠慢な □ négligence [名] 怠慢

0603 □ **satisfy**
A2
[sǽtɪsfàɪ] サティスファイ [ア]

[動] ～を満足させる；（要求・希望）を満たす
□ satisfáction [名] 満足 □ satisfáctory [形] 満足な

I <u>regret</u> *telling* him the truth.	私は彼に事実を伝えたこと**を後悔している。**
I <u>regret</u> *to inform* you of sad news.	残念ながら悲しい知らせをお伝え**します。**
We tried to <u>discourage</u> her *from going* there by herself.	私たちは彼女**が**一人でそこへ行くの**を思いとどまらせ**ようとした。
She <u>calculated</u> how much she had to pay in total.	彼女は合計でいくら払わなければならないか**を計算した。**
He <u>detected</u> a couple of errors in the translation.	彼は翻訳に 2, 3 の誤り**を見つけた。**
Don't <u>bother</u> *to come* all the way to my house.	わざわざ私の家まで来ていただくには及びません。
He <u>acknowledged</u> the rumor *to be* true.	彼はうわさ**が**本当である**と認めた。**
I <u>suspect</u> *that* he is lying.	私は彼が嘘をついているの**ではないかと思っている。**
The student was <u>staring</u> *at* the computer screen.	生徒たちは熱心にコンピュータの画面を**見つめている。**
He <u>neglected</u> *to do* his homework.	彼は宿題をするの**を怠けた。**
His answer didn't <u>satisfy</u> his teacher.	彼の答えは先生を満足**させ**なかった。

0604 □ A2	**criticize** [krítəsàɪz] クリタサイズ	動 ~を非難する, ~を批判する;~を批評する ▶ criticize A for B 句 B のことで A を非難する □ criticism 名非難, 批判 □ critic 名批評家 □ critical 形判的な;批評の;極めて重大な
0605 □ B2	**investigate** [ɪnvéstəgèɪt] インヴェスタゲイト 🅐	動 ~を調査する;~を捜査する イメージ 詳しく, 徹底的に調べる。 □ investigátion 名調査;捜査
0606 □ B2	**evaluate** [ɪvǽljuèɪt] エヴァリュエイト 🅐	動 ~を評価する, ~を査定する (≒ assess) イメージ 注意深く評価する。 □ evaluátion 名評価, 査定
0607 □ B2	**assess** [əsés] アセス 🅐	動 ~を評価する, ~を査定する (≒ evaluate) イメージ 時間をかけてじっくり行う評価。 □ assessment 名評価, 査定
0608 □ B1	**approve** [əprúːv] アプルーヴ	動 (~をよいと)認める; (~に)賛成する (⇔ disapprove 賛成しない) □ approval 名賛成, 是認;認可
0609 □ A2	**admire** [ədmáɪər] アドマイァ	動 ~を称賛する, ~に感心する;~に見とれる ▶ admire A for B 句 A の B に感心[を称賛]する □ admirátion 名称賛, 感嘆 □ ádmirable 形立派な, 見事な
0610 □ B2	**protest** [prətést] プラテスト 🅐	動 (~に)抗議する, (~に)異議を唱える ▶ protest against ~ 句 ~に抗議する 名 [próutest] 抗議(活動), 異議
0611 □ B2	**scan** [skǽn] スキャン	動 ~を精査する;~をざっと読む 名 精査;ざっと見ること;スキャン
0612 □ B1	**resolve** [rɪzálv] リザルヴ	動 ~を解決する (≒ solve);〈+ to do〉(~しようと)決 意する □ resolútion 名決意, 決議;解決
0613 □ B1	**punish** [pʌ́nɪʃ] パニッシュ	動 ~を罰する, 懲らしめる ▶ punish A for B 句 B のことで A を罰する □ punishment 名処罰, 懲罰

People <u>criticized</u> the court *for* an unfair trial.	人々は不公平な裁判だと裁判所を<u>非難した</u>。
The committee started to <u>investigate</u> the case.	委員会はその事件を<u>調査し</u>始めた。
They <u>evaluated</u> the potential risk.	彼らは潜在的な危険性を<u>評価した</u>。
They <u>assessed</u> its impact on the environment.	彼らは環境に対するそれの影響を<u>評価した</u>。
My parents finally <u>approved</u> *of* my marriage.	両親はついに私の結婚を<u>認めた</u>。
People <u>admired</u> her *for* her beautiful voice.	人々は彼女の美しい声を<u>称賛した</u>。
The citizens <u>protested</u> *against* the new law.	市民たちは新しい法律に<u>抗議した</u>。
The device can <u>scan</u> the human brain.	その装置は人間の脳を<u>精査する</u>ことができる。
She <u>resolved</u> *to leave* home.	彼女は家を出ることを<u>決意した</u>。
He <u>punished</u> his daughter *for* telling a lie.	彼は嘘をついたことで娘を<u>罰した</u>。

Unit 1

[動詞] 3 提供・許可・制限

0614 □ **grant** B1
[grǽnt] グラント

[動] (～を)許可する，(仮に)～だと認める
[イメージ] 正しいと信じて認める。
▶ take it for granted (that) ～ [句]～を当然だと見なす
[名] 助成(金)，補助金
▶ granted [granting] (that) ～ [接]仮に～としても

0615 □ **persuade** B1
[pərswéɪd] パァスウェイド

[動] ～を説得する，～を説得して…させる
[TIPS] 「説得して納得する」ところまでを意味する。
▶ persuade O to *do* [into *doing*] [句]O を説得して do させる (≒ talk O into *doing*)
□ persuásion [名]説得

0616 □ **assign** B1
[əsáɪn] アサイン

[動] ～を(…に)割り当てる，～を任命する；～をあてがう
□ assignment [名]割り当て；宿題

0617 □ **assist** B1
[əsíst] アスィスト

[動] (～を)手伝う，(～を)支援する (≒ help)
[イメージ] そばに寄り添って手助けする。
▶ assist O in *doing* [句]O が do するのを手伝う
□ assistance [名]支援，援助 □ assistant [名]助手

0618 □ **cure** B2
[kjúər] キュァ

[動] (病気)を治す，～を治療する
▶ cure A of B [句]A の B を治す
[名] 治療(法)，療養；治癒

0619 □ **guarantee** B2
[gæ̀rəntíː]
ギャランティー [ア]

[動] ～を保証する，請け合う
[名] 保証(書)

0620 □ **restrict** B1
[rɪstríkt] リストリクト

[動] ～を制限する，限定する
□ restriction [名]制限，限定

0621 □ **interrupt** B1
[ìntərʌ́pt] インタラプト [ア]

[動] ～を妨げる；～を中断する，～を遮断する
[語源] 割り込んで (-rupt) ＋間を空ける (inter-)。
□ interruption [名]邪魔，妨げ；中断

0622 □ **qualify** B1
[kwɑ́ləfàɪ]
クワラファィ

[動] ～に資格を与える；～を制限する；資格を得る
▶ *be* qualified for ～ [to *do*] [句]～の [do する] 資格がある
□ qualificátion [形]資格

We *took it for* <u>granted</u> *that* she would attend the conference.	私たちは彼女が会議に出席するのが<u>当然だと</u>思っていた。
They tried to <u>persuade</u> her *to run* for election.	彼らは彼女を<u>説得して</u>選挙に立候補させようとした。
They <u>assigned</u> an important role *to* him.	彼らは重要な役割を彼に<u>割り当てた</u>。
Doctors <u>assist</u> patients *in recovering* from illnesses.	医師は患者が病気から回復するのを<u>手伝う</u>。
This drug will help <u>cure</u> her *of* her disease.	この薬は彼女の病気を<u>治す</u>のに役立つだろう。
These products *are* <u>guaranteed</u> for one year.	これらの製品は1年間<u>保証されている</u>。
Access to the database *is* <u>restricted</u>.	データベースへのアクセスは<u>制限されている</u>。
He <u>interrupted</u> her explanation *with* a silly question.	彼はばかげた質問で彼女の説明を<u>妨げた</u>。
She *is* <u>qualified</u> *to apply* for the study abroad program.	彼女は留学プログラムに応募する<u>資格がある</u>。

Unit 1 　動詞 4 発話・表現

0623
☐ **announce**
B1
[ənáuns] アナウンス 🄐

動 ~を発表する，~を公表する
☐ announcement 名発表，公表

0624
☐ **illustrate**
B2
[íləstrèit]
イラストレイト 🄐

動 ~を(例などで)説明する；~に挿絵を入れる
イメージ 光を当てて明瞭に示す。
☐ illustrátion 名例示，説明；イラスト

0625
☐ **convey**
B1
[kənvéi] カンヴェイ 🄐

動 ~を運ぶ，~を搬送する；~を伝える
☐ conveyance 名運搬，運送；伝達

0626
☐ **alarm**
B1
[əlá:rm] アラーム

動 ~を不安にさせる，~を心配させる
名 警報；(突然の)恐怖；目覚まし時計
☐ alarming 形不安にさせるような，驚くべき
☐ alarmed 形恐れて，不安を感じて

0627
☐ **broadcast**
B2
[brɔ́:dkæst]
ブロードキャスト

動 ~を放送する；(うわさなど)を広める
語源 広く(broad)＋投げる(cast)。
活用 broadcast – broadcast – broadcast
名 放送(番組)

0628
☐ **imitate**
B1
[ímətèit] イマイテイト 🄐

動 ~を模倣する；~のまねをする
☐ imitátion 名まね，模倣；模倣品

0629
☐ **exhibit**
B2
[ɪgzíbɪt] エグズィビット 発

動 ~を展示する；~を示す
名 展示品；《米》展示会
☐ exhibition[èksəbíʃ(ə)n] 名展示；《英》展覧会

0630
☐ **declare**
B1
[dɪkléər] ディクレァ

動 ~を宣言する；~を断言する；(税金)を申告する
TIPS declare は「強く宣言する」，announce は「一般に知らせる」。
☐ declarátion 名宣言，発表；申告

0631
☐ **apologize**
A2
[əpálədʒàiz]
アパラジャイズ 🄐

動 謝罪する，わびる
語法 自動詞なので×apologize ＋ O では用いない。apologize (to ＋人) ＋ for ～「(人に)～を謝罪する」とする。
☐ apology 名謝罪，わび

The company <u>announced</u> the release of a new smartphone model.	その会社はスマートフォンの新しいモデルの発売<u>を発表した</u>。
The graph clearly <u>illustrated</u> his point.	そのグラフは彼の主張を明瞭に<u>説明していた</u>。
The manager <u>conveyed</u> the message *to* each employee.	部長はそれぞれの従業員にメッセージ<u>を伝えた</u>。
His words <u>alarmed</u> me very much.	彼の言葉は私を<u>とても不安にさせた</u>。
The news of the poet's death *was* <u>broadcast</u> worldwide.	その詩人の死は世界中に<u>放送された</u>。
The boy <u>imitated</u> his father's behavior.	少年は父親の行動を<u>まねた</u>。
The museum <u>exhibits</u> a wide range of fine works of art.	その美術館はさまざまな優れた美術作品を<u>展示している</u>。
That country <u>declared</u> its independence in 1900.	その国は 1900 年に独立<u>を宣言した</u>。
The company <u>apologized</u> *to* customers *for* its faulty products.	その会社は顧客に不良品について<u>謝罪した</u>。

0632　□　A2
graduate
[grǽdʒuèit] グラジュエイト 発
動 卒業する；~を卒業させる
▶ graduate from ~ 句 ~を卒業する
名 [grǽdʒuət] 卒業生；大学院生
□ graduátion 名 卒業

0633　□　B1
overcome
[òuvərkʌ́m] オウヴァカム
動 ~を克服する，乗り越える；~を打ち負かす
活用 overcome - overcame - overcome
▶ *be* overcome with [by] ~ 句 ~に(精神・肉体的に)参る

0634　□　A2
concentrate
[kɑ́nsəntrèit] カンサントレイト ア
動 (注意・努力を…に)集中する；~を集結する
▶ concentrate on ~ 句 ~に集中する
▶ concentrate A on B 句 A を B に集中させる
□ concentrátion 名 集中(力)；集結
□ concentrated 形 濃縮した，集中した

0635　□　B1
educate
[édʒəkèit] エジャケイト ア
動 ~を教育する，~を教える
イメージ 能力を外へ (e-) 引き出す (-duc) ような教え。
□ educated 形 教育を受けた；教養のある
□ educátion 名 教育

0636　□　B1
motivate
[móutəvèit] モウタヴェイト
動 ~に動機を与える；~にやる気を起こさせる
▶ motivate O to *do* 句 O に do する気を起こさせる
□ motivátion 名 動機，やる気

0637　□　A2
pursue
[pərsú:] パァスー
動 ~を追い求める；~を追究する；~を追跡する
□ pursuit 名 追跡；追求

0638　□　B2
fulfill
[fulfíl] フルフィル
動 ~を実行する；~を果たす；(要求など)を満たす
□ fulfillment 名 満足(感)；実現，達成

0639　□　B2
urge
[ə́:rdʒ] アージ
動 ~を促す，催促する；~をせき立てる
▶ urge O to *do* 句 O に do するよう促す
名 衝動，熱望

0640　□　B1
restore
[ristɔ́:r] リストーァ
動 ~を回復させる；~を修復する，復興する
□ restorátion 名 回復；修復，復興

0641　□　B1
accomplish
[əkɑ́mpliʃ] アカンプリッシュ
動 ~を成し遂げる，~を遂行する，~を達成する
□ accomplishment 名 達成，成就

She is going to graduate *from* a prestigious university next year.	彼女は来年，権威ある大学を卒業することになっている。
The expedition had to overcome a lot of difficulties.	探検隊は多くの苦難を乗り越えねばならなかった。
He couldn't concentrate *on* his studies.	彼は勉強に集中することができなかった。
They decided to educate their daughter not at school but at home.	彼らは娘を学校ではなく家で教育することに決めた。
The teacher found a better way to motivate her students *to study* harder.	教師は生徒にもっと勉強する気を起こさせるよりよい方法を見つけた。
She is pursuing success in show business.	彼女は芸能界での成功を追い求めている。
He finally fulfilled his duty.	彼はついに任務を果たした。
We urged her *to make* up her mind.	私たちは彼女に決心するよう促した。
It is essential that law and order *be* restored.	法と秩序が回復されることが不可欠である。
She accomplished her dream of studying abroad.	彼女は留学するという夢を成し遂げた。

3

0642
☐ B2 **manufacture**
[mænjəfæktʃər]
マニャファクチァ 🅐

動 ~を製造する，制作する
語源 「手で (manu-)」+「作る (-fact)」→「製造する」。
名 製造 (物)，製造業

0643
☐ B1 **transform**
[trænsfɔ́:rm]
トランスフォーム

動 ~を一変させる；~を変形させる
語源 「別の状態 (trans-) に」「形を作る (-form)」。
▶ transform A into B 句 A を変形して B にする
☐ transformátion 名変化；変形

0644
☐ B2 **alter**
[ɔ́:ltər] オールタァ 🅐

動 ~を(部分的に)変える，修正する；変わる
☐ alterátion 名変更，修正

0645
☐ A2 **retire**
[rɪtáɪər] リタイア

動 退職する，引退する；~を退職させる，引退させる
TIPS retire は定年・老齢のために退職すること。quit は自分の意志で退職する。resign はやむをえず退職する。
☐ retirement 名退職，引退

0646
☐ B2 **enhance**
[ɪnhǽns] エンハンス

動 ~を高める，~を増す
☐ enhancement 名増進

0647
☐ B2 **collapse**
[kəlǽps] カラップス

動 崩れる，倒壊する；倒れる
イメージ 持ちこたえられず，(ガックリと) 崩れ落ちる。
名 崩壊，倒壊；失敗，挫折

0648
☐ B1 **strengthen**
[stréŋ(k)θ(ə)n]
ストレングスン 🅐

動 ~を強める，強化する；(可能性など) を高める
☐ strength 名強さ，力，体力
☐ strong 名強い

0649
☐ B2 **boost**
[bú:st] ブースト

動 ~を増進する，~を増加する
イメージ 後ろから押して勢いをつける。
名 増加，増進；励まし

0650
☐ B1 **endanger**
[ɪndéɪndʒər] エンデインジァ

動 ~を危険にさらす，~を危うくする

0651
☐ B1 **cultivate**
[kʌ́ltəvèɪt] カルタヴェイト

動 ~を養う；~を耕す；~を培養する
☐ cultivátion 名耕作；養成
☐ cúlture 名文化；栽培，養殖；培養

Car makers have been trying to <u>manufacture</u> safer vehicles.	自動車メーカーはより安全な乗り物を<u>製造し</u>ようとしてきた。
Smartphones have <u>transformed</u> our way of life.	スマートフォンは私たちの暮らし方<u>を一変させた</u>。
The typhoon <u>altered</u> its path.	台風は進路<u>を変えた</u>。
He will <u>retire</u> *from* his company next spring.	彼は来春会社を<u>退職する</u>。
The company is seeking to <u>enhance</u> the quality of its service.	その会社はサービスの質<u>を高め</u>ようと努めている。
The 10-story building <u>collapsed</u> because of the earthquake.	10階建ての建物は地震のせいで<u>倒壊した</u>。
The relationship between the two countries has been <u>strengthened</u>.	その2国間の関係は<u>強化されて</u>きた。
New technology will <u>boost</u> agricultural production.	新しい技術が農業生産<u>を増加させる</u>だろう。
Pollution has <u>endangered</u> the existence of many species.	公害が多くの種の生存<u>を危険にさらしている</u>。
Pioneers <u>cultivated</u> the fertile soil.	開拓者たちは肥沃な土壌<u>を耕した</u>。

Unit 1

動詞 **7** 動作・行動・活動 (1)

0652 **board** B1
[bɔ́ːrd] ボード

動 (乗り物)(に) 乗り込む, 搭乗する
名 板(材); 理事会, 取締役会
▶ (*be*) on board (~) 句 (~に)乗り込んで(いる)

0653 **deliver** B1
[dɪlívər] ディリヴァ

動 ~を配達する; (演説・講演)をする
□ delivery 名配送, 配達

0654 **wind** B2
[wáind] ワインド 発

動 (道などが) 曲がりくねる; ~を巻く
活用〉 wind - wound[wáund] - wound。動詞 wound[wúːnd]「~を傷つける」との区別に注意。
□ winding 形曲がりくねった

0655 **import** B2
[ɪmpɔ́ːrt] インポート ア

動 ~を輸入する (⇔ export)
名 [ímpɔːrt] 輸入 (品)

0656 **attach** B1
[ətǽtʃ] アタッチ

動 ~を(…に)取り付ける, 添付する
□ attachment 名取り付けること; 付属品

0657 **hang** B1
[hǽŋ] ハング

動 ~をつるす; ぶら下がる, 垂れ下がる
活用〉 hang - hung - hung。ただし,「絞首刑にする[なる]」の意味では規則変化で, hang - hanged - hanged。

0658 **cope** B2
[kóup] コウプ

動 (~を)うまく処理する, (~に)対処する
▶ cope with ~ 句 ~に対処する

0659 **export** B2
[ɪkspɔ́ːrt] エクスポート ア

動 ~を輸出する (⇔ import)
名 [ékspɔːrt] 輸出 (品)

0660 **accompany** B1
[əkʌ́mpəni] アカンパニィ

動 ~に同行する, ~に付き添う; ~に添える
□ accompanying 形付随する, 付属の

0661 **dig** B1
[díg] ディグ

動 ~を掘る; ~を掘って作る; ~を掘り出す
活用〉 dig - dug - dug

0662 **breathe** A1
[bríːð] ブリーズ 発

動 呼吸する, 息をする; ~を吸い込む
▶ breathe *one's* last (breath) 句息を引き取る
□ breath [breθ] 名息, 呼吸

The passengers have already started <u>boarding</u> the ferry.	乗客たちはすでにフェリーに<u>乗船し</u>始めている。
The package will *be* <u>delivered</u> in a couple of days.	小包は2，3日後には<u>配達される</u>だろう。
The river <u>winds</u> *through* the forest.	その川は森の中を<u>曲がりくねって</u>流れている。
Many kinds of crops *are* <u>imported</u> *from* abroad.	多くの種類の農作物が海外から<u>輸入されている</u>。
She <u>attached</u> a file *to* the e-mail.	彼女はEメールにファイルを<u>添付した</u>。
Lamps are <u>hanging</u> *from* the ceiling.	ランプが天井から<u>ぶら下がっている</u>。
His duty is to <u>cope</u> *with* complaints from customers.	彼の職務は客からのクレームに<u>対処する</u>ことだ。
This country <u>exports</u> a lot of wine *to* various countries.	この国は多くのワインをさまざまな国に<u>輸出している</u>。
He <u>accompanied</u> his daughter *to* her kindergarten.	彼は娘に幼稚園まで<u>付き添って</u>行った。
The men were <u>digging</u> a hole.	その男たちは穴を<u>掘っ</u>ていた。
The runner was <u>breathing</u> heavily.	その走者は激しく<u>息を</u>していた。

0663 ☐ B1	**launch** [lɔ́ːntʃ] ローンチ 発	動 ～を始める；～を売り出す；～を発射する 名 開始；発売；発射

0664 ☐ B2	**yawn** [jɔ́ːn] ヨーン	動 あくびをする 名 あくび

0665 ☐ A1	**celebrate** [séləbrèit] セラブレイト ア	動 (～を)祝う；(式典など)を挙行する イメージ にぎやかにほめたたえて祝う。 ☐ celebrátion 名 祝い；祝典

0666 ☐ A2	**quit** [kwít] クウィット	動 (～を)やめる，中止する ▶ quit *doing* 句 do するのをやめる

0667 ☐ B1	**lift** [líft] リフト	動 ～を持ち上げる；(禁止など)を解除する 名 持ち上げること；《英》エレベーター

0668 ☐ B1	**transfer** [trænsfə́ːr] トランスファー ア	動 ～を移す；～を転送する；(～を)乗り換える； 転任[転校]する 名 [trǽnsfər] 移動；転送；乗り換え

0669 ☐ A1	**blow** [blóu] ブロウ	動 (風が)吹く；(笛などが)鳴る；～を吹く 活用 blow - blew - blown 名 殴打，一撃；打撃，ダメージ

0670 ☐ B2	**cooperate** [kouápərèit] コウアペレイト ア	動 (～と)協力する，協働する ▶ cooperate with ～ to *do*[in *doing*]　句 ～と協力して 　do する ☐ cooperátion 名 協力，協調 ☐ cooperative 形 協力的な，協同の

0671 ☐ B1	**install** [instɔ́ːl] インストール	動 ～を設置する，～を据え付ける；～を組み込む， ～をインストールする ☐ installátion 名 設置；インストール

0672 ☐ B2	**recruit** [rikrúːt] リクルート	動 ～を募集する，～を採用する 名 新入社員，新メンバー 語源 再び (re-) ＋成長する (-cruit)。 ☐ recruitment 名 募集

The committee launched a new project.	委員会は新しいプロジェクトを始めた。
He yawned repeatedly during the lecture.	彼は講義中に繰り返しあくびをした。
The family gathered to celebrate their father's birthday.	父親の誕生日を祝うために家族が集まった。
The boy quit *playing* computer games.	少年はコンピュータゲームをするのをやめた。
He lifted a box *from* under the desk.	彼は机の下から箱を持ち上げた。
It took a long time to transfer the data *to* a new computer.	新しいコンピュータにデータを転送するのに長い時間がかかった。
The strong winds continued blowing.	強い風が吹き続けた。
The students cooperated *with* each other *to finish* the project.	学生たちはそのプロジェクトを終えるために互いに協力した。
We *had* the latest photocopiers installed in our office.	私たちは最新のコピー機をオフィスに設置してもらった。
The company started recruiting new employees.	その会社は新しい従業員を募集し始めた。

0673 □ **locate** B1
[lóukeit] ロウケイト
[動] ～を位置づける；～を見つける
▶ *be* located at [in] ～ [句]～にある，位置している
□ locátion [名]位置，場所；ロケ

0674 □ **disturb** A2
[dıstə́:rb] ディスターブ
[動] ～の邪魔をする；～を動揺させる
[発信] Do not disturb. [句]入室お断り。
□ disturbance [名]邪魔，妨害

0675 □ **dominate** B2
[dάmənèıt] ダミネイト [ア]
[動] ～を支配する；～を見下ろす
□ dominance [名]支配

0676 □ **reserve** B1
[rızə́:rv] リザーヴ
[動] ～を(使わずに)取っておく；～を予約する
[名] 蓄え，保護地；(石油などの)埋蔵量

0677 □ **employ** B2
[ımplɔ́ı] インプロイ
[動] ～を雇う，～を雇用する；(手段)を用いる
□ employment [名]雇用；利用

0678 □ **differ** B1
[dífər] ディファ [ア]
[動] 異なる，一致しない
▶ differ from ～ (in ...) [句](…の点で)～と異なる
□ difference [名]相違，違い
□ different [形]違った；別々の

0679 □ **interact** B1
[ìntərǽkt] インタラクト
[動] 相互に作用する，(人と)交流する
▶ interact with ～ [句]～と交流する

0680 □ **absorb** B1
[əbsɔ́:rb] アブソーブ
[動] ～を吸収する；～を夢中にさせる
▶ *be* absorbed in ～ [句]～に夢中になっている
□ absorption [名]吸収；没頭

0681 □ **devote** B2
[dıvóut] ディヴォウト
[動] ～を(…に)ささげる；(時間・注意)をあてる
▶ devote A to B [句]AをBにささげる
□ devotion [名]専念；献身

0682 □ **commit** B1
[kəmít] カミット
[動] (…することを)～に約束させる；(金・時間)をあてる；(罪)を犯す；～を委ねる
▶ commit *oneself* to ～ [句]～を確約［明言］する
□ commitment [名]約束，公約；献身

0683 □ **desert** A2
[dızə́:rt] ディザート [ア]
[動] ～を見捨てる；～を去る
[名] [dézərt] 砂漠；不毛の地域

Our store *is* located *in* the business district.	私たちの店はビジネス地区にある。
They talked quietly so as not to disturb others.	彼らは他の人の邪魔をしないように静かに話した。
The dictator has been dominating the country for more than half a century.	独裁者は半世紀以上その国を支配している。
Food stocks should be reserved in case of an emergency.	非常時に備えて食糧の蓄えを取っておくべきだ。
The lawyer employed a new secretary.	その弁護士は新しい秘書を雇った。
The twin sisters resemble each other in appearance but differ *in* personality.	その双子の姉妹は，見た目は似ているが，性格は異なっている。
She likes to interact *with* other people.	彼女は他の人と交流するのが好きだ。
Sponges absorb water.	スポンジは水を吸収する。
He devoted his life *to* volunteer activities.	彼は生涯をボランティア活動にささげた。
She committed *herself to* finishing the work promptly.	彼女は迅速に仕事を終えると確約した。
He deserted his family and never returned home.	彼は家族を見捨て，二度と家に戻らなかった。

167

0684 □ B1	**possess** [pəzés] ポゼス 発 ア	動 ~を所有する，保有する 入試 状態動詞なので，進行形にはしないことに注意。 □ possession 名所有，保有
0685 □ B1	**resist** [rızíst] リズィスト	動 ~に抵抗する，反抗する；~を我慢する イメージ 納得できないことに対して立ち上がる。 □ resistance 名抵抗，反抗
0686 □ B1	**specialize** [spéʃəlàız] スペシャライズ	動 専門にする，専門に扱う ▶ specialize in ~ 句~を専門にする □ specialized 形専門的な
0687 □ A2	**weigh** [wéɪ] ウェイ 発	動 重さが~である；~の重さを量る 同音 way □ weight 名重さ，重量
0688 □ B2	**impose** [ımpóuz] インポウズ	動 ~を課す，負わす；(~を)押し付ける，強要する ▶ impose on ~ 句~につけこむ □ imposítion 名課すこと；課税
0689 □ B1	**occupy** [ákjəpàı] アキュパイ	動 (場所・時間)を占める；~に居住する；~を占領する TIPS 「(割合)を占める」は account for ~。 □ occupátion 名占有，占領；職業
0690 □ B1	**resemble** [rızémbl] リゼンブル	動 ~に似ている 語法 状態動詞なので，ふつうは進行形にしない。「似ている」度合の変化を示す場合は，進行形も可能。 □ resemblance 名類似
0691 □ B1	**govern** [gávərn] ガヴァン	動 ~を支配する，統治する；~を管理する □ governance 名支配，統治，管理 □ government 名政府；政治；統治
0692 □ B1	**register** [rédʒıstər] レジスタァ ア	動 (~を)登録する，記録する □ registrátion 名登録
0693 □ B1	**negotiate** [nɪgóuʃièıt] ニゴウシエイト	動 交渉する，協議する；~を(交渉で)取り決める □ negotiátion 名交渉

He <u>possesses</u> a gorgeous mansion.	彼は豪華な邸宅を<u>所有している</u>。
The man <u>resisted</u> being taken to the hospital.	その男は病院へ連れて行かれるのに<u>抵抗した</u>。
The professor <u>specializes</u> *in* experimental psychology.	その教授は実験心理学を<u>専門にしている</u>。
The equipment <u>weighs</u> more than two tons.	その装置は2トン以上<u>の重さがある</u>。
They <u>imposed</u> a heavy tax *on* cigarettes.	彼らはタバコに重い税金を<u>課した</u>。
Writing a new book <u>occupied</u> most of his time.	新しい本の執筆が彼の時間のほとんど<u>を占めた</u>。
She closely <u>resembles</u> her mother.	彼女は母親にとてもよく<u>似ている</u>。
The Communist Party <u>governs</u> that country.	共産党がその国を<u>統治している</u>。
You must <u>register</u> before attending the event.	イベントに参加する前には<u>登録し</u>なければいけません。
The Foreign Minister <u>negotiated</u> *with* the representatives from Russia.	外務大臣はロシアからの代表団と<u>交渉した</u>。

STAGE 3
Unit 1　動詞 11 要素・統合・分離

0694
☐ **consist**
A2
[kənsíst] カンスィスト

動 (〜から) 成る，成り立つ；(〜に) ある
▶ consist of 〜 句〜から成る (≒ be made of 〜)
▶ consist in 〜 句〜にある
☐ consistent 形首尾一貫した

0695
☐ **distribute**
B1
[dɪstríbju:t]
ディストゥリビュート 🄐

動 〜を分配する，分け与える；〜を流通させる
▶ distribute A to B 句 A を B に分配する
☐ distribútion 名分配；流通

0696
☐ **eliminate**
B1
[ɪlímənèit] イリミネイト 🄐

動 〜を取り除く，〜を廃絶する
☐ eliminátion 名除外；廃絶

0697
☐ **compose**
B1
[kəmpóuz] カンポウズ

動 〜を構成する；(曲・詩など) を創作する
▶ be composed of 〜 句〜で構成される，〜から成る
☐ compositíon 名構成，構成要素；作文

0698
☐ **derive**
B1
[dɪráiv] ディライヴ

動 〜を引き出す，導き出す；⟨+ from 〜⟩ (〜に) 由来する
▶ derive[be derived] from 〜 句〜に由来する
☐ derivátion 名由来，派生

0699
☐ **rid**
B1
[ríd] リッド

動 〜から (…を) 取り除く
活用 rid - rid - rid
▶ get rid of 〜 句〜を取り除く，(人) を追い払う

0700
☐ **embrace**
B2
[ɪmbréis] インブレイス

動 〜を包含する；〜を受け入れる；〜を抱きしめる
名 抱擁

0701
☐ **exclude**
B2
[ɪksklú:d] イクスクルード

動 〜を除く，除外する，排除する
☐ exclusion 名除外，排除
☐ excluding 前〜を除いて

0702
☐ **integrate**
B2
[íntəgrèit] インテグレイト

動 〜を統合する，〜をまとめる
☐ integrátion 名統合

0703
☐ **constitute**
B1
[kánstət(j)ù:t]
カンスタトゥート 🄐

動 〜の構成要素となる；〜と見なされる；〜を設立する
☐ constitútion 名憲法；体質

The device <u>consists</u> of many components.	その装置は多くの部品から<u>成って</u>いる。
They <u>distributed</u> food *to* the refugees.	彼らは避難者に食料を<u>配布</u>した。
We must make efforts to <u>eliminate</u> nuclear weapons.	我々は核兵器を<u>廃絶</u>する努力をしなければならない。
The committee *is* <u>composed</u> *of* ten members.	委員会は10人のメンバーで<u>構成されている</u>。
She <u>derived</u> a conclusion *from* her data.	彼女はデータから結論を<u>導き出した</u>。
He finally *got* <u>rid</u> *of* his debt.	彼はついに借金を<u>片付けた</u>。
The mother <u>embraced</u> her son gently.	母親は息子を優しく<u>抱きしめた</u>。
He *was* <u>excluded</u> *from* the competition.	彼は競争から<u>除外された</u>。
They are trying to <u>integrate</u> all the information *into* their database.	彼らはすべての情報をデータベースに<u>統合</u>しようとしている。
These kinds of behavior <u>constitute</u> a threat to our society.	こういう類の行動は私たちの社会にとって脅威と<u>見なされる</u>。

0704
□ **path**
A2
[pǽθ] パス

名 小道，細道；(天体・台風・人生などの)進路

イメージ 山林などに自然にできた小道や，公園などの小道。

0705
□ **stream**
B1
[strí:m] ストリーム

名 (液体・人・物の)流れ；傾向；小川
▶ go against [with] the stream 句時勢に逆らう[従う]
動 流れる，流れ出る

0706
□ **channel**
B1
[tʃǽnl] チャヌル 発

名 海峡；チャンネル；伝達手段，ルート

TIPS 広い「海峡」は channel, 狭い「海峡」は strait。
cf. the Channel 名英国海峡

0707
□ **volcano**
B1
[vɑlkéɪnòu]
ヴァルケイノウ 発

名 火山
□ volcanic 形火山の，火山性の

0708
□ **horizon**
B1
[həráɪz(ə)n] ホライズン

名 地平線，水平線；水平；⟨-s⟩(知識・経験の)範囲

イメージ 範囲を分ける境界線。
□ horizóntal 形水平の (⇔ vertical 垂直の)

0709
□ **summit**
B1
[sʌ́mɪt] サミット

名 頂上，山頂；首脳会議；絶頂

イメージ top よりもやや格式ばった語。

0710
□ **bay**
A2
[béɪ] ベイ

名 湾，入り江

TIPS 通常，小さめの「湾」が bay で，大きい「湾」は gulf。

0711
□ **glacier**
A1
[gléɪʃər]
グレイシャ

名 氷河
cf. iceberg 名氷山

0712
□ **canal**
B1
[kənǽl] カナル ア

名 運河，用水路
cf. the Suez Canal 句スエズ運河

0713
□ **countryside**
A2
[kʌ́ntrisàid]
カントリサイド

名 田舎，地方，田園地方

イメージ 目の前に広々と広がる土地。
入試 「田舎」the countryside (= the country) は頻出。

---

the <u>path</u> of a hurricane	ハリケーンの<u>進路</u>
a *steady* <u>stream</u> of traffic	ひっきりなしに続く交通の<u>流れ</u>
an *efficient* <u>channel</u> of communication	効率的な情報伝達の<u>手段</u>
the sudden eruption of a <u>volcano</u>	突然の<u>火山</u>の噴火
the sun rising above the <u>horizon</u>	<u>地平線</u>の上を昇っていく太陽
the <u>summit</u> of the highest mountain on the Antarctic continent	南極大陸で最も高い山の<u>頂上</u>
a night cruise *around the* <u>bay</u>	<u>湾</u>内を巡る夜のクルージング
rapidly melting <u>glaciers</u> in the Arctic	急速に解けている北極の<u>氷河</u>
a tanker navigating *through the* <u>canal</u>	<u>運河</u>を航行するタンカー
a peaceful life *in the* <u>countryside</u>	<u>田舎</u>ののどかな暮らし

0714 □ A2
committee [kəmíti] コミティ ㋐
[名] 委員会；(集合的に)委員
[イメージ] 他の人の代表で送り込まれた人たち(の集まり)。
[入試] つづりに注意。

0715 □ B1
battle [bǽtl] バトル
[名] 戦闘，戦争；交戦；議論

0716 □ B1
justice [dʒʌ́stɪs] ジャスティス
[名] 正義，公正；正当性，妥当性 (⇔ injustice 不公正)
▶ to do ～ justice [句] ～を公平に判断すると
□ justify [動] ～を正当化する

0717 □ B2
sector [séktər] セクタァ
[名] 部門，セクター
[イメージ] 全体が細かく切り分けられた部分。

0718 □ B1
union [jú:njən] ユーニァン
[名] 結合，団結；連合；労働組合
▶ labor union [句] 労働組合
cf. Union Jack [句] 英国旗

0719 □ B1
district [dístrɪkt] ディストリクト ㋐
[名] 地区，地域
[イメージ] 線を引いて分けた領域。

0720 □ A1
infrastructure [ínfrəstrʌ̀ktʃər] インフラストラクチャ ㋐
[名] 社会基盤，インフラ；基礎構造
[語源]「下に (infra-)」ある「構造 (-structure)」。

0721 □ B1
equality [ɪkwɑ́ləti] イクワラティ ㋐
[名] 平等，同等；等式
□ équal [形] 同等の，平等の □ equation [名] 等式
□ équalize [動] ～を等しくする

0722 □ B2
suburb [sʌ́bə:rb] サバーブ ㋐
[名] (都市の) 郊外
□ subúrban [形] 郊外の，郊外に住む

0723 □ B2
privilege [prívəlɪdʒ] プリヴィリッジ ㋐
[名] 特権，特典
[動] ～に特権を与える
□ privileged [形] 特権のある

3

the <u>committee</u>'s decision to reject the proposal	その提案を拒否するとした<u>委員会</u>の決定
a long <u>battle</u> *against* cancer	がんとの長い<u>闘い</u>
a demand for *social* <u>justice</u>	社会<u>正義</u>を求める要求
a long depression in the heavy industry <u>sector</u>	重工業<u>部門</u>での長い不況
the economic and political <u>union</u> of European countries	ヨーロッパ諸国の経済政治<u>連合</u>
an office in the *business* <u>district</u>	商業<u>地区</u>にある事務所
the necessity of a *stable* <u>infrastructure</u>	安定した<u>社会基盤</u>の必要性
the importance of *gender* <u>equality</u> in society	社会における性の<u>平等</u>の重要性
a gigantic shopping mall *in a* <u>suburb</u> *of* the city	都市<u>郊外</u>にある巨大ショッピングモール
the legal <u>privileges</u> of a lawyer	弁護士の法律上の<u>特権</u>

0724 agriculture B1
[ǽgrɪkʌ̀ltʃər] アグリカルチャ [ア]
[名] 農業
□ agricúltural [形] 農業の

0725 client B2
[kláɪənt] クライアント
[名] 依頼人；(仕事上の) 顧客，取引先
[イメージ] 専門家のところを訪れる客。
□ clientéle [形] (全体としての) 顧客，常連客

0726 expense B1
[ɪkspéns] イクスペンス
[名] 費用，出費；犠牲
▶ at the expense of ～ [句] ～を犠牲にして
□ expensive [形] 高価な

0727 boom B1
[bú:m] ブーム
[名] (経済の) 急成長，好景気 (⇔ slump 不景気，スランプ)；ブーム
[動] にわかに景気 [活気] づく

0728 fee A2
[fí:] フィー
[名] 料金，手数料；入会金；授業料；報酬
[イメージ] 専門的なサービスに対して支払う料金。

0729 debt B1
[dét] デット [発]
[名] 借金，債務；借り [恩義] のある状態
▶ (*be*) in debt (to ～) [句] (～に) 借金がある

0730 corporation B2
[kɔ̀:rpəréɪʃ(ə)n] コーパレイション
[名] 会社；法人，団体
[入試] cooperation (協力) との区別に注意。
□ córporate [形] 会社の，企業の，法人の

0731 profession B1
[prəféʃ(ə)n] プラフェッション
[名] (専門的) 職業
[イメージ] 技術や知識を必要とする知的な専門職。
□ professional [形] 職業の [名] 専門家，プロ選手

0732 secretary A2
[sékrətèri] セクラテリ [ア]
[名] 秘書，事務員；《米》長官；書記 (官)
[語源] 「秘密に関わる人」が原義。
cf. the Secretary of State [句] 《米》国務長官

0733 occupation A2
[ɑ̀kjəpéɪʃ(ə)n] アキュペイション
[名] 職業，仕事；占拠，占領
□ occupational [形] 職業の

new technologies applied in <u>agriculture</u>	農業に応用される新しい技術
a contract with a new <u>client</u>	新しい<u>顧客</u>との契約
the necessity to reduce *household* <u>expenses</u>	家計<u>費</u>を減らす必要性
a sudden *economic* <u>boom</u> in the country	その国の突然の<u>好景気</u>
the <u>fee</u> *for* using the auditorium	公会堂の使用<u>料</u>金
a large amount of <u>debt</u> to pay back	返済しなければいけない多額の<u>借金</u>
all the executives of the <u>corporation</u>	その<u>企業</u>の重役全員
the only male employee in a female-dominated <u>profession</u>	女性中心の職業における唯一の男性従業員
an efficient <u>secretary</u> in that office	そのオフィスの有能な<u>秘書</u>
a person in a stressful <u>occupation</u>	ストレスの多い<u>仕事</u>に就いている人

177

0734
□ **honor**
A2
[ánər] アナァ 発

名 名誉；名声，評判；表彰

▶ in honor of ～ [in *one's* honor]　句 ～に敬意を払って，～を記念して

動 ～を称賛する；～に名誉を授ける

□ honorable　形 名誉ある；尊敬すべき

0735
□ **notion**
B1
[nóuʃ(ə)n] ノウション

名 考え，観念，見解

□ notional　形 観念上の

0736
□ **religion**
B1
[rɪlídʒ(ə)n] リリジョン

名 宗教，信仰

□ religious　形 宗教 (上) の

0737
□ **comparison**
B1
[kəmpǽrəs(ə)n] カンパラスン

名 比較，対照

□ compare　動 ～を比較する

□ comparative　形 比較の　□ cómparable　形 匹敵する

0738
□ **depression**
B1
[dɪpréʃ(ə)n] ディプレッション

名 憂うつ，(気分の) 落ち込み；不況，不景気

イメージ 「下へ (de-)」「押す (-press)」力による影響。

□ depress　動 ～を気落ちさせる

0739
□ **stereotype**
B2
[stériətàɪp] ステリアタイプ

名 固定観念，ステレオタイプ

□ stereotyped　形 (考えが) 型にはまった

0740
□ **emphasis**
B1
[émfəsɪs] エンファスィス 発

名 重要視，注目；強調 (複数形 emphases)

□ emphasize　動 ～を強調する

□ emphátic　形 強調した

0741
□ **passion**
B1
[pǽʃ(ə)n] パッション

名 情熱，熱情；愛着

□ passionate　形 情熱的な，熱烈な

0742
□ **similarity**
B1
[sìməlǽrəti] スィマララティ

名 類似点；類似 (性)，似ていること

□ símilar　形 似ている

0743
□ **forecast**
B1
[fɔ́ːrkæst] フォーキャスト

名 予想，予報，予測

動 ～を予測する，(天気) を予報する

活用 forecast - forecast - forecast

0744
□ **burden**
B1
[bə́ːrdn] バードン

名 負担，重荷；積荷；義務，責任

動 ～に重い責任を負わせる

□ burdensome　形 負担となる

the highest <u>honor</u> in the film industry	映画界で最高の<u>栄誉</u>
the *traditional* <u>notion</u> of education	教育についての伝統的な<u>考え</u>
a strong faith in a <u>religion</u>	ある<u>宗教</u>に対する強い信仰
the <u>comparison</u> *of* English *with* French	英語とフランス語の<u>比較</u>
a *deep* economic <u>depression</u>	ひどい経済<u>不況</u>
the <u>stereotypes</u> of gender roles	男女の役割についての<u>固定観念</u>
a *strong* <u>emphasis</u> on education	教育への大きな<u>重点</u>
a mathematics teacher full of <u>passion</u>	<u>情熱</u>にあふれた数学教師
the genetic <u>similarity</u> *between* humans *and* apes	人間と類人猿の遺伝的な<u>類似性</u>
a precise <u>forecast</u> based on data analysis	データ分析に基づく正確な<u>予測</u>
the *heavy* <u>burden</u> of the income tax	所得税の重い<u>負担</u>

0745
□
B2
genius
[dʒíːnjəs] ジーニァス
名 天才；(類まれな) 才能
イメージ 生まれつき備わっている非凡な力。

0746
□
A1
literacy
[lít(ə)rəsi] リタラスィ
名 識字力；(特定分野の) 知識，技能
□ literate 形 読み書きのできる
(⇔ illiterate 読み書きのできない)

0747
□
B1
obstacle
[ábstəkl] アブスタクル
名 障害(物)，邪魔，妨害(物)
▶ obstacle to ～ 句 ～の妨げとなるもの

0748
□
B2
ease
[íːz] イーズ
名 容易さ，たやすさ；気楽さ
▶ at ease 句 気楽に，安心して
▶ with ease 句 容易に (≒ easily)
動 ～を容易にする；和らぐ

0749
□
B1
humor
[(h)júːmər] ヒューマァ
名 面白さ，滑稽さ，ユーモア；(一時的な) 気分
▶ in (a) good [bad] humor 句 上 [不] 機嫌で
□ humorous 形 滑稽な

0750
□
A2
fault
[fɔ́ːlt] フォールト 発
名 責任；誤り，過失；欠点
▶ be at fault 句 (とがめられるべき) 責任がある
▶ find fault with ～ 句 ～のあら探しをする，～に文句を言う
□ faulty 形 欠陥のある

0751
□
B2
barrier
[bǽriər] バリアァ
名 障害(物)，障壁
語源 「棒 (bar)」を組んでできた遮蔽物。

0752
□
B2
mobility
[moubíləti] モウビラティ
名 可動性，流動性
□ móbile 形 可動性のある 名 携帯電話

0753
□
B2
attribute
[ǽtrəbjùːt]
アトラビュート ア
名 (本来備えている) 特質，特性
動 [ətríbjuːt] ～を (…の) せいにする，～に帰する
▶ attribute A to B 句 A を B のせいにする

0754
□
B1
insight
[ínsaɪt] インサイト ア
名 洞察 (力)，理解，識見
□ insightful 形 洞察力のある

0755
□
B1
reputation
[rèpjətéɪʃ(ə)n]
レピャテイション
名 評判；高い評価，よい評判
□ réputable 形 評判のよい，立派な

---

an outstanding <u>genius</u> *for* music	ずば抜けた音楽の<u>才能</u>
the <u>literacy</u> rate of the country	その国の<u>識字</u>率
<u>obstacles</u> in the path of peace	平和への道にある<u>障害</u>
She *felt at* <u>ease</u> when talking to Bob.	彼女はボブと話していると<u>安心</u>した。
a strange *sense of* <u>humor</u>	奇妙な<u>ユーモア</u>のセンス
a number of careless <u>faults</u> *in* calculation	たくさんの不注意な計算の<u>誤り</u>
the elimination of *tariff* <u>barriers</u>	関税<u>障壁</u>の撤廃
the <u>mobility</u> of the knee joint	ひざ関節の<u>可動性</u>
the <u>attributes</u> of a good teacher	よい教師の<u>特質</u>
a deep <u>insight</u> *into* human psychology	人間の心理に対する深い<u>洞察</u>
her worldwide <u>reputation</u> *as* an actress	女優としての彼女の世界的<u>評判</u>

Unit 2

[名詞] [6] 方法・手段・役割・計画

0756 □ **manner** A2 [mǽnər] マナァ
[名] やり方，方法；態度；〈-s〉礼儀，マナー
[入試] 単数形と複数形での意味の違いに注意する。

0757 □ **routine** B1 [ru:tí:n] ルーティーン [ア]
[名] (一連の)決められた方法，(習慣的な)手順；決まってすること，日課
[形] 日常の，定例の

0758 □ **duty** B1 [d(j)ú:ti] デューティ
[名] 義務，責務，職務；税
▶ on duty [句] 勤務時間中で（⇔ off duty 勤務時間外で）
[発信] It is one's duty to *do* [句] do するのが～の務めだ

0759 □ **medium** B1 [mí:diəm] ミーディアム
[名] 伝達手段；媒体，メディア
[語法] これらの意味での複数形は media。
[語源] 「中間にあるもの」から「(つなぎの役割を果たす) 媒体」へ語義展開。
[形] 中間の，中位の

0760 □ **clue** A2 [klú:] クルー
[名] 手がかり，糸口；(パズルなどの)ヒント
▶ have no clue [句] 見当もつかない

0761 □ **objective** B1 [əbdʒéktɪv] アブジェクティヴ
[名] 目的，目標
[形] 客観的な，事実に基づいた
□ óbject [名] 物体；対象物；(努力の対象としての) 目的

0762 □ **procedure** B2 [prəsí:dʒər] プラスィージャ [発]
[名] 手順，手続き；手段；進行
[イメージ] 段階的に「前へ進んでいく」手順。
□ proceed [動] 続ける，進行する

0763 □ **mode** [móud] モウド
[名] 方法，様式；やり方，流儀；流行，はやり
□ modal [形] 様式の

0764 □ **scheme** B2 [skí:m] スキーム [発]
[名] 計画，構想；陰謀
[動] ～をたくらむ

0765 □ **usage** B1 [jú:sɪdʒ] ユースィジ
[名] 使用(法)，用法；語法

0766 □ **cue** [kjú:] キュー
[名] 指示，きっかけ，合図
[動] ～にきっかけを与える

the politician's arrogant <u>manner</u> *of* speaking	その政治家の高慢な話し<u>方</u>
a person's daily <u>routine</u>	毎日<u>決まってしていること</u>
the parental <u>duty</u> *to take* care of one's children	自分の子供の世話をする親の<u>義務</u>
a new <u>medium</u> of communication	コミュニケーションの新しい<u>手段</u>
a <u>clue</u> *to* the solution of the problem	問題解決の<u>手がかり</u>
the <u>objectives</u> of higher education	高等教育の<u>目的</u>
the usual <u>procedure</u> *for* treating that disease	その病気を治す通常の<u>手順</u>
an innovative <u>mode</u> of research	革新的な研究<u>方法</u>
the business <u>scheme</u> *for* the next five years	今後5年間の事業<u>計画</u>
the rules of language <u>usage</u>	言葉の<u>用法</u>の規則
the <u>cue</u> *to start* the meeting	会議を開始する<u>合図</u>

0767
☐ **height**
B1 [háit] ハイト 発

图 高さ，身長；高度；高所；絶頂
☐ heighten 動 ～を増す，高める

0768
☐ **sum**
A1 [sám] サム

图 合計，総計；金額；全体
動 〈+ up (～)〉(～を) まとめる，要約する
▶ to sum up 句要するに

0769
☐ **unit**
A2 [jú:nɪt] ユーニット

图 単位，単元；部門
イメージ 全体を構成する 1 つ (uni = one)。

0770
☐ **index**
B2 [índeks] インデックス 発

图 指標，指数；(本の) 索引
語法 「指標，指数」の意味での複数形は indices [índəsì:z]。
▶ index finger 句人指し指
TIPS 「親指」thumb，「中指」middle finger，「薬指」ring finger，「小指」little finger。

0771
☐ **pile**
A2 [páɪl] パイル

图 積み重ね，(本などの) 山
TIPS 同種のもののきちんとした「山」は pile，乱雑な「山」は heap。同じ大きさや形のものをきちんと重ねた「山」は stack。
▶ a pile [piles] of ～ 句 ～の (積み重なった) 山
動 ～を積み重ねる

0772
☐ **dimension**
B2 [dɪménʃ(ə)n] ディメンション

图 次元；(幅・高さ・奥行の) 寸法；範囲
☐ three-dimensional 形 3 次元の

0773
☐ **norm**
[nɔ́:rm] ノーム

图 〈-s〉(社会的) 規範；標準；達成基準，ノルマ
☐ normal 形標準の，普通の

0774
☐ **ratio**
[réɪʃou]
レイショウ 発

图 比，比率，割合 (複数形 ratios)
▶ in the ratio of A to B 句A 対 B の比で

0775
☐ **span**
B2 [spæn] スパン

图 (一定の) 期間，距離；(両端までの) 長さ
▶ the average life span 句平均寿命
動 (期間・領域などが) ～に及ぶ

the <u>height</u> of the mountain	山の<u>高さ</u>
the total <u>sum</u> *of* sales during this quarter	この四半期の間の販売<u>総額</u>
the monetary <u>unit</u> of the country	その国の通貨<u>単位</u>
the cost of living <u>index</u>	生活費<u>指数</u>
<u>piles</u> *of* unwashed clothes	洗濯していない服の<u>山</u>
a new <u>dimension</u> in space exploration	宇宙探査の新たな<u>次元</u>
the <u>norms</u> of a civilized society	文明社会の<u>規範</u>
the <u>ratio</u> *of* births *to* deaths	出生の死亡に対する<u>比率</u>
the brief <u>span</u> of just three months	わずか3か月という短い<u>期間</u>

0776 □ B2
expedition
[èkspədíʃ(ə)n]
エクスペディション
[名] 遠征，探検；調査旅行；探検隊
□ expeditionary [形]遠征の，探検の

0777 □ B1
fellow
[félou] フェロウ
[名]《米》(学会・団体の)会員；特別研究員；男，奴
[形] 仲間の，同僚の
□ fellowship [名]仲間意識

0778 □
gravity
[grǽvəti] グラヴァティ
[名] 重力，引力；重大さ
□ gravitátion [名]重力，引力
□ gravitátional [形]重力の，引力の

0779 □ B1
physics
[fízɪks] フィズィックス
[名] 物理学；物理特性
□ physical [形]物理(学)の；身体の，肉体の
□ physicist [名]物理学者

0780 □
hypothesis
[haɪpɑ́θɪsɪs]
ハイパセスィス [ア]
[名] 仮説；([複数形] hypotheses)
□ hypothétical [形]仮説の，仮定の
□ hypothesize [動]～と仮定する

0781 □ B1
liquid
[líkwɪd] リクウィド [発]
[名] 液体，液状のもの
[TIPS] gas [名]気体　solid [名]固体
[形] 液体の；流動性の

0782 □ B2
fiber
[fáɪbər] ファイバァ
[名] 繊維；繊維質
▶ optical fiber [句]光ファイバー

0783 □ B2
particle
[pɑ́ːrtɪkl] パーティクル
[名] 粒子；微量
▶ not a particle of ～ [句]少しの～もない

0784 □
archaeology
[ɑ̀ːrkiɑ́lədʒi]
アーキアロジ [発]
[名] 考古学
□ archeológical [形]考古学の

an <u>expedition</u> *into* the cave	洞窟内への<u>探検</u>
<u>fellows</u> of an academic society	学会の<u>会員たち</u>
the earth's field of <u>gravity</u>	地球の<u>重力</u>場
a new theory *in* <u>physics</u>	<u>物理学</u>の新しい理論
the <u>hypothesis</u> of a biological experiment	ある生物学実験の<u>仮説</u>
the gradual evaporation of the <u>liquid</u>	<u>液体</u>のゆっくりとした蒸発
a sufficient intake of *dietary* <u>fiber</u>	食物<u>繊維</u>の十分な摂取
small <u>particles</u> of microplastic	マイクロプラスティックの小さな<u>粒子</u>
an epoch-making discovery in <u>archaeology</u>	<u>考古学</u>における画期的な発見

0785
☐ **healthcare** 　名 医療，健康管理
B2
[hélθkèər] ヘルスケア
TIPS〉 health care ともつづる。

0786
☐ **palm** 　名 手のひら；ヤシ (= palm tree)
B1
[páːm] パーム
TIPS〉「手の甲」は the back of *one's* hand。
▶ read *one's* palm 　句 手相を見る

0787
☐ **well-being** 　名 健康，幸福；福利；(国の) 繁栄
[wèlbíːɪŋ] ウェルビーイング

0788
☐ **substance** 　名 物質；重要性，実質
B2
[sʌ́bstəns] サブスタンス
▶ in substance 　句 実質的には
入試〉 the substance of 〜「〜の要旨，趣旨」も押さえておく。
☐ substántial 　形 かなりの，相当な；しっかりした

0789
☐ **nutrition** 　名 栄養 (摂取)，栄養 (物)
B1
[n(j)uːtríʃ(ə)n]
ニュートリション 🅐
☐ nutritious 　形 栄養のある
☐ nutritional 　形 栄養 (学) 上の

0790
☐ **disorder** 　名 (心身の) 障害，不調，病気；騒動；混乱
B2
[dɪsɔ́ːrdər] ディソーダァ
イメージ〉 秩序 (order) が失われた状態。
▶ in disorder 　句 乱雑になって，混乱して
入試〉 out of order「故障して」と区別する。

0791
☐ **protein** 　名 タンパク質
[próutiːn]
プロウティーン 発 🅐
cf. fat 名 脂肪
carbohydrate 名 炭水化物

0792
☐ **antibiotic** 　名 抗生物質
[æ̀ntɪbaɪɑ́tɪk]
アンティバイアティク 🅐
TIPS〉 複数形 antibiotics で用いるのがふつう。
形 抗生物質の

0793
☐ **organism** 　名 有機体，(微) 生物
B1
[ɔ́ːrɡənìz(ə)m] オーガニズム 入試〉 社会や国家のような「組織体」の意味もねらわれる。
☐ orgánic 　形 有機物の；有機栽培の

---

workers in the <u>healthcare</u> industry	医療業界の労働者たち
the <u>palm</u> and back of his right hand	彼の右の<u>手のひら</u>と甲
the <u>well-being</u> of company employees	会社従業員の<u>福利</u>
the pollution caused by a *chemical* <u>substance</u>	<u>化学物質</u>によって引き起こされた汚染
various foods rich in <u>nutrition</u>	<u>栄養</u>の豊富なさまざまな食品
a patient with an *eating* <u>disorder</u>	摂食<u>障害</u>を抱えた患者
an analysis of the components of the <u>protein</u>	その<u>タンパク質</u>の構成要素の分析
a germ resistant to <u>antibiotics</u>	<u>抗生物質</u>に耐性を持つ細菌
the presence of living <u>organisms</u> in the soil	土壌中の生きた<u>生物</u>の存在

Unit 2

[名詞] 10 事象・事例・結果

0794 □ **outcome** B2
[áutkʌ̀m] アウトカム
[名] 結果，成果（≒ result）

0795 □ **trace** B1
[tréɪs] トレイス
[名]（足）跡，形跡，痕跡
[動] ～の跡をたどる，～を突き止める

0796 □ **affair** A2
[əféər] アフェア
[名] 事件，出来事；〈-s〉（関わりのある）問題，情勢
▶ current affairs [名]時事問題

0797 □ **victim** B1
[víktəm] ヴィクタム
[名] 被害者，犠牲者，被災者
▶ fall victim to ～ [句]～の犠牲となる
□ victimize [動]～を不当に苦しめる

0798 □ **exception** B2
[ɪksépʃ(ə)n] イクセプション
[名] 例外，特例
□ exceptional [形]例外的な，特に優れた
□ except [前]～を除いて（は）

0799 □ **occasion** B1
[əkéɪʒ(ə)n] オケイジョン
[名]（特定の）時，場合；（特別な）行事；機会
□ occasional [形]時折の

0800 □ **priority** B2
[praɪɔ́(:)rəti]
プライオ（ー）ラティ [ア]
[名] 優先（権）；優先事項
□ prior [形]前の，先の；優先する
▶ prior to ～ [句]～に先立って

0801 □ **prey**
[préɪ] プレイ
[名] 犠牲，被害者；餌食，獲物
▶ fall [*be*] prey to ～ [句]～の犠牲となる
[動]〈+ on ～〉～を捕食する

0802 □ **sacrifice**
[sǽkrəfàɪs] サクラファイス
[名] 犠牲；いけにえ
[動] ～を犠牲にする
▶ at the sacrifice of ～ [句]～を犠牲にして

0803 □ **incident** B1
[ínsəd(ə)nt] インサデント
[名] 出来事，事件
[入試] incidence「（病気などの）発生，出現」と区別する。
□ incidéntal [形]付随して起こる
□ incidéntally [副]ついでながら

0804 □ **defeat** B2
[dɪfí:t] ディフィート
[名] 敗北，負け；失敗
[動] ～を負かす，打倒する

the <u>outcome</u> of their sustained efforts	彼らのたゆまぬ努力の<u>結果</u>
the <u>traces</u> of some animals left in the snow	雪の上に残った動物の<u>足跡</u>
their long talk about business <u>affairs</u>	ビジネスの<u>業務</u>についての長い話し合い
the <u>victims</u> of the plane crash	飛行機の墜落事故の<u>犠牲者</u>
a couple of <u>exceptions</u> *to the rule*	規則に対する2, 3の<u>例外</u>
a rare <u>occasion</u> of seeing a movie star	映画スターに会うというめったにない<u>機会</u>
the <u>prioritiy</u> given to senior citizens	高齢者に与えられる<u>優先</u>
They *fell* <u>prey</u> *to* terrorist attacks.	彼らはテロリストによる攻撃の<u>犠牲</u>となった。
his success *at the* <u>sacrifice</u> *of* his own health	自分の健康を<u>犠牲</u>にしての彼の成功
the memory of a childhood <u>incident</u>	子供の頃の<u>出来事</u>の記憶
a complete <u>defeat</u> *in* the match	試合での完全な<u>敗北</u>

0805
☐ **leisure**
A2

[líːʒər] リージャァ 発

名 余暇, 暇な時間；娯楽, レジャー

イメージ 「娯楽」にかかわらず, 働いていない暇な時間。
▶ at *one's* leisure 句暇なときに
☐ leisurely 形 のんびりした, ゆったりした
　　　　　　 副 のんびりと

0806
☐ **nap**
B1

[nǽp] ナップ

名 うたた寝, 昼寝
▶ take [have] a nap 句昼寝をする
動 うたた寝する, まどろむ

0807
☐ **garbage**
A1

[gáːrbɪdʒ] ガービッジ

名 《米》(生)ごみ, くず

TIPS garbage は主に台所から出る生ごみや廃棄する物を, trash
《米》は紙くずや瓶・缶類などのごみを主に指す。rubbish
《英》はこれらをまとめて指す。
▶ dispose of *one's* garbage 句ごみを処分する

0808
☐ **dust**
A2

[dʌ́st] ダスト

名 ちり, ほこり, 砂ぼこり
動 ～のほこりを払う
☐ duster 名布巾, 雑巾；はたき

0809
☐ **luxury**
B1

[lʌ́gʒ(ə)ri] ラグジャリ 発

名 ぜいたく, 豪華さ；高級品
形 豪華な, 高級な
☐ luxúrious [lʌgsríəs] 形ぜいたくな, 高級な

0810
☐ **refrigerator**
A2

[rɪfrídʒərèɪtər]
リフリジャレイタァ

名 冷蔵庫, 冷蔵室
☐ fridge 名冷蔵庫 (《英》では fridge がふつう)

0811
☐ **necessity**
B2

[nəsésəti] ナセサティ ア

名 必要；必要品, 必需品；貧困

イメージ ないと生きていくのが難しくなるような, 絶対的な必要。
▶ by necessity 句必然的に, やむを得ず
☐ necessitate 動～を必要とする

0812
☐ **peer**
B2

[píər] ピア

名 〈通例 -s〉(年齢・立場などが)同等の人, 同級生,
同僚
▶ peer pressure 句同級生 [同僚] からのプレッシャー
動 (目を凝らして) じっと見る

0813
☐ **pedestrian**
B2

[pədéstriən]
パデストリアン ア

名 歩行者
形 歩行者(用)の, 徒歩の

---

a balance between work and leisure	仕事と余暇のバランス
the benefits of *taking a* nap after lunch	昼食後に昼寝をすることの利点
a more efficient means of garbage collection	ごみ収集のより効率的な方法
old books covered with dust	ほこりにまみれた古い書籍
the luxury of dining at a famous Italian restaurant	有名なイタリア料理店で食事をするぜいたく
foods long stored in the refrigerator	冷蔵庫に長く保管された食品
the necessity of concrete actions	具体的な行動の必要性
warm encouragement from my peers	私の同級生からの温かい励まし
pedestrians crossing the bridge	橋を渡っている歩行者たち

0814
☐ **frank**
A2
[frǽŋk] フランク

形 率直な；正直な

イメージ 遠慮なく，自由に言葉に表す。

☐ frankly　副 率直に (言うと)

▶ frankly speaking ／ to be frank (with you)
　句 率直に言うと

0815
☐ **polite**
A2
[pəláit] パライト

形 礼儀正しい，丁寧な (⇔ impolite, rude 不作法な)

☐ politeness　名 礼儀正しさ

0816
☐ **evil**
B2
[íːv(ə)l] イーヴル

形 不道徳な；有害な；悪意のある
名 邪悪，悪事

0817
☐ **mature**
B2
[mət(j)úər]
マテュア

形 成熟した，成長した；熟成した
(⇔ immature 未成熟の)
動 成熟する，成長する；熟成する

☐ maturity　名 成熟，十分な成長

0818
☐ **indifferent**
B2
[ɪndíf(ə)rənt]
インディファラント

形 無関心な，興味のない；よくも悪くもない

入試 (be) indifferent to ～と (be) different from ～の前置詞の違いに注意。

☐ indifference　名 無関心

0819
☐ **accustomed**
[əkʌ́stəmd] アカスタムド

形 ⟨+ to ～⟩ (～に) 慣れて

▶ be accustomed to *doing*　句 do するのに慣れている
(≒ be used to *doing*)

0820
☐ **liberal**
B2
[líb(ə)rəl] リブラル

形 進歩的な，自由主義の (⇔ conservative 保守的な)；
寛大な

cf. LDP (＝Liberal Democratic Party)　名 自由民主党

0821
☐ **lonely**
A1
[lóunli] ロウンリ

形 寂しい，孤独の；人の少ない

語法 alone は叙述用法のみだが，lonely は叙述用法・限定用法のどちらも可能。

入試 lonely は「ひとりぼっちで寂しい」。alone は「単独で」で，寂しい気持ちは必ずしも含まない。

☐ loneliness　名 孤独，寂しさ

0822
☐ **keen**
B2
[kíːn] キーン

形 熱心な，熱望して；(感覚が) 鋭い

▶ be keen to *do* [on *doing*]　句 do することを熱望して

a <u>frank</u> exchange of views	<u>率直</u>な意見交換
a <u>polite</u> letter of apology	<u>丁寧</u>な謝罪の手紙
<u>evil</u> eyes staring at him	彼を見つめる<u>悪意のあ</u>る目
She is <u>mature</u> enough to deal with that problem.	彼女はその問題に対処できるほど<u>成長してい</u>る。
They *are* <u>indifferent</u> *to* politics.	彼らは政治に<u>無関心</u>だ。
She *is* not <u>accustomed</u> *to being* spoken to like that.	彼女はそんな風に話しかけられるのに<u>慣れて</u>いない。
a <u>liberal</u> view of democracy	民主主義の<u>進歩的な</u>考え
the <u>lonely</u> death of an old man	老人男性の<u>孤独な</u>死
He *is* <u>keen</u> *to study* abroad.	彼は<u>留学したがってい</u>る。

195

0823 □ **flexible** B2
[fléksəbl] フレキサブル
[形] 柔軟な，順応性のある；曲がりやすい，柔らかい
□ flexibílity [名] 融通性；しなやかさ

0824 □ **casual** B1
[kǽʒuəl] カジュアル
[形] 何気ない，ざっくばらんな；偶然の；ふだん着の（⇔ formal 正式の，儀礼的な）
□ casually [副] 何気なく，ふと；ふだん着で

0825 □ **illegal** A2
[ɪlíːgl] イリーグル
[形] 違法な，不法の，非合法の（≒ illegitimate）（⇔ legal 合法な，法的な）

0826 □ **precise** A2
[prɪsáɪs] プリサイス [ア]
[形] 正確な；きちんとした；まさにその
▶ to be precise [句] 厳密に言えば
□ precision [名] 正確（さ），精密（さ）

0827 □ **neutral** B1
[n(j)úːtrəl] ニュートラル
[形] 中立の；中性の；あいまいな
[名] 中立国，中立の人
□ neutralize [動] ～を中立にする

0828 □ **principal** A2
[prínsəpl] プリンサプル
[形] 主要な，主な（≒ main）
[名] 校長
[入試] 同音の principle（主義・原理）と区別する。

0829 □ **adequate** B2
[ǽdəkwɪt] アダクウィット [ア]
[形] 適切な，適当な
□ adequacy [名] 適切さ，妥当性

0830 □ **precious** B1
[préʃəs] プレシャス
[形] 貴重な，高価な
▶ precious metal [句] 貴金属

0831 □ **inevitable** B1
[ɪnévətəbl] イネヴァタブル
[形] 避けられない，不可避の，必然的な
□ inevitably [副] 必然的に；案の定
□ inevitabílity [名] 不可避，必然性

0832 □ **relevant** B2
[réləv(ə)nt] レラヴァント [ア]
[形] 関係のある，関連（性）のある（⇔ irrelevant 関係のない）
[イメージ] 当面の問題と密接な結びつきがある。
▶ (*be*) relevant to ～ [句] ～と関係がある
□ relevance [名] 関連（性）

<u>flexible</u> working hours	<u>柔軟</u>な勤務時間
his <u>casual</u> way of talking	彼の<u>ざっくばらん</u>な話し方
an increase in the number of <u>illegal</u> immigrants	<u>不法</u>移民の数の増加
the <u>precise</u> calculation of the total cost	総費用の<u>正確</u>な計算
a <u>neutral</u> outside panel	<u>中立</u>な外部委員会
the <u>principal</u> members of the committee	委員会の<u>主要</u>メンバー
<u>adequate</u> treatment for diabetes	糖尿病への<u>適切</u>な治療
a <u>precious</u> collection of antique furniture	アンティーク家具の<u>貴重</u>なコレクション
the <u>inevitable</u> fall of the empire	その帝国の<u>必然的</u>な没落
information <u>relevant</u> *to* our discussion	私たちの議論に<u>関係の</u>ある情報

STAGE 3

Unit 3　[形容詞] [3] 数量・時間・順序

0833 □ **initial** B2
[ɪníʃ(ə)l] イニシャル [ア]
[形] 最初の，初期の，冒頭の
[名] 頭文字
□ initially [副] はじめは，最初は（≒ at first）

0834 □ **classic** A2
[klǽsɪk] クラスィク
[形] 一流の，典型的な，伝統的な
[名] 古典；一流作品
□ classical [形] 古典の；古典文学の

0835 □ **maximum** B1
[mǽksəməm] マクサマム
[形] 最大(限)の，最高の（⇔ minimum）
[名] 最大限，最高限度；最大値

0836 □ **minimum** B1
[mínəməm] ミナマム
[形] 最小(限)の，最低限の（⇔ maximum）
[名] 最小限，最低限；最小値

0837 □ **primitive** B1
[prímətɪv] プリマティヴ
[形] 原始の，太古の（≒ primeval）

0838 □ **frequent** B1
[frí:kwənt] フリークウァント [ア]
[形] 頻繁な，たびたび起こる，頻出する
□ frequency [名] しばしば起こること；頻度；周波数

0839 □ **adolescent**
[æ̀dəlésnt] アダレスント [ア]
[形] 青年期の，思春期の [名] 青年期の人
□ adolescence [名] 青年期，思春期

0840 □ **urgent** B1
[ə́:rdʒ(ə)nt] アージャント
[形] 緊急の，差し迫った
□ urgency [名] 緊急性，切迫

0841 □ **permanent** B1
[pə́:rmənənt] パーマナント
[形] 永続する，永遠の，恒久的な（⇔ temporary）
□ permanence [名] 永遠，永続性

0842 □ **temporary** B1
[témpərèri] テンパレリィ
[形] 一時的な，しばらくの，仮の（⇔ permanent）
□ temporárily [副] 一時的に，仮に

0843 □ **subsequent**
[sʌ́bsəkwənt] サブサクウァント [ア]
[形] 次の，後の，後続の
▶ subsequent to ～ [句] ～の後の，～に続く
□ subsequently [副] 引き続き

0844 □ **instant** A2
[ínstənt] インスタント
[形] すぐの，即時の；即席の
[名] 瞬間，即時
▶ the instant (that) ～ [句] ～するとすぐに

the <u>initial</u> *stage* of adolescence	思春期の<u>初期</u>
<u>classic</u> symptoms of depression	うつの<u>典型的な</u>症状
the <u>maximum</u> speed of the vehicle	その乗り物の<u>最高</u>速度
a <u>minimum</u> level of income	<u>最低限</u>の所得水準
<u>primitive</u> *tribes* in the Amazon rainforest	アマゾンの熱帯雨林の<u>原始的</u>部族
the president's <u>frequent</u> visits to our branch office	私たちの支社への社長の<u>頻繁な</u>訪問
characteristics of <u>adolescent</u> brain development	<u>思春期の</u>脳の発達の特徴
an <u>urgent</u> *call* for help	助けを求める<u>緊急の</u>電話
the quest for <u>permanent</u> peace	<u>恒久</u>平和の追求
a <u>temporary</u> suspension of the operation	<u>一時的な</u>操業停止
the importance of <u>subsequent</u> events	<u>後続の</u>出来事の重要性
his <u>instant</u> *reaction* to the stimuli	刺激に対する彼の<u>即座の</u>反応

0845 □ **military** A2
[mílətèri] ミラテリィ
[形] 軍事的な，軍隊の，軍人の
[名] 軍隊
□ militarism [名]軍国主義，軍備増強

0846 □ **Arctic** B2
[ɑ́ːrktɪk] アークティク
[形] 北極（圏）の，北極地方の
[名] 〈the +〉北極
cf. Antárctic [形][名]南極（の）

0847 □ **ethnic** B2
[éθnɪk] エスニク [ア]
[形] 民族（集団）の；民族的な
□ ethnícity [名]民族性

0848 □ **tropical** B1
[trɑ́pɪkl] トラピクル
[形] 熱帯（地方）の，熱帯性の
cf. subtrópical [形]亜熱帯の

0849 □ **polar**
[póulər] ポウラァ
[形] 極地の，極の；正反対の
□ pole [名]（天体・地球の）極
□ polárity [名]両極端，対立

0850 □ **royal** A2
[rɔ́ɪəl] ロイアル
[形] 国王の，王室の；王立の
[入試] loyal（忠誠心のある）との区別に注意。
□ royalty [名]王族；著作権使用料

0851 □ **federal** B2
[féd(ə)rəl] フェダラル
[形] 連邦（政府）の；連邦制（国家）の
□ federátion [名]連邦，連盟

0852 □ **retail** B1
[ríːtèɪl] リーテイル [ア]
[形] 小売の
[動] ～を小売りする
□ retailer [名]小売業者

0853 □ **imperial**
[ɪmpí(ə)riəl] インピ（ア）リアル
[形] 帝国の；皇帝の，皇室の
□ imperialism [名]帝国主義

0854 □ **folk** B1
[fóuk] フォウク [発]
[形] 民間の；民族の
[名] 人々；〈-s〉（呼びかけとして）皆さん；〈*one's* -s〉家族，身内

0855 □ **marine** B1
[məríːn] マリーン
[形] 海の，海産の；航海の

military *action* near the border	国境近くでの<u>軍事</u>行動
icebergs in *the* <u>Arctic</u> *Circle*	北極圏の氷山
the rights of <u>ethnic</u> minorities	<u>民族</u>的少数派の権利
a <u>tropical</u> *storm* called a cyclone	サイクロンと呼ばれる<u>熱帯</u>暴風雨
animals living in the <u>polar</u> *regions*	<u>極</u>地域に住む動物たち
a <u>royal</u> *visit* to the village	その村への<u>国王</u>の訪問
the budget of the <u>federal</u> *government*	<u>連邦</u>政府の予算
the opening of a <u>retail</u> *store* in the heart of the city	市の中心部での<u>小売</u>店の開店
territories *under* <u>imperial</u> *control*	<u>帝国</u>の支配下にある領土
herbs used in <u>folk</u> *medicine*	<u>民間</u>療法で用いられるハーブ
the capture of a rare <u>marine</u> animal	珍しい<u>海洋</u>動物の捕獲

STAGE 3

Unit 3

[形容詞] 5 程度・基準・関連

0856 □ **intense** B1
[inténs] インテンス

[形] 強烈な，激しい；集中した
[イメージ] ピンと張った力の集中。
□ intensity [名] 強烈さ；強度，強さ
□ intensive [形] 集中的な

0857 □ **linguistic**
[lɪŋgwístɪk]
リングウィスティク ㋐

[形] 言語の，言葉に関する
□ linguistics [名] 言語学
cf. lánguage [名] 言語

0858 □ **considerable** B1
[kənsíd(ə)rəbl]
コンスィダラブル ㋐

[形] かなりの，相当な
□ considerate [形] 思いやりのある

0859 □ **verbal** B2
[vɔ́ːrbl] ヴァーブル

[形] 言葉による，口頭の；動詞の
□ verbalize [動] ～を言葉にする

0860 □ **slight** B2
[sláɪt] スライト

[形] わずかな，ほんの少しの
▶ not (～) in the slightest [句] 少しも（～で）ない
[動] ～を軽んじる
□ slightly [副] わずかに

0861 □ **radical** B2
[rǽdɪkl] ラディクル

[形] 徹底的な，抜本的な；過激な，急進的な
[名] 過激派の人間
□ radicalism [名] 急進主義

0862 □ **vulnerable**
[vʌ́ln(ə)rəbl]
ヴァルナラブル ㋐

[形] 弱い，脆(ぜい)弱な；（影響などを）受けやすい
□ vulnerabílity [名] もろさ，傷つきやすさ

0863 □ **awful** A2
[ɔ́ːf(ə)l] オーフル

[形] 大変な，すごい，ひどい（≒ terrible）
[発信] How awful! [句] さんざんだったね。
cf. awesome [形] すばらしい

an <u>intense</u> stabbing *pain* in the stomach	刺すような<u>激しい</u>胃の痛み
the <u>linguistic</u> *ability* of 2-year-old children	2歳児の<u>言語</u>能力
a <u>considerable</u> amount of garbage	<u>かなりの量の</u>生ごみ
a <u>verbal</u> attack on the candidate	候補者に対する<u>言葉による</u>攻撃
a <u>slight</u> difference between these two samples	これら2つの標本間の<u>わずかな</u>違い
the <u>radical</u> *reform* of the health care system	医療制度の<u>抜本的</u>改革
areas <u>vulnerable</u> *to* disaster	災害に<u>弱い</u>地域
an <u>awful</u> air pollution problem	<u>ひどい</u>大気汚染問題

0864 □ **remote** A2
[rɪmóut] リモウト
[形] 遠い，遠く離れた，遠隔の；辺ぴな
[イメージ] 遠くへ移された。
□ remoteness [名]離れていること

0865 □ **random**
[rǽndəm] ランダム
[形] でたらめの，手当たり次第の；無作為の
[イメージ] 本人の意思の影響を受けていない。
▶ at random [句]無作為に，でたらめに

0866 □ **steady** B1
[stédi] ステディ
[形] 安定した，しっかりした；一定の；着実な
[イメージ] 固定されていてぐらつかない。
□ steadily [副]着実に，しっかりと

0867 □ **genuine** B2
[dʒénjuɪn] ジェニュイン
[形] 本物の，正真正銘の (⇔ fake, false 偽(物)の)；誠実な，心からの

0868 □ **solid** B1
[sɑ́lɪd] サリッド
[形] 固体の，固形の；硬い；中味の詰まった
[名] 固体

0869 □ **uniform** A2
[júːnəfɔ̀ːrm]
ユーナフォーム [ア]
[形] 一様な，一定の；同一の
[語源]「1つの (uni-)」＋「形 (-form)」をした。
[名] 制服，ユニフォーム
□ unifórmity [名]一様，均一

0870 □ **external** B2
[ekstə́ːrnl] エクスターヌル
[形] 外部の，外的な (⇔ internal 内部の)

0871 □ **absolute** B1
[ǽbsəlùːt] アブサルート
[形] 絶対の，絶対的な；完璧な
□ ábsolutely [副]全く，完全に；[æbsəlúːtli] (返答として) 全くその通り

0872 □ **dense** B2
[déns] デンス
[形] (霧などが) 濃い；密集した
□ density [名]密度，密集；濃さ

0873 □ **interior** B2
[ɪntí(ə)riər]
インティ(ァ)リア
[形] 内部の，内側の (⇔ exterior 外部の)；内陸の
[名] 内部，内側；室内

one of my remote ancestors	私の遠い祖先の一人
a random *sampling* survey	無作為抽出調査
a steady improvement in her skills	彼女の技能の着実な向上
a genuine autograph of a famous actor	有名な俳優の本物のサイン
solid baby food	固形の離乳食
the uniform distribution of animals	動物の一様な分布
a connection to the external databases	外部のデータベースへの接続
an absolute *majority* in the Diet	国会での絶対多数
an area dense *with* restaurants	レストランの密集した地域
the interior *parts* of the human heart	人の心臓の内側の部位

I-37
☐ **on a (tight) budget**

限られた予算で，予算があまりなく

I-38
☐ **on (the [an]) average**

平均して，概して

I-39
☐ **on board (~)**

(~に)搭乗 [乗船，乗車] して，(~に)乗り込んで 　入試 前置詞としても用いられることに注意。

I-40
☐ **on end**

引き続いて；直立して

I-41
☐ **on (an) impulse**

衝動的に，出来心で

I-42
☐ **on leave**

休暇 (中) で 　入試 without leave「無断で」も頻出。

I-43
☐ **on [under] no condition**

どんなことがあっても~ない 　語法 強意で文頭に置いたとき，その後は〈助動詞＋主語〉の倒置語順。

I-44
☐ **(all) on ~'s own**

自分ひとりで，独力で；ひとりぼっちで

I-45
☐ **on occasion(s)**

時折，折にふれて

I-46
☐ **on purpose**

わざと，故意に (≒ deliberately)

I-47
☐ **on schedule**

時間通りに，予定通りに

I-48
☐ **on strike**

ストライキをして

They are planning a ski trip on a tight budget.

彼らは厳しい予算でスキー旅行を計画している。

On average I spend $100 a month on books.

平均して，私は月に 100 ドルを本に使う。

3

A famous actor was on board the plane with us.

有名な俳優が私たちと一緒に飛行機に搭乗していた。

It snowed for days on end.

何日も続けて雪が降った。

She often buys cosmetics on impulse.

彼女はよく衝動的に化粧品を買う。

The soldiers were home on leave.

兵士たちは休暇で帰省していた。

On no condition can I compromise with him.

どんなことがあっても私は彼と折り合うことができない。

She solved the problem on *her* own.

彼女は自分ひとりでその問題を解決した。

She sees the man on occasion at the station.

彼女は駅で時折その男性を見かける。

The man bumped into her on purpose.

その男はわざと彼女にぶつかった。

The train departed on schedule.

列車は時間通りに出発した。

Some of the employees *are* on strike.

従業員の一部がストライキをしている。

I-49
☐ **on the contrary**

それどころか,全く反対で   入試 〜 to the contrary「(それとは) 反対の〜」と区別する。

I-50
☐ **on the decline [= in decline]**

低下 [減少] して,衰退して

I-51
☐ **on the face of it**

見かけでは,一見したところ

I-52
☐ **on the move**

あちこちを移動していて;移動中で;(人が) 活動的で,忙しくして

I-53
☐ **on the rise**

増加中で,上昇中で

I-54
☐ **on the spot**

直ちに,即座に;その場で

I-55
☐ **on account of 〜**

〜の理由で,〜のために

I-56
☐ **on no account**

どんな理由があっても〜ない   語法 強意で文頭に置いたとき,そのあとは〈助動詞＋主語〉の倒置語順。

I-57
☐ **on behalf of 〜 [= on 〜's behalf]**

〜を代表して,〜に代わって

I-58
☐ **on the verge of 〜**

今にも〜しそうで,〜の瀬戸際で   TIPS verge は「間際」の意味。

I-59
☐ **on the part of 〜 [on 〜's part]**

〜の方の [では],〜の側の [では]

I-60
☐ **on site**

現場で [に]

"He looks young." "On the contrary, he is in his 70s."

「彼は若く見えるね」「とんでもない，70 代だよ」

The country's birth rate *is* on the decline.

その国の出生率は低下している。

On the face of it, her plan looks good.

一見したところ，彼女の計画はよさそうだ。

My boss *is* always on the move.

私の上司はいつも忙しくしている。

Unemployment *has been* on the rise in that country.

その国では失業者数が増加している。

He solved the problem on the spot.

彼は，直ちにその問題を解いた。

She was late for the appointment on account of an accident.

彼女は事故のため約束に遅れた。

On no account must you go there.

どんな理由があってもそこへ行ってはいけない。

He attended the meeting on behalf of the union.

彼は組合を代表して会議に出席した。

The girl *was* on the verge of tears.

少女は今にも泣き出しそうだった。

It was a mistake on the part of the teacher.

それは先生の側の間違いだった。

They were given instructions on site.

彼らは現場で指示を与えられた。

■ 基本動詞を使いこなそう

take　自分の領域に取り込む

他 (ある行為)をする；～を連れて行く；
(時間など)がかかる；～をつかむ；
～を利用する

中心的な意味は「目の前のものを手に取る」。そこから「あるものを自分の領域内に取り込む」意味に拡張し，「場所・時間を占める」という意味も表す。

take の基本

■ He <u>took</u> his son *to* the park.　彼は息子を公園に連れて行った。
　● to the park が移動の方向・到達点を示す。

■ He <u>took</u> *a look at* the map.　彼は地図に目をやった。
　● take a look at ～ ≒ look at ～。take ＋動作を表す名詞 ≒ 動作。

■ It <u>took</u> him five days *to finish* the work.
その仕事を終えるのに彼には5日かかった。
　●「5日」を「仕事を終わらせる」という行為の中に取り込む。

■ She <u>took</u> me *by the* arm.　彼女は私の腕をつかんだ。
　●「腕」を支点として私をつかんだ，という感じ。

■ He <u>took</u> my advice.　彼は私の忠告を聞き入れた。
　●「忠告」を自分の頭・心の中に取り込む。

take を含む重要表現

■ **take place**：(～が)開かれる，行われる

The conference will <u>take place</u> in Osaka.
会議は大阪で開かれる。
　●「場所を取り込む」→「場所を占める」→「開かれる，起こる」

■ **take advantage of ～**：(機会・状況など)を利用する

She <u>took advantage of</u> that opportunity.
彼女はその機会を利用した。
　●「機会」から自分に有利なことを取り出す。

210

take の群動詞

■ take after 〜 ： 〜に似ている

She takes after her mother in many ways.
彼女は多くの点で母親に似ている。

●look after 〜「〜の世話をする」と混同しないように注意。

■ take A for B ： AをB と（誤って）思う，思い込む

He took me for my brother.　彼は私を弟と間違えた。

●弟の代わりに私をつかまえた→弟だと思ったら私だった。

■ take in 〜 ： 〜を理解する；〜をだます

He took in the situation right away.　彼はすぐに状況を理解した。

●自分の頭の中に取り込む。

■ take off (〜) ： 〜を脱ぐ，外す；離陸する

She took off her jacket.　彼女はジャケットを脱いだ。

●つかんで離れた状態にする。

■ take on 〜 ： 〜を引き受ける；〜を雇う；(性質・意味)を帯びる

He refused to take on any extra work.
彼は追加の仕事を引き受けるのをいっさい拒んだ。

●「自分の負担になるものを受け取る」というイメージ。

■ take over 〜 ： 〜を引き継ぐ；(事業など)を乗っ取る

She took over her boss's job.　彼女は上司の仕事を引き継いだ。

●「向こう側から自分の方に持ってくる」というイメージ。

■ take to 〜 ： 〜が習慣になる，〜を(習慣的に)し始める；〜を好きになる

He took to *staying* up late.　彼は夜ふかしの癖がついた。

●「くっついて離れなくなる」という感じ。

■ take up 〜 ： (場所)を占める；〜を取り上げる；〜に着手する

This desk takes up a lot of space in his room.
彼の部屋ではこの机が場所をたくさん占めている。

●「取り上げ」てしまうため，他の物を置けない。

bring ある場所・状態へ移動させる

〈come ＋一緒に〉というイメージ。何かに伴って場所や状態の変化を引き起こすことを意味する。

他 ～を持ってくる，連れてくる，もたらす，引き起こす

bring の基本

■ Bring me a glass of water.　水を1杯持ってきてください。
● Bring a glass of water to [for] me. とも言える。

■ A five-minute walk brought us *to* the museum.
5分歩いたら私たちは美術館に着いた。
● 文字通りは「5分の徒歩が私たちを美術館まで連れてきた」。

■ This brings the total *to* 100.　これで合計が100になります。
●「これが～まで持ってくる」→「これにより～になる」

■ They brought the fire under control.　彼らは火の勢いを抑えた。
● the fire を under control（コントロールされた状態）に持ってくる。

bring を含む重要表現

■ **bring *oneself* to *do***：do する気になる

He couldn't bring *himself* to do that.
彼はどうしてもそれをする気にならなかった。
●自分が do したいと思う状態に持ってくる。

■ **bring O home to ～**：～に O を痛感させる，思い知らせる

The accident brought home to me the importance of wearing a seat belt.
その事故で私はシートベルトをすることの重要性を痛感した。
● O を〈～〉の home（いるところ）までもたらす。O は to〈～〉の後ろに置かれることも多い。

bring の群動詞

■ **bring about ～：**（変化・事故など）を引き起こす，もたらす

That disease <u>brought</u> <u>about</u> his death.
その病気が彼の死<u>を引き起こした</u>。

● 「あたりに持ってくる」 → 「引き起こす」（≒ cause）

■ **bring forward ～：** ～を提案する；～を前倒しにする

They <u>brought</u> <u>forward</u> their own plans.
彼らは独自の計画<u>を提案した</u>。

● 「計画を前に出す」 → 「提案する」

They <u>brought</u> the meeting <u>forward</u> *to* Friday morning.
彼らは会議<u>を</u>金曜午前に<u>早めた</u>。

● 「時間的に前に持ってくる」ということ。

■ **bring out ～：**（特徴など）を引き出す，際立たせる

The coach <u>brought</u> <u>out</u> *the best* in him.
コーチは彼の最もよい面<u>を引き出した</u>。

● 内部に隠れていたものを「外へ持ち出す」。

■ **bring up ～：** ～を育てる；～を話題にする

She *was* <u>brought</u> <u>up</u> in a rich family.
彼女は裕福な家に<u>育った</u>。

● 「上に持ち上げる」 → 「育て上げる」

He suddenly <u>brought</u> <u>up</u> the subject of money.
彼は突然お金の話<u>を持ち出した</u>。

● 何かを意識・注意の対象に持ち上げる。

■ **bring together ～：** ～を一緒にする，まとめる；～を団結させる

The two groups *were* <u>brought</u> <u>together</u> into a larger one.
2つのグループは1つに<u>まとめられて</u>，大きなグループになった。

● 一緒のところへ持ってこられた結果，1つにまとまる。

■ 重要な多義語・多品詞語

drive

動 ❶ ～を運転する，車で送る
He drove me home.
彼は私を家まで車で送ってくれた。

❷ ～を追いやる
His words drove her *to* despair.
彼の言葉は彼女を絶望へ追いやった。

❸ (機械)を動かす
The turbine *is* driven by water.
タービンは水で動いています。

名 ❶ (車で行く)道のり
The hotel is *a* 10-minute drive *from* here.
ホテルはここから車で10分(の道のり)だ。

❷ (動力の)駆動，伝導
a car with front wheel drive
前輪駆動の車

stand

動 ❶ 立っている
She was standing still, looking out of the window.
彼女はじっと立って，窓の外を見ていた。

❷ 〈+ up〉立ち上がる
He stood *up* when his name was called.
名前を呼ばれると，彼は立ち上がった。

❸ (位置が)～にある
The cottage stands by the lake.
そのコテージは湖畔にある。

❹ 停止する
Some passengers were left standing on the platform.
何名かの乗客はホームに置きざりにされた。

❺ 〈can't +〉～を我慢する
I *can't* stand this heat any more.
私はこの暑さをもう我慢できない。

fix

動 ❶ ～を修理する，直す
He fixed the camera by himself.
彼は自分ひとりでカメラを修理した。

❷ (食事など)の支度をする，～を用意する
He fixed us dinner.
彼は私たちに夕食を用意してくれた。

❸ (日付など)を決める
We fixed the meeting's date *for* Friday.
私たちは会議の日を金曜日に決めた。

❹ ～を固定する
She fixed a mirror *to* the wall.
彼女は壁に鏡を固定した。

company

名 ❶ 会社

He set up a new company.
彼は新しい会社を設立した。

❷ 仲間，友人

A man is known by the company he keeps.
つき合っている仲間を見れば，その人がわかる。

❸ 同席，同伴，一緒にいること

I enjoyed *your* company very much.
あなたと一緒で，とても楽しかったです。

challenge

名 ❶ 挑戦

This is a challenge *to* world peace.
これは世界平和に対する挑戦だ。

❷ 難題，難問

They are faced with a challenge.
彼らは難題に直面している。

❸ 異議，異論

He *mounted a* challenge *to* the decision.
彼は決定に異議を申し立てた。

❹ やりがい

I want to find a job *with* more challenge.
私はもっとやりがいのある仕事を見つけたい。

動 ❶ ～に異議を唱える

Her theory challenged the accepted notions of astronomy.
彼女の理論は天文学の定説に異議を唱えた。

❷ ～に挑戦する

He challenged his brother *to* a race.
彼は兄に競走を挑んだ。

hand

動 ～を手渡す

He handed me the book.
彼は私に本を手渡した。

名 ❶ 手

She took me *by the* hand.
彼女は私の手を取った。

❷ 手助け，援助

Can you *lend me a* hand with this box?
この箱を運ぶのに手を貸してもらえますか。

❸ 所有，支配

The painting changed hands many times.
その絵は何度も所有者が変わった。

❹ (時計の) 針

the *second* hand of a watch
腕時計の秒針

▪ 重要な多義語・多品詞語

case

名 **❶ 場合**
This rule doesn't apply *in his* case.
この規則は彼の場合には当てはまらない。

❷ 事実，実情，真相
That is not *the* case.
それは事実ではない。

❸ (犯罪などの) 事件
a case of murder
殺人事件

❹ 事例，(病気の) 症例
a typical case of negligence
怠慢の典型的な事例

❺ 言い分，主張，論拠
She *has a good* case *for* seeking damages.
彼女には損害賠償を求めるもっともな言い分がある。

time

名 **❶ 時間，時**
This tool will save us *a lot of* time.
この道具を使うと，時間をたくさん節約できる。

❷ 時刻
Do you have the time?
(=*Have you got the* time?)
今何時ですか。

❸ (〜すべき) 時
It's about time *we were leaving.*
そろそろ出発する時間だ。

❹ 時代
This castle was built in medieval times.
この城は中世の時代に建てられた。

❺ …回，…度
I go jogging *three* times a week.
私は週に3回ジョギングに行く。

❻ …倍
His room is *three* times *as* large *as* mine.
彼の部屋は私の部屋の3倍広い。

matter

動 **重要である**
It is not money that matters.
重要なのはお金ではない。

名 **❶ 事柄，事件**
It's no easy matter to convince him.
彼を納得させるのは，少しも簡単なことではない。

**❷ 困ったこと，
面倒なこと**
What's the matter *with* your hand?
手をどうしたのですか。

❸ 印刷物，郵便物
printed matter　印刷物

❹ 物質，…物
organic matter　有機物

STAGE 4

入試頻出語①

STAGE 3までに学習した語に関する知識を
基盤に, さらに語い力のステップアップを目
指し, 共通テストに対応できる語い力を完成
させましょう。さらに, 中堅私大で出題される
読解問題や文法・語法問題, さらには整序
英作文問題への対応力を醸成していきます。

STAGE 4

Unit 1 [動詞] [1] 思考・認識・感情

0874 □ **embarrass** B1
[ɪmbǽrəs] インバラス [ア]
[動] ～に気まずい思いをさせる，～を当惑させる
□ embarrassing [形]気まずい思いをさせる
□ embarrassed [形]気まずい思いをした
□ embarrassment [名]気まずさ，困惑

0875 □ **distract** B2
[dɪstrǽkt] ディストラクト
[動] ～の注意をそらす，～の気を散らす
[イメージ] 何かから「引き (-tract) 離す (dis-)」。
□ distraction [名]注意をそらすもの

0876 □ **memorize** B1
[méməràɪz] メモライズ
[動] ～を暗記する，～を記憶する
□ memorizátion [名]暗記，記憶

0877 □ **relieve** B2
[rɪlíːv] リリーヴ
[動] ～を和らげる，軽減する；～をほっとさせる
▶ relieve A of B [句]A の B を和らげる
□ relief [名]安心；軽減；救済

0878 □ **fascinate** B1
[fǽsənèɪt]
ファスィネイト [ア]
[動] ～を魅了する，～の心を捉える
□ fascinating [形]魅惑的な
□ fascinated [形]魅了された

0879 □ **highlight** B1
[háɪlàɪt] ハイライト [ア]
[動] ～を目立たせる，強調する；～をマーカーで塗る
[名] (話・番組などの) ハイライト

0880 □ **overlook** B2
[òuvərlúk]
オウヴァルック [ア]
[動] ～を見落とす；～を見過ごす，～を大目に見る；～を見下ろす

0881 □ **hesitate** B1
[hézətèɪt] ヘズィテイト
[動] (～を) ためらう，ちゅうちょする
▶ hesitate to *do* [句]do するのをためらう
□ hesitátion [名]ためらい，ちゅうちょ

0882 □ **mislead** B1
[mìslíːd] ミスリード
[動] ～を欺く，～の判断を誤らせる
▶ mislead O into *doing* [句]O をだまして do させる
[活用] mislead - misled - misled
□ misleading [形]誤解を招く，紛らわしい

0883 □ **advocate**
[ǽdvəkèɪt]
アドヴァケイト [発]
[動] ～を支持する，～を主張する
[名] [ǽdvəkət] 賛同者，支持者，擁護者
□ advocacy [名] (主義・主張の) 支持，擁護

His question <u>embarrassed</u> her a great deal.	彼の質問は彼女をとても<u>当惑させた</u>。
The noise <u>distracted</u> him for a while.	騒音がしばらく彼の<u>注意をそらせた</u>。
She tried to <u>memorize</u> the mathematical formulas.	彼女は数学の公式を<u>暗記し</u>ようとした。
This cold tablet will <u>relieve</u> your cough.	この風邪薬はあなたの咳を<u>和らげてくれる</u>でしょう。
Her beautiful voice <u>fascinated</u> everybody.	彼女の美しい声は皆を<u>魅了した</u>。
He <u>highlighted</u> the important parts of the text *in* red.	彼は文書の重要な部分を赤で<u>目立たせた</u>。
She <u>overlooked</u> a couple of errors in the report.	彼女は報告書のいくつかの誤りを<u>見落とした</u>。
He <u>hesitated</u> *to participate* in the competition.	彼は大会に参加するの<u>をためらった</u>。
Information on the Internet often <u>misleads</u> people *into believing* lies.	インターネット上の情報はしばしば人々を<u>欺いて</u>嘘を信じ込ませる。
The candidate strongly <u>advocates</u> disarmament.	その候補者は軍備縮小を強く<u>支持している</u>。

Unit 1 [動詞] [2] 評価・判断

0884
□ **bet** B1
[bét] ベット
[動] ～を賭ける；きっと…だと思う，～と断言する
[活用] bet - bet - bet
[名] 賭け（金）

0885
□ **consult** B2
[kənsʌ́lt] カンサルト
[動] ～を調べる；～に相談する；（医者）にかかる
□ consultátion [名] 相談，受診

0886
□ **classify** B1
[klǽsəfàɪ] クラサファイ
[動] ～を分類する；～を機密にする
▶ classify A into B [句] A を B に分類する
□ classificátion [名] 分類

0887
□ **exceed** B2
[ɪksíːd] イクスィード
[動] ～を上回る，～を超える；～に勝る
□ excess [名] 超過（分）；度を過ぎること
□ excessive [形] 過度の，多すぎる

0888
□ **forgive** B1
[fərgív] フォギヴ
[動] ～を許す，容赦する，勘弁する
▶ forgive A for B [句] B のことで A を許す
[活用] forgive - forgave - forgiven

0889
□ **deserve** B1
[dɪzə́ːrv] ディザーヴ
[動] ～に値する，～の価値がある
[語法] 進行形では用いない。

0890
□ **accuse** B1
[əkjúːz] アキューズ
[動] ～を責める，～を非難する；～を訴える
▶ accuse A of B [句] B のことで A を非難する［訴える］
□ accusátion [名] 非難；告発

0891
□ **forbid** A2
[fərbíd] フォビッド
[動] ～を禁じる，禁止する
▶ forbid O to *do* [from *doing*] [句] O が do するのを禁じる
[活用] forbid - forbade - forbidden

0892
□ **owe** B1
[óu] オウ
[動] ～のおかげである；（義務）を負っている；～に（…の）借金がある
▶ owe A to B [句] A は B のおかげである

0893
□ **overwhelm** B1
[òuvər(h)wélm] オウヴァウェルム [ア]
[動] ～を圧倒する，打ちのめす
□ overwhelming [形] 圧倒的な

0894
□ **conquer** B1
[káŋkər] カンカァ [発]
[動] ～を征服する；～に打ち勝つ，～を克服する
□ conqueror [名] 征服者

I <u>bet</u> she will get along with her new friends.	彼女はきっと新しい友だちとうまくやっていく<u>と</u>思う。
She <u>consulted</u> a dictionary *for* the meaning of the word.	彼女は単語の意味を調べるのに辞書<u>を引いた</u>。
They <u>classified</u> the subjects *into* four groups.	彼らは被験者<u>を</u>4つのグループに<u>分類</u>した。
The demand <u>exceeds</u> the supply.	需要が供給を<u>上回っている</u>。
I will never <u>forgive</u> him *for* betraying me.	私を裏切ったことで私は彼<u>を</u>決して<u>許さ</u>ない。
This result <u>deserves</u> much attention.	この結果は大いに注目に<u>値する</u>。
He <u>accused</u> me *of* dishonesty.	彼は私のこと<u>を</u>不誠実だと<u>非難</u>した。
His parents <u>forbade</u> him *to use* his smartphone.	彼の両親は彼<u>が</u>スマートフォンを使うのを<u>禁止</u>した。
I <u>owe</u> my success in the entrance exam *to* my teacher.	私が入学試験で成功した<u>のは</u>先生<u>のおかげ</u>だ。
He *was* <u>overwhelmed</u> *by* a feeling of desperation.	彼は絶望感に<u>圧倒され</u>ていた。
The empire <u>conquered</u> the neighboring countries.	その帝国は近隣諸国を<u>征服</u>した。

0895 □ B1	**defend** [dɪfénd] ディフェンド	動 ~を(…から)守る，防御する；~を弁護する □ defense 名防御；弁護 □ defensive 形防御的な，自衛上の
0896 □ B1	**entertain** [èntərtéin] エンタァテイン 🅐	動 ~を楽しませる；~をもてなす，歓待する； (感情・希望など)を心に抱く TIPS entertain は「間をつないで，飽きさせない」。amuse は「愉快にさせる」。 □ entertainment 名娯楽，余興；接待
0897 □ B2	**regulate** [régjəlèit] レギャレイト 🅐	動 ~を規制する，制限する；~を調整する □ regulátion 名規制，規定
0898 □ B2	**prompt** [prámpt] プランプト	動 ~を促す，刺激する ▶ prompt O to do 句 O に do するよう促す 形 迅速な，機敏な □ promptness 名迅速，機敏 □ promptly 副迅速に；(時刻が)きっかりに
0899 □ B1	**rescue** [réskju:] レスキュー	動 ~を救う，救助する ▶ rescue A from B 句 A を B から救う イメージ 重大な危機から素早く助ける。 名 救助，救出，救援
0900 □ B2	**prohibit** [prouhíbɪt] プロウヒビット	動 ~を禁止する；~を妨げる イメージ 規則・法律での厳格な禁止。 ▶ prohibit O from doing 句 O が do するのを禁止する [妨げる] □ prohibítion 名禁止
0901 □ B2	**substitute** [sʌ́bstət(j)ùːt] サブスタトゥート 🅐	動 ~を(…の)代わりに用いる；(…の)代理をする ▶ substitute A for B 句 A を B の代わりにする 名 代用品 形 代わりの
0902 □ B2	**spare** [spéər] スペア	動 (時間など)を割く；~を出し惜しむ 入試 spare ＋人＋時間 (≒ spare ＋時間＋ for ＋人)「人に時間を割く」は頻出。 形 余分な，予備の 名 予備のもの

They tried to defend their country *against* the enemy.	彼らは自分たちの国を敵から守ろうとした。
They entertained the guests from abroad *with* traditional dances.	彼らは海外からの客を伝統的な踊りで楽しませた。
The law regulates energy consumption at offices and schools.	その法律はオフィスや学校でのエネルギー消費を規制している。
What prompted you *to change* jobs?	何があなたの転職を促したのですか？
The firefighters rescued residents *from* the burning building.	消防士たちは燃えている建物から住民を救助した。
Minors *are* prohibited *from drinking*.	未成年は飲酒を禁止されている。
He substituted yogurt *for* the sour cream.	彼はヨーグルトをサワークリームの代わりにした。
Can you spare me some time?	少し時間を割いてもらえますか。

STAGE 4

Unit 1 [動詞] [4] 発話・表現

0903 □ **summarize** B1
[sʌ́məràɪz] サマライズ

[動] ～を要約する，～を手短に述べる
▶ to summarize [句]要約すれば
□ summary [名]要約，まとめ

0904 □ **persist** B2
[pərsíst] パァスィスト

[動] (～を) あくまで通す，(～に) 固執する；～と言い張る
[イメージ] いつまでもずっと変えないでいる。
▶ persist in ～ [句]～に固執する
□ persistence [名]固執，執着
□ persistent [形]固執する，しつこい

0905 □ **scream** B1
[skríːm] スクリーム

[動] 金切り声を上げる，悲鳴を上げる
[名] 金切り声，悲鳴

0906 □ **quote** B2
[kwóut] クウォウト

[動] ～を引用する；(価格・条件) を見積もる
[名] 引用文［語句］；見積もり (≒ quotation)
□ quotátion [名]引用文［語句］；見積もり

0907 □ **assert** B2
[əsə́ːrt] アサート

[動] ～を断言する，言い張る；～を強く主張する
□ assertion [名]断言，主張

0908 □ **alert** B2
[ələ́ːrt] アラート

[動] ～に警告する，警報を出す；～に注意を促す
[形] 警戒した，油断のない
[名] 警戒；警戒警報

0909 □ **cheat** B2
[tʃíːt] チート

[動] ～をだます，だまし取る；カンニングをする
▶ cheat A (out) of B [句]A をだまして B を奪う
[名] 不正行為，詐欺；カンニング

0910 □ **cite**
[sáɪt] サイト

[動] ～を引用する；～を引き合いに出す (≒ quote)
□ citátion [名]引用，引用文

0911 □ **exaggerate** B2
[ɪgzǽdʒərèɪt]
イグザジャレイト [発][ア]

[動] ～を大げさに言う，誇張する
[TIPS] 日本語の「オーバーに言う」は，この exaggerate。
□ exaggerátion [名]誇張 (した表現)

My boss ordered me to <u>summarize</u> the report concisely.	上司は私に報告書<u>を</u>簡潔に<u>要約する</u>よう命じた。
They <u>persisted</u> *in* their plan.	彼らは自分たちの計画<u>に固執した</u>。
He <u>screamed</u> *for* help at the sight of a cockroach.	ゴキブリを見て，彼は助けを求めて悲鳴<u>を上げた</u>。
He <u>quoted</u> a well-known saying in his essay.	彼は自分のエッセイで有名なことわざ<u>を引用した</u>。
The lawyer <u>asserted</u> the innocence of the accused.	弁護士は被告人の無罪<u>を主張した</u>。
The mayor <u>alerted</u> the residents *to* the approaching typhoon.	市長は接近する台風に対して住民に警戒を呼び<u>かけた</u>。
The man <u>cheated</u> an old woman *out of* a large sum of money.	男は老女をだまして多額のお金<u>を奪った</u>。
She <u>cited</u> a passage *from* Shakespeare in her speech.	彼女はスピーチでシェークスピアの1節<u>を引用した</u>。
The company <u>exaggerates</u> the advantages of its products.	その会社は製品の利点<u>を誇張している</u>。

STAGE 4

Unit 1 [動詞] [5] 変化・変更

0912 □ **shrink** B2
[ʃríŋk] シュリンク
[動] 縮む，小さくなる，縮小する；～を縮ませる
[活用] shrink - shrank - shrunk [shrunken]
□ shrinkage [名] 収縮，縮小

0913 □ **bend** A2
[bénd] ベンド
[動] ～を曲げる；曲がる，たわむ
[活用] bend - bent - bent
[名] (道路の) カーブ，屈曲，湾曲

0914 □ **modify** B1
[mάdəfàɪ] マダファイ
[動] ～を修正する，～を変更する
□ modificátion [名] 修正，変更

0915 □ **split** B2
[splít] スプリット
[動] ～を裂く，割る，割れる；～を分裂させる
[活用] split - split - split
[名] 裂け目，割れ目；分裂

0916 □ **spoil** B1
[spɔ́ɪl] スポイル
[動] ～を台無しにする；(子どもなど) を甘やかす
[活用] spoil - spoiled - spoiled [spoilt]
▶ a spoilt child [句] だだっ子

0917 □ **deprive** B1
[dɪpráɪv] ディプライヴ
[動] ～から (…を) 奪う，～に (…を) 与えない
▶ deprive A of B [句] A から B を奪う
□ deprivátion [名] 欠乏，不足；剥奪

0918 □ **burst** B1
[bə́ːrst] バースト
[動] 破裂する；決壊する；急に動く
[活用] burst - burst - burst
▶ burst into ～ [句] 急に～ (の状態) になる

0919 □ **revise** B1
[rɪváɪz] リヴァイズ
[動] ～を改正する，～を改訂する，～を修正する
[語源] 再度 (re-) ＋見る (-vis) →「見直して変える」
□ revision [名] 改正，改訂

0920 □ **undergo** B1
[ʌ̀ndərgóʊ] アンダァゴウ [ア]
[動] ～を経験する；(治療・試験など) を受ける
[活用] undergo - underwent - undergone

0921 □ **orient**
[ɔ́ːriènt] オーリエント [ア]
[動] ～を適応させる；～を (ある方向に) 向ける
[名] 〈the O-〉東洋
□ orientátion [名] 志向，方向性；オリエンテーション

My new T-shirt <u>shrank</u> after the first wash.	私の新しいTシャツは最初の洗濯で<u>縮んだ</u>。
The magician <u>bent</u> a spoon without touching it.	手品師はスプーンを触らずに<u>曲げた</u>。
They slightly <u>modified</u> their contract.	彼らは契約をわずかに<u>変更した</u>。
She <u>split</u> the cloth *into* four pieces.	彼女は布を4枚に<u>裂いた</u>。
His careless remark <u>spoiled</u> the atmosphere of the party.	彼の不注意な発言がパーティーの雰囲気を<u>台無しにした</u>。
Her illness <u>deprived</u> her *of* an opportunity to take part in the competition.	病気のせいで彼女は大会に参加する機会を<u>奪われた</u>。
Everybody <u>burst</u> *into laughter* at his joke.	彼の冗談で皆どっと<u>笑った</u>。
They decided to <u>revise</u> the book published 10 years ago.	彼らは10年前に出版された本を<u>改訂する</u>ことに決めた。
The patient <u>underwent</u> a seven-hour surgical operation.	患者は7時間に及ぶ外科手術を<u>受けた</u>。
The session is to <u>orient</u> the first-year students *to* college life.	この集会は新入生を大学生活に<u>適応させる</u>ためのものです。

4

0922 □ B2	**exhaust** [ɪgzɔ́ːst] イグゾースト 🅐	動 ~を疲れ果てさせる；~を使い尽くす イメージ すべて使ってすっかり枯れた。 □ exhaustion 名 (極度の) 疲労 □ exhausted 形 疲れ切った □ exhaustive 形 徹底的な
0923 □ B1	**trigger** [trígər] トリガァ	動 ~を引き起こす，~のきっかけとなる (≒ cause) 名 引き金；きっかけ
0924 □ B1	**stem** [stém] ステム	動 ⟨+ from ~⟩ (~に) 起因する；~を食い止める イメージ 茎から分かれて伸びてくる。 名 (草の) 茎；(木の) 幹
0925 □ B1	**resort** [rɪzɔ́ːrt] リゾート	動 ⟨+ to ~⟩ (仕方なく) (~に) 頼る，訴える，(~を) 当てにする 名 頼りになるもの [人]；行楽地，リゾート ▶ the last resort 句 最終手段
0926 □ B2	**confront** [kənfrʌ́nt] カンフラント 🅐	動 ~に直面する，~に立ち向かう；~と対決する □ confrontátion 名 対決，対面 □ confrontátional 形 対立的な ▶ be confronted with ~ 句 (困難など) に直面している
0927 □ B2	**correspond** [kɔ̀ːrəspánd] コーラスパンド	動 ⟨+ with/to ~⟩ (~に) 一致する，調和する；⟨+ to ~⟩ (~に) 相当する；⟨+ with ~⟩ (~と) 連絡を取り合う □ correspondence 名 一致；対応；文通 □ corresponding 形 対応する，それ相応の
0928 □ B2	**undertake** [ʌ̀ndərtéɪk] アンダァテイク	動 ~を引き受ける，請け負う 活用 undertake - undertook - undertaken □ undertaking 名 事業，引き受けた仕事
0929 □ B1	**unite** [juːnáɪt] ユーナイト	動 ~を結合する；~を団結させる；団結する □ united 形 団結した；連合した cf. the United Nations 句 国際連合
0930 □ B2	**assemble** [əsémbl] アセンブル	動 ~を集める；~を組み立てる；集まる □ assembly 名 集会，会合；(部品の) 組み立て

Caring for his parents <u>exhausted</u> the young man.	両親の世話は若い男性を<u>疲れ果て</u>させた。
A simple invention can <u>trigger</u> a change in society.	簡単な発明が社会の変化の<u>きっかけとなる</u>ことがある。
Conflicts between friends often <u>stem</u> *from* misunderstandings.	友人間の衝突はしばしば誤解に<u>起因する</u>。
The president is threatening to <u>resort</u> *to* military action.	大統領は軍事行動に<u>訴える</u>と脅している。
Our country *is* <u>confronted</u> *with* numerous social problems.	私たちの国は数々の社会問題に<u>直面</u>している。
The result roughly <u>corresponded</u> *to* my expectations.	結果は私の予測とほぼ<u>一致</u>していた。
She <u>undertook</u> the job of organizing the new project.	彼女は新規プロジェクトをまとめる仕事を<u>引き受けた</u>。
The treaty aims to <u>unite</u> countries in the Asia-Pacific region.	その条約はアジア・太平洋地域の国々を<u>団結</u>させることを目的としている。
All the employees <u>assembled</u> in the meeting room.	従業員全員が会議室に<u>集まった</u>。

0931
☐ B2
pose
[póuz] ポウズ 発

動 (問題など)をもたらす，提起する；ポーズをとる
名 姿勢，ポーズ

0932
☐ A2
wander
[wándər]
ワンダァ 発

動 (場所を)歩き回る，ぶらつく；放浪する
入試 wonder (不思議に思う)との区別に注意。
☐ wanderer 名放浪者

0933
☐ B1
dedicate
[dédəkèit] デダケイト ア

動 ~をささげる；~に打ち込む
▶ dedicate *oneself* to ~ 句~に身をささげる
☐ dedicátion 名献身，専念

0934
☐ A2
bury
[béri] ベリ 発

動 ~を埋める；~を埋葬する
▶ *be* buried in ~ 句~に没頭する
☐ burial 名埋葬，葬式

0935
☐
Isolate
[áisəlèit] アイサレイト

動 ~を分離する；~を孤立させる
▶ isolate A from B 句AをBから分離する
☐ isolátion 名分離，隔離，孤立

0936
☐ B2
obey
[oubéi] オウベイ

動 ~に従う，~の言うことを聞く
入試 他動詞なので，✕obey to ~としない。
☐ obedient 形従順な，素直な
☐ obedience 名従順，服従

0937
☐ B2
stroke
[stróuk] ストロウク

動 ~をなでる
名 (反復運動の) 1 回の動作；一撃；発作

0938
☐ B1
scatter
[skǽtər] スキャタァ

動 ~をばらまく，まき散らす；散らばる
☐ scattered 形散在している，離れ離れの

0939
☐ B2
blink
[blíŋk] ブリンク

動 点滅する，ちらつく；まばたきする
名 まばたき，またたき
▶ in the blink of an eye 句一瞬のうちに

0940
☐ B2
wound
[wú:nd]
ウーンド 発

動 ~を (武器・凶器で)傷つける；(感情)を害する
活用 wound - wounded - wounded
TIPS wind[wáind] の過去(分詞)形 wound[wáund] との区別に
注意する。
名 負傷，けが；心の傷

Global warming <u>poses</u> a serious threat *to* the environment.	地球温暖化は環境に深刻な<u>脅威</u>をもたらしている。
The poet <u>wandered</u> *around* in the forest.	その詩人は森の中を<u>歩き回った</u>。
She <u>dedicated</u> *her life to* rescuing refugees.	彼女は生涯を難民救済に<u>ささげた</u>。
The students <u>buried</u> time capsules *in* the playground.	その生徒たちは校庭にタイムカプセルを<u>埋めた</u>。
The country *was* <u>isolated</u> *from* the international community.	その国は国際社会から<u>孤立していた</u>。
We must always <u>obey</u> the law.	私たちは常に法律を<u>守ら</u>なければならない。
She was gently <u>stroking</u> the kitten.	彼女は子猫を優しく<u>なでて</u>いた。
Trash *was* <u>scattered</u> all over the road.	道じゅうにごみが<u>散らかって</u>いた。
The red lights were <u>blinking</u>.	赤信号が<u>点滅して</u>いた。
The soldier *was* <u>wounded</u> in the battle.	その兵士は戦闘で<u>けがを負った</u>。

0941 □ **pour** A2 [pɔ́ːr] ポーァ	動 ~を注ぐ；流れ出る，雨が激しく降る
	□ pouring 形 土砂降りの

0942 □ **float** B1 [flóut] フロウト	動 浮く，浮かぶ (⇔ sink)；漂う；~を浮かべる
	名 (パレードの)山車；浮くもの，浮き

0943
□ **nod**
B2 [nád] ナッド

動 うなずく；会釈する；うとうとする

名 うなずき；会釈

TIPS〉nod は「首を上下に振る」。shake は「首を横に振る」。

0944
□ **cast**
B2 [kǽst] キャスト

動 ~を投じる；投票する；(注意・目を)向ける

活用〉cast - cast - cast

名 配役，キャスト；投げること

0945
□ **grab**
B1 [grǽb] グラブ

動 ~をつかみ取る，ひったくる；(チャンスなど)を捉える

イメージ 乱暴にぐいっと つかむ。

名 わしづかみ，ひったくり；強奪

0946
□ **tap**
B2 [tǽp] タップ

動 ~を軽くたたく；~を利用する

▶ tap A on B 句 A(人)の B(体の部位)を軽くたたく

名 軽くたたく音，たたくこと；(水道の)蛇口

0947
□ **withdraw**
B2 [wɪðdrɔ́ː]
ウィズドゥロー

動 ~を引き抜く；(預金を)引き出す；撤退する；引きこもる，~を撤回する

活用〉withdraw - withdrew - withdrawn

□ withdrawal 名 引き抜くこと；引き出すこと；引きこもり

0948
□ **bow**
B2 [báu] バウ 発

動 おじぎする；屈服する (同音 bough 名 大枝)

名 おじぎ；[bóu] 弓

0949
□ **arrest**
B1 [ərést] アレスト

動 ~を逮捕する；(注意など)を引き付ける

▶ arrest A for B 句 B の罪で A を逮捕する

名 逮捕

▶ You are under arrest. お前を逮捕する。

0950
□ **conceal**
B2 [kənsíːl] カンスィール

動 ~を隠す，~を秘密にする (≒ hide) (⇔ reveal ~を明らかにする)

He <u>poured</u> water *into* the glasses.	彼はコップに水を<u>注い</u><u>だ</u>。
A film of oil is <u>floating</u> *on* the water.	薄い油の膜が水に<u>浮か</u><u>ん</u>でいる。
She <u>nodded</u> to show her approval.	彼女は賛成して<u>うなず</u><u>いた</u>。
The detective <u>cast</u> a doubtful eye *on* the young man.	刑事はその若い男に疑いの視線を<u>投げかけた</u>。
He <u>grabbed</u> his smartphone and ran out of the room.	彼はスマートフォンを<u>つかむ</u>と部屋から走り出た。
She <u>tapped</u> me *on the* shoulder.	彼女は私の肩を軽く<u>た</u><u>たいた</u>。
He apologized and <u>withdrew</u> his remark.	彼は謝罪し，発言を<u>撤</u><u>回した</u>。
All the students <u>bowed</u> *to* the principal.	生徒は皆校長先生に<u>お</u><u>じぎをした</u>。
The police <u>arrested</u> the person *for* robbery.	警察は強盗のかどでその人を<u>逮捕した</u>。
They tried to <u>conceal</u> the fact *from* her.	彼らは事実を彼女から<u>隠そう</u>とした。

0951
☐ **cattle**
B1
[kǽtl] キャトル

图 (集合的に) **牛，畜牛**

語法 ふつうは複数扱い。

0952
☐ **globe**
A2
[glóub] グロウブ

图 **地球；球体；世界；地球儀**

☐ global 形 地球全体の，全世界の；球体の

▶ global warming 句 地球温暖化

0953
☐ **primate**
[práɪmeɪt]
プライメイト

图 **霊長類 (の動物)**

0954
☐ **mineral**
B1
[mín(ə)rəl] ミナラル

图 **無機物，ミネラル；鉱物，鉱石**

形 **鉱物の**

0955
☐ **acid**
B2
[ǽsɪd] アスィッド

图 **酸**

形 **酸性の**

▶ acid rain 句 酸性雨

☐ acídity 图 酸性

cf. alkaline 形 アルカリ性の　neutral 形 中性の

0956
☐ **livestock**
[láɪvstɑ̀k]
ライヴスタック 🅐

图 (集合的に) **家畜 (類)**

語法 単数・複数のどちらの扱いもある。

0957
☐ **bush**
A2
[búʃ] ブシュ

图 **低木，**(低木の) **茂み；未開墾地**

▶ beat around the bush 句 遠回しに言う

0958
☐ **instinct**
B2
[ínstɪŋkt]
インスティンクト 🅐

图 **本能，直感**

☐ instínctive 形 本能の，直感による

0959
☐ **drought**
B2
[dráut] ドラウト 🅑

图 **干ばつ，日照り；**(長期の) **欠乏**

0960
☐ **lightning**
B1
[láɪtnɪŋ] ライトニング

图 **稲妻，稲光**

TIPS〉lightening「軽減すること」と区別する。

cf. thunder 图 雷，雷鳴

0961
☐ **famine**
[fǽmɪn] ファミン 🅑

图 **飢きん，大規模な食糧不足；飢え，飢餓**

---

a herd of cattle	牛の群れ
climate change *around the* globe	世界じゅうの気候変化
research on primate behavior	霊長類の行動に関する研究
development of mineral *resources*	鉱物資源の開発
the secretion of *stomach* acid	胃酸の分泌
an increase in the number of livestock	家畜の数の増加
a garden full of rose bushes	バラの木でいっぱいの庭
an innate human instinct	生まれつきの人間の本能
a drought in the southern hemisphere	南半球の干ばつ
a flash of lightning	稲妻の閃光（せんこう）
the threat of global famine	地球規模の飢きんの恐れ

0962
☐ **weapon**
B1
[wépən] ウェパン 発
名 武器, 兵器, 凶器
▶ conventional weapon　句 通常兵器
▶ nuclear weapon　句 核兵器

0963
☐ **ruin**
B1
[rúːɪn] ルーイン
名 〈-s〉廃墟；荒廃
動 ~を台無しにする, ~を荒廃させる
☐ ruined　形 荒廃した

0964
☐ **administration**
B1
[ədmìnəstréɪʃ(ə)n]
アドミナストレイション
名 政権；行政；管理, 運営
☐ adminíster　動 ~を管理する, 運営する
☐ admínistrative　形 管理の；行政の

0965
☐ **palace**
A1
[pǽləs] パラス
名 宮殿, 宮廷
cf. the Palace of Westminster　句 ウエストミンスター宮殿 (英国の国会議事堂)

0966
☐ **murder**
A2
[máːrdər] マーダァ
名 殺人
動 ~を殺す, 殺害する
☐ murderous　形 殺人の, 残忍な

0967
☐ **compromise**
B1
[kámprəmàɪz]
カンプラマイズ ア
名 妥協, 歩み寄り；折衷案
動 妥協する；~を危険にさらす, 危うくする
▶ compromise with A on B　句 B について A と妥協する

0968
☐ **mayor**
B1
[méɪər] メイア
名 市長, 町長
cf. governor　名 知事

0969
☐ **constitution**
B1
[kànstət(j)úːʃ(ə)n]
カンスタテューシュン
名 憲法, 規約；体格, 気質；構造
☐ constitutional　形 立憲制の, 合憲の
☐ cónstitute　動 ~を構成する；~を制定する

0970
☐ **congress**
[káŋgrəs]
カングラス
名 会議, 大会, 総会；〈C-〉(米国の) 国会
TIPS 英国の国会は Parliament, 日本の国会は the Diet。

0971
☐ **charity**
B1
[tʃǽrəti] チャラティ
名 慈善事業；慈善団体；寄付金
☐ charitable　形 慈悲深い

0972
☐ **prosperity**
B1
[praspérəti]
プラスペラティ
名 繁栄, 繁盛, 隆盛
☐ prósper　動 繁栄する
☐ prósperous　形 繁栄している

<u>weapons</u> of mass destruction	大量破壊<u>兵器</u>
the <u>ruins</u> of an old temple	古寺の<u>廃墟</u>
the current <u>administration</u>	現<u>政権</u>
a magnificent <u>palace</u>	壮麗な<u>宮殿</u>
an investigation into a <u>murder</u> case	<u>殺人</u>事件の捜査
an easy political <u>compromise</u>	安易な政治的<u>妥協</u>
a former <u>mayor</u> of our town	私たちの町の元<u>町長</u>
the prewar <u>constitution</u> of the country	その国の戦前の<u>憲法</u>
the *annual* <u>congress</u> of the international society	その国際学会の年次<u>大会</u>
members of the local <u>charity</u> *organization*	地元の慈善<u>団体</u>のメンバーたち
the development and <u>prosperity</u> of humankind	人類の発展と<u>繁栄</u>

0973
☐ **insurance**
B1

[ɪnʃú(ə)rəns]
インシュ(ァ)ランス

名 保険（金）；保険料

☐ insure 動 ～を保険にかける

入試 ensure（～を確かにする）と区別する。

0974
☐ **crew**
B2

[krúː] クルー

名 （集合的に）乗組員，搭乗員；（共同作業）班，チーム

語法 「(1人の) 乗組員」の意味では ×a crew とはせず，a crew member とする。

0975
☐ **revenue**
B2

[révən(j)ùː]
レヴァニュー 🅐

名 （国家の）歳入；（個人の）収入，収益

▶ tax revenue 句 税収

0976
☐ **incentive**
B2

[ɪnséntɪv] インセンティヴ

名 （行動を促す）刺激，誘因；やる気（を起こすもの），奨励金

0977
☐ **merchant**
B1

[mɔ́ːrtʃ(ə)nt] マーチャント

名 商人，業者

☐ merchandise 動 ～を販売促進する　名 商品，品物

0978
☐ **recession**
B2

[rɪséʃ(ə)n] リセション

名 （一時的な）景気後退，不景気

TIPS 長期的な「不景気，不況」は depression。

☐ recede 動 後退する

0979
☐ **commodity**

[kəmάdəti]
コマダティ

名 商品；農産物；日用品

▶ commodity market 句 商品取引市場

0980
☐ **co-worker**

[kóuwɜ̀ːrkər]
コウワーカァ 🅟 🅐

名 （職場の）同僚　(≒ colleague)

0981
☐ **currency**
B1

[kɔ́ːrənsi] カーランスィ

名 通貨，貨幣；流通

▶ paper currency 句 紙幣

☐ current 形 流通する；現在の

0982
☐ **enterprise**
B2

[éntərpràɪz]
エンタァプライズ 🅐

名 企業；企業活動；企て；進取の気性

形 企業（向け）の

0983
☐ **pension**
B2

[pénʃ(ə)n] ペンション

名 年金，恩給

☐ pensioner 名 年金生活者

insurance *against* damage	損害保険
a member of the spaceship's <u>crew</u>	宇宙船の<u>乗組員</u>の1人
the <u>revenue</u> and expenditure of the country	国の<u>歳入</u>と歳出
an economic <u>incentive</u> to accept immigrants	移民を受け入れる経済的<u>誘因</u>
a group of <u>merchants</u> from all over the country	国じゅうから来た一群の<u>商人</u>たち
a temporary <u>recession</u> in that country	その国の一時的な<u>景気後退</u>
a domestic <u>commodity</u> *market*	国内の<u>商品</u>市場
cooperation with her <u>co-workers</u>	彼女の<u>同僚</u>との協力
Euro, the *common* <u>currency</u> of the European Union	欧州連合の共通<u>通貨</u>であるユーロ
a global financial <u>enterprise</u>	世界的な金融<u>企業</u>
elderly people *living on a* <u>pension</u>	<u>年金</u>暮らしの高齢者たち

Unit 2 [名詞] [4] 思考・認識・感情

0984
☐ **dispute** B2
[dɪspjúːt] ディスピュート
[名] 論争，議論，口論，紛争
[動] (～を)論争[議論]する；～に異議を唱える

0985
☐ **enthusiasm** B1
[ɪnθ(j)úːziæ̀z(ə)m] インスューズィアズム [ア]
[名] 熱中，熱狂
▶ with enthusiasm [句] 熱心に (≒ enthusiastically)
☐ enthusiástic [形] 熱中した

0986
☐ **appetite** B1
[ǽpətàɪt] アパタイト [ア]
[名] 食欲；欲求，好み

0987
☐ **prospect** B2
[prɑ́spekt] プラスペクト [ア]
[名] 見込み，可能性；見晴らし
☐ prospéctive [形] 予想される

0988
☐ **strain** B1
[stréɪn] ストレイン
[名] 過労，無理，負担；緊張，切迫
[動] (～を)ぴんと張る；～を使いすぎて痛める

0989
☐ **courage** B1
[kə́ːrɪdʒ] カーリッジ
[名] 勇気，度胸
▶ have the courage to *do* [句] do する勇気がある
☐ courágeous [形] 勇気のある

0990
☐ **shame** B1
[ʃéɪm] シェイム
[名] 恥，不名誉；恥ずかしさ；残念なこと
▶ What a shame! なんと残念な。
[動] ～に恥ずかしい思いをさせる
☐ shameful [形] 恥ずかしい

0991
☐ **glance** B1
[glǽns] グランス
[名] (意図的に)ちらりと見ること，一見
▶ take [throw, cast] a glance at ～ [句] ～をちょっと見る
[動] ちらりと見る，一目見る

0992
☐ **bias**
[báɪəs] バイアス
[名] 偏見，先入観 [動] ～に偏見を持たせる
☐ biased [形] 偏見を持った

0993
☐ **sympathy** B1
[símpəθi] スィンパスィ
[名] 同情，思いやり；共感
☐ sympathize [動] 共感する
☐ sympathétic [形] 同情的な，共感して

0994
☐ **ambition** A2
[æmbíʃ(ə)n] アンビション [ア]
[名] 野心，大志，念願，大きな夢
☐ ambitious [形] 野心のある，大志を持った

a heated <u>dispute</u> among scholars	学者間の白熱した<u>論争</u>
an <u>enthusiasm</u> *for* children's education	子どもの教育に対する<u>熱意</u>
a growing <u>appetite</u> *for* knowledge	高まる知識<u>欲</u>
the dwindling <u>prospects</u> *for* success	次第に低くなる成功の<u>見込み</u>
the effects of mental stress and <u>strain</u> on the body	精神的ストレスと<u>負担</u>の身体への影響
leaders with the <u>courage</u> to take on new challenges	新たな課題を引き受ける<u>勇気</u>を持った指導者たち
It is a <u>shame</u> *that* you declined the offer.	君がその申し出を断ったとは<u>残念なこと</u>だ。
He *gave* her a *quick* <u>glance</u>.	彼は彼女を<u>ちらっと見た</u>。
a <u>bias</u> *against* female doctors	女性医師に対する<u>偏見</u>
I cried *in* <u>sympathy</u> *with* her.	私は彼女に<u>同情</u>して泣いた（＝もらい泣きした）。
a young politician full of <u>ambition</u>	<u>野心</u>満々の若い政治家

STAGE 4

Unit 2 [名詞] [5] 特徴・性質・能力

0995 □ **talent** A2
[tǽlənt] タラント ㋐
[名] 才能，素質；才能のある人
[TIPS] 日本語の「(テレビ)タレント，芸能人」は TV personality [star] など。
□ talented [形] 才能のある

0996 □ **trait** B2
[tréɪt] トレイト
[名] 特徴，特質 (≒ characteristic)

0997 □ **core** B2
[kɔ́ːr] コーァ
[名] 中心部，核心；(リンゴなどの) 芯
[形] 中核となる，中心の

0998 □ **wisdom** A2
[wízdəm] ウィズダム
[名] 見識，分別；知恵，英知
□ wise [形] 賢明な

0999 □ **intuition**
[ìnt(j)uíʃ(ə)n] インテュイション ㋐
[名] 直感(力) (≒ instinct)；(直感による) 知識
□ intúitive [形] 直感的な，直感の

1000 □ **initiative** B2
[ɪníʃətɪv] イニシャティヴ ㋐
[名] 主導権，率先，イニシアチブ；自発性
▶ take the initiative to *do* [句] 率先して do する

1001 □ **merit**
[mérət] メラット
[名] 長所，利点；価値 (⇔ demerit 短所，欠点)

1002 □ **virtue** B2
[və́ːrtʃuː] ヴァーチュー
[名] 美徳，徳，善 (⇔ vice 悪徳，悪)
□ virtuous [形] 高潔な，有徳の

1003 □ **grace** A2
[gréɪs] グレイス
[名] 優雅さ，上品さ；品位，品格
□ graceful [形] 優雅な，品位のある

1004 □ **inability**
[ìnəbíləti] イナビラティ
[名] 無能，無力，できないこと
▶ inability to *do* [句] do できないこと

1005 □ **handicap** B2
[hǽndɪkæ̀p] ハンディキャップ ㋐
[名] 不利な条件
[TIPS] 「(身体的・精神的) 障害」の意味でも用いられてきたが，handicapped ([形] 障害のある) も含めて差別的と見なされることが多い。代わりに disability，disabled を用いるか，状況に合わせた個別の表現を用いる。
[動] ～を不利な立場に置く

the actor's outstanding <u>talent</u> for comedy	その俳優の喜劇のきわだった<u>才能</u>
the cultural <u>traits</u> of the native tribe	その先住民の文化的<u>特徴</u>
the <u>core</u> of the problem	問題の<u>核心</u>
the accumulated <u>wisdom</u> of humanity	蓄積されてきた人類の<u>英知</u>
He knew the answer *by* <u>intuition</u>.	彼は<u>直感</u>で答えがわかった。
She *took the* <u>initiative</u> *in making* our travel plans.	彼女は<u>率先して</u>私たちの旅行の計画を立てた。
What are the <u>merits</u> of your proposal?	あなたの提案の<u>利点</u>は何ですか。
Modesty is regarded as a <u>virtue</u> in that country.	その国では謙遜が<u>美徳</u>と見なされている。
The girls danced *with* unusual <u>grace</u>.	少女たちは素晴らしく<u>優雅</u>に踊った。
We were disappointed at his <u>inability</u> *to make* a decision.	私たちは彼が<u>決断できないこと</u>に落胆した。
Not being able to speak English is a <u>handicap</u> for job seekers.	英語を話せないことは,求職者にとっては<u>不利</u>な条件である。

4

| 1006
□
A2 | **award**
[əwɔ́ːrd] アウォード 発 ア | 名 賞, 賞品, 賞金
動 (賞など)を与える, 授与する |

| 1007
□
A2 | **architecture**
[áːrkətèktʃər]
アーカテクチャ ア | 名 建築(学), 建築様式
□ archivéctural 形 建築の
□ architect 名 建築家 |

| 1008
□ | **kindergarten**
[kíndərgàːrtn]
キンダガーテン | 名 幼稚園
cf. nursery 名 託児所, 保育所 |

| 1009
□
B1 | **chemistry**
[kémɪstri] ケミストリ | 名 化学; 化学的性質; 相性
□ chemical 形 化学の, 化学的な 名 化学製品, 化学物質 |

| 1010
□
B1 | **geography**
[dʒiágrəfi]
ジアグラフィ ア | 名 地理学; (ある地域の)地形
□ geográphical, geográphic 形 地理学の; 地理的な |

| 1011
□
B1 | **satellite**
[sǽtəlàɪt] サタライト ア | 名 衛星; 人工衛星
▶ satellite broadcasting 句 衛星放送 |

| 1012
□ | **galaxy**
[gǽləksi] ギャラクスィ | 名 銀河(系); 星雲 |

| 1013
□
B2 | **telescope**
[téləskòup] テラスコウプ ア | 名 望遠鏡
語源 離れて (tele-) +見る (-scope)。
cf. microscope 名 顕微鏡 |

| 1014
□
B1 | **orbit**
[ɔ́ːrbɪt] オービット | 名 (惑星・衛星などの)軌道
動 ~の軌道を回る |

| 1015
□
B1 | **scholarship**
[skálərʃìp]
スカラシップ | 名 奨学金; 学識 |

| 1016
□
B1 | **compound**
[kámpàund]
カンパウンド ア | 名 合成物; 化合物
形 複合の, 合成の
動 [kəmpáund] ~をより悪化させる; ~を合成する |

She *won an* <u>award</u> *for* her novel.	彼女は小説で賞を取った。
an example of Gothic <u>architecture</u>	ゴシック<u>建築</u>の例
children going to the same <u>kindergarten</u>	同じ<u>幼稚園</u>に通う子どもたち
an expert in *applied* <u>chemistry</u>	応用<u>化学</u>の専門家
a professor of historical <u>geography</u>	歴史<u>地理</u>学の教授
a <u>satellite</u> launched by a new type of rocket	新型のロケットで打ち上げられた<u>衛星</u>
the countless stars in the <u>galaxy</u>	<u>銀河</u>にある無数の星
a giant <u>telescope</u> installed on the summit of a mountain	山の頂上に設置された巨大な<u>望遠鏡</u>
the <u>orbit</u> of the moon around the planet	惑星を回る衛星の<u>軌道</u>
the <u>scholarship</u> enough to cover the tuition	授業料を賄うのに十分な<u>奨学金</u>
a <u>compound</u> of carbon and oxygen	炭素と酸素の<u>化合物</u>

1017
☐ **bacteria**

[bæktí(ə)riə]
バクティ(ァ)リア

名 細菌，バクテリア

語法 複数扱い。まれに単数形 bacterium。

☐ bacterial 形 バクテリアによる

1018
☐ **molecule**
B1

[mάlɪkjùːl]
マリキュール

名 分子

cf. atom 名 原子

☐ molécular 形 分子の，分子から成る

1019
☐ **addiction**
B2

[ədíkʃ(ə)n] アディクション

名 (麻薬・アルコールなどの) **中毒，依存症；没頭，熱中**

☐ áddict 名 中毒患者
☐ addictive 形 習慣性の
☐ addicted 形 中毒になって；病みつきで
▶ (*be*) addicted to ~ 句 ~に熱中して (いる)，~がやめ
られない

1020
☐ **tissue**
B1

[tíʃuː] ティシュー

名 (細胞の) **組織；ティッシュペーパー**

1021
☐ **symptom**
B1

[símptəm] スィンプタム

名 **症状，徴候；兆し**

☐ symptomátic 形 徴候となる

1022
☐ **diabetes**

[dàɪəbíːtiːz]
ダイアビーティーズ 発

名 **糖尿病**

☐ diabétic 形 糖尿病の 名 糖尿病患者

1023
☐ **skull**

[skʌ́l] スカル

名 **頭蓋骨，頭**

1024
☐ **virus**
B1

[váɪ(ə)rəs]
ヴァイ(ァ)ラス 発

名 **ウイルス**

☐ viral 形 ウイルスによる，ウイルスの

1025
☐ **allergy**

[ǽlərdʒi] アラァジ 発

名 **アレルギー（反応）**

▶ have an allergy to ~ 句 ~にアレルギーがある
☐ allérgic 形 アレルギーの

1026
☐ **nerve**
B2

[nə́ːrv] ナーヴ

名 **神経（繊維）；図々しさ；‹-s› 神経過敏**

▶ have the nerve to *do* 句 厚かましくも *do* する
発信 What a nerve! 句 何という厚かましさだ。図々しい。

☐ nervous 形 神経質な；不安な

---

an infection from unknown bacteria	未知の細菌による感染
two hydrogen molecules	水素 2 分子
addiction *to* computer games	コンピュータゲーム中毒
the tissue of human organs	人間の臓器の組織
typical symptoms of this disease	この病気の典型的な症状
patients with diabetes	糖尿病の患者
the fossilized skull of a dinosaur	化石化した恐竜の頭蓋骨
the discovery of a new virus	新しいウイルスの発見
a strong allergy *to* buckwheat	強いそばアレルギー
the spinal nerves	脊髄神経

4

1027 ☐	**recipient** [rɪsípiənt] リスィピアント	名 臓器移植の受容者；受領者，受益者 TIPS「臓器提供者」は donor。
1028 ☐ A2	**sweat** [swét] スウェット 発	名 汗，発汗 (≒ perspiration) ▶ No sweat. 問題ないさ。 動 汗をかく (≒ perspire)
1029 ☐ B2	**vitamin** [váɪtəmən] ヴァイタマン 発 ア	名 ビタミン
1030 ☐ B2	**therapy** [θérəpi] セラピィ	名 治療，療法 ☐ therapéutic 形 治療上の，治療法の
1031 ☐	**carbohydrate** [kàːrbouháɪdreɪt] カーボウハイドレイト ア	名 炭水化物 cf. protein 名 タンパク質　fat 名 脂質
1032 ☐	**epidemic** [epədémɪk] エパデミック	名 (伝染病の) 発生，流行 形 流行性の，流行している cf. pandemic 名形 (病気の) 世界的流行 (の)
1033 ☐ B2	**supplement** [sʌ́pləmənt] サプラメント 発	名 補助食品，サプリメント；(雑誌などの) 付録 動 [sʌ́pləmènt] ～を補う，補足する ☐ supplementáry 形 補足の，追加の
1034 ☐ B1	**surgery** [sə́ːrdʒ(ə)ri] サージャリィ	名 外科 (学)；手術 ☐ surgical 形 外科の ☐ surgeon 名 外科医 cf. physician 名 内科医
1035 ☐ B1	**poison** [pɔ́ɪzn] ポイズン	名 毒，毒物；有害なもの，害悪 動 ～を毒殺する ☐ poisonous 形 有毒な；有害な ☐ poisoning 名 中毒；毒殺
1036 ☐ B2	**throat** [θróut] スロウト	名 喉 ▶ clear one's throat 句 咳払いをする 発信 I have a sore throat. 句 喉が痛い。

the <u>recipient</u> of a kidney transplant	腎臓移植の<u>受容者</u>
a T-shirt soaked with <u>sweat</u>	<u>汗</u>でべちゃべちゃのTシャツ
symptoms caused by <u>vitamin</u> deficiency	<u>ビタミン</u>不足で引き起こされる症状
a *hormone* <u>therapy</u> to treat breast cancer	乳がん治療のためのホルモン<u>療法</u>
the average daily *intake of* <u>carbohydrates</u>	<u>炭水化物</u>の1日当たりの平均摂取量
an <u>epidemic</u> of hog cholera	豚コレラの<u>流行</u>
the side-effects of taking too many <u>supplements</u>	<u>サプリメント</u>を摂りすぎることによる副作用
She *underwent a major* <u>surgery</u> *on* her heart.	彼女は心臓の大<u>手術</u>を受けた。
a murder by <u>poison</u>	<u>毒</u>による殺人
a severe *sore* <u>throat</u>	ひどい<u>喉</u>の痛み

1037
☐ **statue**
[stǽtʃu:] スタチュー 発
名 彫像，像

1038
☐ **portrait**
[pɔ́:rtrɪt] ポートリット ア
名 肖像画，肖像写真；(言葉による)描写
☐ portráy 動 ～の肖像を描く；～を表現する

1039
☐ **dialogue**
[dáɪəlɔ̀:g]
ダイアローグ
名 対話，話し合い，会話；意見交換，会談
cf. monologue 名 独白

1040
☐ **legend**
[lédʒ(ə)nd] レジェンド
名 伝説；伝説的な人物；(地図の)凡例
☐ legendary 形 伝説の，伝説的な

1041
☐ **poetry**
[póʊətri] ポウァトリィ
名 (分野としての)詩
☐ poem 名 (個々の)詩
入試 poetry は不可算名詞。poem は可算名詞。
☐ poet 名 詩人

1042
☐ **photography**
[fətágrəfi]
ファタグラフィ ア
名 写真撮影，写真撮影技術
☐ phótograph 名 写真 (≒ photo)

1043
☐ **convention**
[kənvénʃ(ə)n]
カンヴェンション
名 (集団内の)慣習，慣例；会議，大会
☐ conventional 形 従来型の；型にはまった

1044
☐ **craft**
[krǽft] クラフト
名 工芸(品)；特殊技能；航空機，(小型)船

1045
☐ **script**
[skrípt] スクリプト
名 台本，脚本；手書き

1046
☐ **remark**
[rɪmá:rk] リマーク
名 発言，意見，批評
動 (意見などを)述べる；～だと述べる
☐ remarkable 形 注目すべき，著しい

1047
☐ **sculpture**
[skʌ́lptʃər] スカルプチャ
名 彫刻(作品)，彫像
動 ～の像を彫る

the <u>statue</u> of a famous scholar standing on a hill	丘の上に立つ有名な学者の<u>彫像</u>
the Queen's <u>portrait</u> painted by a young artist	若い画家によって描かれた女王の<u>肖像画</u>
a <u>dialogue</u> *between* the two countries	2国間の<u>対話</u>
characters depicted in the <u>legend</u>	<u>伝説</u>に描かれた人物たち
<u>poetry</u> as a genre of literature	文学の1ジャンルとしての<u>詩</u>
innovative techniques in <u>photography</u>	<u>写真撮影</u>における革新的技法
his ignorance of *social* <u>conventions</u>	社会的<u>慣習</u>に対する彼の無知
traditional <u>crafts</u> in the village	その村の伝統的な<u>工芸品</u>
the final version of the <u>script</u> for a play	劇の<u>台本</u>の最終版
her straightforward <u>remarks</u> *on* those political issues	それらの政治問題に関する彼女の率直な<u>発言</u>
ice <u>sculptures</u> exhibited at the event	イベントで展示された氷の<u>彫刻</u>

4

Unit 2 [名詞] [10] 組織・集合／部分・全体

1048 □ **session** B1
[séʃ(ə)n] セッション
[名] 集会，集まり；(会議などの) 開催期間

1049 □ **sequence** B1
[sí:kwəns] スィークウァンス
[名] 連続 (する物)，ひと続きの物；順序
▶ a [the] sequence of ～ [句] 一連の～
□ sequéntial [形] 連続する，続いて起こる

1050 □ **counterpart**
[káuntərpɑ̀:rt] カウンタァパート ㋐
[名] 同等の物 [人]，対応する物 [人]，相手役
[入試] 文章中では，すでに示された名詞を受け，「それに相当する物 [人]」を指す。

1051 □ **string** A2
[stríŋ] ストリング
[名] ひと続きの物；糸，ひも；(楽器の) 弦
▶ a string of ～ [句] 一連の [ひとつなぎの] ～
▶ have ～ on a string [句] ～ (人) を思い通りに操る
[動] ～に糸を付ける；～をひと続きにする

1052 □ **phase** B2
[féɪz] フェイズ
[名] 局面，段階；様相

1053 □ **framework**
[fréɪmwɜ̀:rk] フレイムワーク
[名] 骨組み，枠組；構成，体制，組織

1054 □ **fragment** B1
[frǽgmənt] フラグマントゥァ
[名] 破片，かけら；断片
[動] [frægmént] 断片になる；～を断片化する
□ fragménted [形] 断片的な

1055 □ **clip** B1
[klíp] クリップ
[名] (新聞・雑誌などの) 切り抜き；(短い) 場面
[動] ～を切る，刈る；～を縮める

1056 □ **fraction**
[frǽkʃ(ə)n] フラクション
[名] 破片，断片；一部；(数学) 分数，小数
□ fractional [形] わずかの；分数の，小数の

1057 □ **debris** B1
[dəbrí:] デブリー [発]
[名] (破壊された物の) 破片，残骸

1058 □ **array**
[əréɪ] アレイ ㋐
[名] ずらりと並んだ物；多数，多量
▶ an array of ～ [句] ずらりと並んだ～
[動] ～を配列する

a *question -and- answer* <u>session</u> with experts	専門家との質疑応答会
a <u>sequence</u> *of* mysterious *events*	一連の謎の出来事
Japanese words with no *English* <u>counterparts</u>	英語には対応する物のない日本語の単語
a <u>string</u> *of* beads	一連のビーズ
the *final* <u>phase</u> of the experiment	実験の最終段階
a <u>framework</u> *for* political reform	政治改革の枠組み
a <u>fragment</u> of knowledge	知識の断片
a short <u>clip</u> of a movie	映画の短い一場面
a *small* <u>fraction</u> *of* the population	住民のごく一部
satellite <u>debris</u> floating around the Earth	地球の周りを漂う人工衛星の残骸
an incredible <u>array</u> *of* classic cars	信じられないほどずらりと並んだクラシック・カー

4

1059 □ B1	**baggage** [bǽgɪdʒ] バギッジ	名 手荷物, 携行品 語法 baggage は主に《米》。《英》では luggage。数えるときは a piece [an article, an item] of baggage.
1060 □ B2	**ritual** [rítʃuəl] リチュアル	名 儀式, 典礼(≒ rite);日常の習慣(≒ routine) 形 儀式の
1061 □ A1	**bucket** [bʌ́kət] バケット	名 バケツ;バケツ1杯の量;大量 ▶ a bucket [bucketful] of ~　句 バケツ1杯の~
1062 □ A2	**leather** [léðər] レザァ	名 革, 革製品 形 革(製)の
1063 □ B2	**recipe** [résəpi] レサピ	名 調理法, レシピ;(目標達成のための)方策 ▶ a recipe for success　句 成功の秘訣
1064 □ A2	**shade** [ʃéɪd] シェイド	名 日陰, 木陰;色合い, 色調 TIPS 光の当たらない部分が shade で, 光が遮られてできるシ ルエットが shadow。 動 ~を(光から)遮る, 守る;~に明暗をつける
1065 □	**textile** [tékstaɪl] テクスタイル	名 布地, 織物, 繊維製品
1066 □	**amateur** [ǽmətʃər, -tʃuər] アマチュア 発 ア	名 アマチュア, 素人 形 アマチュアの □ amateurism 名 アマチュア精神
1067 □ B2	**scent** [sént] セント	名 香り, 芳香 イメージ かすかでほのかな香り。
1068 □	**appliance** [əpláɪəns] アプラィアンス	名 (電化)製品, (電気)器具
1069 □ B1	**mess** [més] メス	名 混乱, 乱雑;困った状況 ▶ *be* (in) a mess　句 散らかっている 動 ~を散らかす □ messy 形 取り散らかした

two *pieces of* carry-on baggage	2つの機内持ち込み手荷物
a religious ritual performed at temples	寺院で行われる宗教儀式
a bucket *of* hot water	バケツ1杯のお湯
a luxurious sofa made with genuine leather	本革でできた豪華なソファ
recipes *for* fried noodles	焼きそばの調理法
a short rest *in the* shade *of* a tall oak tree	背の高い樫の木の木陰での短い休憩
a decline in the textile industry	織物産業の衰退
the difference between a professional and an amateur	プロとアマチュアの違い
the sweet scent of raspberry	ラズベリーの甘い香り
the recycling of domestic appliances	家庭電化製品のリサイクル
an office *in a* terrible mess	ひどく散らかった事務所

1070 B1	**crash** [kræʃ] クラッシュ	名 衝突(事故), 墜落(事故);(落下時などの)大音響 動 衝突する, 墜落する;(激しく)ぶつかる
1071 B1	**trail** [tréɪl] トレイル	名 痕跡;(動物などの)跡;小道 (≒ path) 動 ~を追跡する
1072 B1	**voyage** [vɔ́ɪɪdʒ] ヴォイッジ 発	名 航海, 船旅, 空の旅, 宇宙旅行 イメージ 時間のかかるとても長い旅。
1073 A2	**load** [lóud] ロウド 発	名 負担, 負荷;荷重;積荷 動 ~に積み込む;(データ)を読み込ませる ▶ load A with B ≒ load B onto A 句 A に B を積み込む
1074 B1	**tension** [ténʃ(ə)n] テンション	名 緊張(状態), ストレス ☐ tense 形 緊張した;緊迫した
1075 B2	**transition** [trænzíʃ(ə)n] トゥランズィション	名 推移, 変遷;移り変わり ▶ in transition 句 過渡期にある ☐ transitional 形 移り変わる, 過渡期の
1076 B2	**opponent** [əpóunənt] オポウネント	名 対戦相手, 敵;反対する人
1077 B2	**outline** [áutlàɪn] アウトライン ア	名 概要, 概略;輪郭 動 ~の要点を述べる;~の輪郭を描く
1078 B1	**log** [lɔ́:g] ローグ	名 日誌;丸太 動 ~の記録を取る ▶ log in [on] 句 ログインする
1079 A2	**chart** [tʃɑ́ːrt] チャート	名 図, 表, グラフ;楽譜 ▶ bar chart 句 棒グラフ ▶ pie chart 句 円グラフ 動 ~を図にする

the few survivors of the *plane* crash	飛行機の墜落事故の数名の生存者たち
a trail through the woods	森を抜ける小道
the long voyage *to* Saturn	土星までの長い航海
a heavy load to bear	耐えるべき重い負担
the tension in the muscles	筋肉の緊張
the seasonal transition *from* summer *to* fall	夏から秋への季節の移り変わり
the opponent in the champion's last match	チャンピオンの最後の試合の対戦相手
the outline of his term paper	彼の学期末レポートの概要
an old cabin built of logs	丸太でできた古い小屋
a *line* chart and a table	折れ線グラフと表

1080 □ A1	**rude** [rúːd] ルード	形 無礼な，不作法な (⇔ polite)；下品な；乱暴な □ rudeness 名無作法，無礼
1081 □ B2	**modest** [mádɪst] マディスト	形 控えめな，謙虚な (≒ humble) (⇔ immodest 厚かましい)；(要求などが) 適度の □ modesty 名謙虚，謙そん
1082 □ B1	**rational** [ráʃ(ə)n(ə)l] ラショヌル 発	形 理性的な，道理をわきまえた；合理的な
1083 □	**promising** [prámɪsɪŋ] プラミスィング	形 前途有望な，見込みのある □ promise 名約束；(前途の) 見込み 動 (〜を) 約束する
1084 □ A2	**silly** [síli] スィリィ	形 愚かな；ばかげた (≒ foolish) □ silliness 名ばかげたこと
1085 □ B2	**deliberate** [dɪlíb(ə)rɪt] ディリバリット 発 ア	形 よく考えた上の；意図的な (≒ intentional) 動 [dɪlíbərèɪt] 〜を熟考する □ deliberátion 名熟慮；慎重さ
1086 □	**harsh** [háːrʃ] ハーシュ	形 (言動が) 厳しい，辛辣な；(音・光などが) 不快な イメージ とげとげしていて刺さる感じ。 □ harshness 名厳しさ，無情さ
1087 □ B2	**intimate** [íntəmɪt] インタミット ア	形 親しい，親密な ▶ (be) on intimate terms with 〜 句 〜と親密な間柄で (ある) □ intimacy 名親密さ，親しい間柄
1088 □ B1	**miserable** [mízərəbl] ミザラブル	形 みじめな，悲惨な，哀れな □ misery 名みじめさ，悲惨さ

a <u>rude</u> reply to a question	質問に対する<u>無礼</u>な回答
her <u>modest</u> speech and behavior	彼女の<u>控えめ</u>な話しぶりとふるまい
a <u>rational</u> decision to accept the offer	申し出を受け入れるという<u>合理的</u>な決定
a <u>promising</u> young architect	<u>前途有望</u>な若い建築家
a <u>silly</u> excuse to take a day off	1日の休みを取るための<u>ばかげた</u>言い訳
their <u>deliberate</u> decision to live apart	別居するという彼らが<u>よく考えた上での</u>決断
<u>harsh</u> criticism of the novel	その小説に対する<u>厳しい</u>批評
her <u>intimate</u> relationship with her husband's family	夫の家族との彼女の<u>親しい</u>関係
a <u>miserable</u> weekend spent alone at home	1人で家で過ごした<u>みじめ</u>な週末

4

1089
☐ **inferior**
[ɪnfí(ə)riər]
インフィ(ァ)リァ

形 劣った, よくない; 下位の (⇔ superior 優れた; 上位の)
▶ (*be*) inferior to ～ 句 ～より劣って (いる)
☐ inferiórity 名劣っていること, 劣等; 下位

1090
☐ **virtual**
B1
[və́ːrtʃuəl] ヴァーチュアル

形 事実上の; 仮想の, 虚像の
☐ virtually 副事実上は; ほとんど (≒ almost)

1091
☐ **prominent**
B1
[prɑ́mənənt]
プラマナント

形 著名な, 卓越した; 目立つ; 突き出した
イメージ 前に突き出ていて目立つ。
☐ prominence 名著名; 目立っていること

1092
☐ **plain**
B1
[pléɪn] プレイン

形 質素な; 明瞭な, わかりやすい; 無地の
名 平地, 平野
同音 plane 名飛行機; 面

1093
☐ **rough**
B1
[rʌ́f] ラフ 発

形 大まかな, 概略の; ざらざらした, でこぼこの; 手荒な
☐ roughly 副およそ, 約
▶ roughly speaking 句大ざっぱに言うと

1094
☐ **brilliant**
A2
[bríljənt] ブリリアント 発

形 《英》素晴らしい; 卓越した, 輝かしい; 優秀な; きらめく
☐ brilliance 名優秀さ; 華々しさ

1095
☐ **incredible**
B1
[ɪnkrédəbl] インクレダブル

形 信じられないほどの, すごい; 信じがたい
☐ incredibílity 名信じられないこと

1096
☐ **fortunate**
B1
[fɔ́ːrtʃ(ə)nɪt]
フォーチュニット ア

形 幸運な, 運がよい
☐ fortunately 副幸運にも
☐ fortune 名運; 財産

1097
☐ **elaborate**
[ɪlǽb(ə)rət]
イラバラット 発

形 精巧な, 手の込んだ; 複雑な
動 [ɪlǽb(ə)rèɪt] ～を詳しく述べる
☐ elaborátion 名精巧; 詳述

1098
☐ **profound**
[prəfáund]
プラファウンド ア

形 (影響などが) 重大な; 深い; 深遠な
☐ profoundity 名深さ, 深遠さ

products inferior in quality	質の劣る製品
the technology of virtual *reality*	仮想現実の技術
a prominent scholar in political science	政治学の著名な学者
an explanation written in plain English	わかりやすい英語で書かれた説明
a rough estimate of the cost	費用の大まかな見積もり
her brilliant career as a journalist	彼女のジャーナリストとしての輝かしい経歴
an incredible appetite for sweets	信じられないほどの甘いもの好き
It was fortunate *that* she avoided being hit by the car.	彼女が車にひかれるのを避けられたのは幸運だった。
the elaborate mechanism of photosynthesis	光合成の複雑な仕組み
the profound influence of social media on young people	若者に対するソーシャルメディアの重大な影響

4

1099
□ **exotic**
B2
[ɪgzátɪk]
イグザティク 発 ア

形 異国情緒のある，風変わりな；外来の

1100
□ **dull**
B1
[dʌl] ダル

形 退屈な；鈍感な；(色などが) ぼんやりした

イメージ 切れやメリハリがなく，感覚を刺激しない。

□ dullness 名退屈，鈍さ

1101
□ **delicate**
B1
[délɪkət] デリケット 発 ア

形 繊細な；壊れやすい (≒ fragile)；(問題などが) 微妙な

□ delicacy 名繊細さ；壊れやすさ；ごちそう

1102
□ **supreme**
[səprí:m]
サプリーム

形 最上位の，最高位の；最高の；極度の

▶ supreme court 句最高裁判所

□ supremacy 名最高，至上

1103
□ **favorable**
B1
[féɪv(ə)rəbl]
フェイヴァラブル

形 有利な，好都合な；賛成の；好意的な

□ favorite 形お気に入りの

1104
□ **outstanding**
B1
[àʊtstǽndɪŋ]
アウトスタンディング

形 ずば抜けた，極めて優れた；目立った

cf. stand out 句目立つ，際立つ

1105
□ **guilty**
B1
[gílti] ギルティ 発

形 有罪の，罪を犯した；罪の意識がある

▶ be guilty of ～ 句～で有罪である
▶ find O guilty (of ～) 句Oを (～で) 有罪とする

□ guilt 名罪悪感；罪，有罪

1106
□ **passive**
B1
[pǽsɪv] パッスィヴ

形 受動的な，受け身の；消極的な (⇔ active 積極的な)

1107
□ **sacred**
B1
[séɪkrɪd] セイクリッド 発

形 神聖な，聖なる (⇔ secular 世俗的な)

1108
□ **innocent**
B1
[ínəs(ə)nt] イノスント ア

形 無実の，潔白な；無邪気な

▶ be innocent of ～ 句～の罪を犯していない，～について無実である

□ innocence 名無実；無邪気さ

---

unique and <u>exotic</u> dishes	独特で<u>異国風の</u>料理
a <u>dull</u> and useless lesson	<u>退屈な</u>役に立たない授業
the <u>delicate</u> minds of young children	幼い子どもたちの<u>傷つきやすい</u>心
a <u>supreme</u> masterpiece of ancient poetry	古代詩の<u>最高</u>傑作
her <u>favorable</u> reply to my request	私の依頼に対する彼女の<u>好意的な</u>回答
his <u>outstanding</u> sales performance	彼の<u>極めて優れた</u>販売業績
The man *was found* <u>guilty</u> *of* theft.	その男は窃盗で<u>有罪</u>となった。
a <u>passive</u> attitude toward life	人生に対する<u>消極的な</u>態度
<u>sacred</u> buildings like churches and mosques	教会やモスクのような<u>神聖な</u>建物
He *was* <u>innocent</u> *of* the crime.	彼はその犯罪については<u>無実</u>だった。

Unit 3 [形容詞] 4 数・量・時間・順序

1109 □ **sole**
[sóul] ソウル
[形] 唯一の，ただ１つの；単独の
[名] 足の裏；靴底
□ solely [副] 単に；単独で

1110 □ B1 **tremendous**
[trɪméndəs] トリメンダス
[形] ばかでかい，巨大な，莫大な；すばらしい
[イメージ] 並はずれて大きく，恐ろしくなるほどの。

1111 □ B2 **grand**
[grǽnd] グランド
[形] 壮大な，雄大な；偉大な
□ grandness [名] 壮大さ，雄大さ；堂々たること

1112 □ B1 **moderate**
[mɑ́d(ə)rət] マダレット [発]
[形] (数量などが)ほどほどの，適度な；穏健な
[動] [mɑ́dərèɪt] ～を和らげる，～を軽減する
□ moderátion [名] 適度；穏健

1113 □ **scarce**
[skéərs] スケアス
[形] 乏しい，少ない，十分でない
□ scarcity [名] 不足，欠乏
□ scarcely [副] ほとんど～ない

1114 □ B2 **ultimate**
[ʌ́ltəmɪt] アルタミット [ア]
[形] 最終的な (≒ final)；最高の，最大の，究極の
[名] 究極，最高のもの
□ ultimately [副] 最終的には

1115 □ B2 **medieval**
[mìːd(i)íːv(ə)l] ミディーヴァル [発] [ア]
[形] 中世の
cf. ancient (古代の) → medieval (中世の) → modern (近世の)

1116 □ B1 **abundant**
[əbʌ́ndənt] アバンダント
[形] 豊富な，豊かな
▶ A is abundant in B [句] A が B に豊富にある［いる］
[語法] 「A には B が豊富にある［いる］」の意味でも用いられる。
□ abundance [名] 豊富，多数
□ abound [動] (物が) たくさんある［いる］

1117 □ B1 **old-fashioned**
[òuldfǽʃ(ə)nd] オウルドファッションド
[形] 時代遅れの (≒ dated)，古風な；昔ながらの
[TIPS] 「昔ながらの」では，よい意味にも悪い意味にも用いられる。

1118 □ B1 **countless**
[káuntləs] カウントラス
[形] 無数の，数えきれないほどの

the <u>sole</u> purpose of our experiment	私たちの実験の<u>唯一</u>の目的
a <u>tremendous</u> amount of energy	<u>莫大な</u>量のエネルギー
unbelievably <u>grand</u> scenery	信じられないほど<u>壮大</u>な風景
<u>moderate</u> exercise for seniors	高齢者に<u>適度な</u>運動
the <u>scarce</u> supply of food in that country	その国の食料の<u>乏しい</u>供給
the <u>ultimate</u> goal of their project	彼らのプロジェクトの<u>究極の</u>目標
the <u>medieval</u> feudal society of France	フランス<u>中世の</u>封建社会
a country with <u>abundant</u> natural resources	<u>豊富な</u>天然資源を持つ国
an <u>old-fashioned</u> way of thinking	<u>昔ながらの</u>考え方
<u>countless</u> stars in the Milky Way	天の川の<u>無数の</u>星

1119
B1

genetic

[dʒənétɪk]
ジャネティック 発 ア

形 遺伝(学)の, 遺伝子の

□ géne 名遺伝子
□ genetically 副遺伝子的に, 遺伝学的に
▶ genetically modified food (GM food) 句遺伝子組み換え食品

1120

circadian

[sɚːrkéɪdiən]
サーケイディアン

形 24 時間周期の, 概日の

▶ circadian clock 句体内時計, 概日時計

1121

neural

[n(j)ú(ə)rəl]
ニュー(ァ)ラル

形 神経の, 神経系の

□ neuron 名神経単位, ニューロン

1122

immune

[ɪmjúːn] イミューン

形 免疫(性)の, 免疫のある；影響を受けない

▶ (be) immune to ~ 句~に対して免疫がある；~の影響を受けない
□ immunity 名免疫；免除

1123

chronic

[kránɪk] クラニック

形 (病気が)慢性の (⇔ acute 急性の)

1124

fertile

[fɚ́ːrtl] ファートル 発

形 (動植物が)繁殖力のある, 多産な；肥沃な
(⇔ barren, sterile, infertile 不妊の；不毛の)

□ fertílity 名肥沃さ；生殖能力
□ fertilizer 名肥料

1125
B2

toxic

[táksɪk] タクスィック

形 有毒な, 中毒性の

□ toxícity 名毒性

1126

aerobic

[e(ə)róubɪk]
エ(ァ)ロウビック 発 ア

形 有酸素の；好気性の
(⇔ anaerobic 無酸素(運動)の；嫌気性の)

▶ aerobic bacteria 句好気性細菌

1127
B1

parental

[pəréntl] パレントル 発

形 親の, 親にふさわしい

▶ parental leave 句育児休暇

1128

maternal

[mətɚ́ːrnl] マターナル

形 母親の, 母親らしい；母方の

□ maternity 名母性 形妊産婦のための
cf. paternal 形父親の；父方の

---

the potentials of genetic *engineering*	遺伝子工学の可能性
the circadian *rhythm* of the human body	人体の概日リズム
the complicated neural network in the brain	脳内の複雑な神経ネットワーク
an immune *response* to foreign substances	異物に対する免疫反応
patients with a chronic *disease*	慢性的な疾患の患者
the fertile land of that region	その地域の肥沃な土地
the disposal of toxic *waste*	有毒廃棄物の処理
aerobic *exercises* at regular intervals	一定の間隔を空けた有酸素運動
parental support for education	教育に対する親のサポート
her strong maternal *instincts*	彼女の強い母性本能

1129 ☐ B2	**so-called** [sòukɔ́:ld] ソウコールド	形 いわゆる (≒ what is called, what you [we, they] call)
1130 ☐ B2	**invisible** [ɪnvízəbl] インヴィザブル	形 目に見えない，不可視の (⇔ visible 目に見える)
1131 ☐ B2	**collective** [kəléktɪv] カレクティヴ	形 集団の，集合体の；共有する ☐ collect 動 ～を集める
1132 ☐ B2	**interpersonal** [ìntərpə́:rsn(ə)l] インタァパースナル	形 対人 (関係) の；個人間の
1133 ☐ B1	**mutual** [mjú:tʃuəl] ミューチュアル	形 相互の，お互いの；共通の ☐ mutually 副 互いに，相互に
1134 ☐ B1	**scary** [ské(ə)ri] スケ(ァ)リィ	形 恐ろしい，怖い ☐ scare 動 ～をおびえさせる，～を脅かす
1135 ☐ B2	**oral** [ɔ́:rəl] オーラル	形 口頭の；口の 同音 aural 形 聴覚の；耳の
1136 ☐ B2	**trivial** [tríviəl] トリヴィアル	形 ささいな，取るに足らない
1137 ☐ B1	**holy** [hóuli] ホウリ	形 神聖な；聖なる ☐ holiness 名 神聖さ
1138 ☐ B2	**manual** [mǽnjuəl] マニュアル 🅐	形 手作業の，手動の；手の 語源 手 (manu-) ＋形容詞語尾 (-al)。 名 (使用)説明書，マニュアル ☐ manually 副 手で，手動で
1139 ☐	**susceptible** [səséptəbl] サセプタブル	形 〈＋to ～〉(～の)影響を受けやすい；多感な ☐ susceptibílity 名 感受性，感染しやすいこと

the so-called geek culture	いわゆるオタク文化
viruses invisible *to* the naked eye	裸眼では見えないウイルス
a case of collective decision-making	総意による意思決定の一例
skills in interpersonal communication	対人コミュニケーションの技能
mutual *understanding* between different cultures	異文化間の相互理解
the scary face of the monster	怪物の恐ろしい顔
an oral presentation at the conference	会議での口頭発表
a trivial error in the document	書類中のささいな誤り
several holy places in the city of Jerusalem	エルサレム市内のいくつかの聖地
the manual operation of the device	その装置の手動操作
a person susceptible *to* flattery	お世辞に影響を受けやすい人

1140 □ **somewhat** B2
[sʌ́m(h)wɑ̀t]
サムワット [ア]
[副] いくぶん，ちょっと，多少
[語法] ふつうは肯定文で用いる。

1141 □ **barely** B1
[béərli] ベアリィ
[副] かろうじて（～する）；ほとんど～ない；(数量が) わずかに
[語法] hardly, scarcely とは違い，しばしば肯定的な意味を示す。

1142 □ **meanwhile** B1
[mí:n(h)wàɪl] ミーンワイル
[副] その間の時間（に），その一方で
▶ in the meanwhile [meantime] [句] それまでの間に

1143 □ **readily** B2
[rédɪli] レディリィ
[副] たやすく，簡単に；進んで，快く
□ ready [形] 用意のできた；喜んで～する

1144 □ **forth** B1
[fɔ́:rθ] フォース
[副] 前へ，先へ；外へ；～以後
[語法] bring, call, come, put, set などの動詞の後ろで用いる。
▶ back and forth [句] 行ったり来たり，前後に，左右に

1145 □ **nonetheless** B1
[nʌ̀nðəlés] ナンザレス [ア]
[副] それにもかかわらず，それでもなお
(≒ nevertheless)
[TIPS] none the less の形でも用いられる。

1146 □ **seemingly**
[sí:mɪŋli] スィーミングリィ
[副] 見たところ；見たところでは
□ seeming [形] うわべの，見せかけの

1147 □ **hence**
[héns] ヘンス
[副] それゆえに，したがって (≒ therefore)

1148 □ **thoroughly** B2
[θə́:rouli]
サーロウリィ [発]
[副] 完全に，全く；徹底的に
□ thorough [形] 徹底的な；全くの
[入試] 前置詞 through と混同しないように注意。

1149 □ **likewise** B2
[láɪkwàɪz] ライクワイズ
[副] 同じく，同様に (≒ similarly)

She was <u>somewhat</u> disappointed with test scores.	彼女はテストの点数にいくぶん失望した。
He <u>barely</u> passed the exam.	彼はかろうじて試験に受かった。
She's arriving in 30 minutes. <u>Meanwhile</u>, we can have some coffee.	彼女は 30 分で到着する。それまでの間，コーヒーでも飲んでいよう。
a <u>readily</u> accessible rural cottage	<u>たやすく</u>行ける田舎の別荘
His remarks *brought* <u>forth</u> a lot of criticism.	彼の発言は多くの批判を<u>生み出</u>した。
She was tired; <u>nevertheless</u>, she stayed up late and finished her homework.	彼女は疲れていた。<u>それでも</u>夜更かしして宿題を終わらせた。
a <u>seemingly</u> kind person	<u>見たところ</u>親切な人物
He often tells lies. <u>Hence</u>, he is unreliable.	彼はよく嘘をつく。<u>それゆえ</u>，彼は信頼できない。
The police <u>thoroughly</u> investigated the case.	警察はその事件を<u>徹底的に</u>捜査した。
The teacher respects her students. <u>Likewise</u>, the students respect their teacher.	先生は生徒たちを尊重している。<u>同様に</u>，生徒たちも先生を尊敬している。

I-61
☐ **in a [one] way**

ある意味では，ある点では；ある程度は

I-62
☐ **in a row**

立て続けに；一列に（なって）

I-63
☐ **in control (of ～)**

（～を）管理して，（～を）支配して

I-64
☐ **in debt (to ～)**

（～に）（…の）借金をしている

I-65
☐ **in depth**

徹底して，詳細に

I-66
☐ **in despair**

絶望して

I-67
☐ **in effect**

実際には，事実上；（法律などが）施行されて

I-68
☐ **in fashion**

流行して，はやって

I-69
☐ **in person**

本人（自ら）が，代理ではなく

I-70
☐ **in practice**

実際には，事実上は（⇔ in theory 理論上）

I-71
☐ **in private**

内緒で，人のいないところで（⇔ in public 人前で，公然と）

I-72
☐ **in short**

要するに，簡単に言えば

His excuse is reasonable in a way.

彼の言い訳は<u>ある意味で</u>理にかなっている。

Our team won three games in a row.

私たちのチームは 3 試合<u>続けて</u>勝った。

She *is* in control of the budget for her club.

彼女は自分の部活動の予算を<u>管理している</u>。

He *is* in debt for a large sum.

彼は多額の<u>借金がある</u>。

They discussed the matter in depth.

彼らはその問題を<u>徹底的に</u>議論した。

He left his hometown in despair.

彼は<u>絶望して</u>故郷を去った。

In effect, his idea was no different from mine.

<u>実際には</u>，彼の考えは私のと全く違わなかった。

This type of skirt *is* in fashion now.

今はこのタイプのスカートが<u>流行しています</u>。

Visa applications must be submitted in person.

ビザの申請書は<u>本人が</u>提出しなければならない。

In practice, this device cannot be used.

<u>実際には</u>，この装置は使えない。

I'd like to talk to you in private.

<u>内緒で</u>話をしたいのですが。

In short, we are short of money.

<u>要するに</u>，私たちにはお金が足りないということだ。

I-73
☐ **in accord with ～**

～と一致して

I-74
☐ **in charge of ～**

～を担当 [管理] して，～を預かって　入試 「～を担当して」は和訳頻出。

I-75
☐ **in conflict with ～**

～と矛盾 [対立] して

I-76
☐ **in contrast (to [with] ～)**

(～とは) 対照的に

I-77
☐ **in harmony with ～**

～と調和して，～と一致して

I-78
☐ **in (the) light of ～**

～に照らして，～から見て，～を考慮して

I-79
☐ **in need of ～**

～を必要として　入試 強調表現として badly in need of ～は文法問題で問われる。

I-80
☐ **in opposition to ～**

～に反対して，～に抵抗して

I-81
☐ **in search of ～**

～を求めて，～を捜して

I-82
☐ **in the presence of ～ [= in ～'s presence]**

～のいる前で；～に直面して

I-83
☐ **in view of ～**

～を考慮して，～の点から見て

I-84
☐ **in the way [in ～'s way]**

邪魔になって，道をふさいで

His opinion *is* in complete accord with mine.

彼の意見は私と全く一致している。

Mrs. Harrison *is* in charge of our club.

ハリソン先生が私たちのクラブを担当している。

This view *is* in conflict with the widely-accepted theory.

この考え方は広く受け入れられている理論と矛盾している。

In contrast to mine, her presentation was concise.

私のとは対照的に，彼女のプレゼンテーションは簡潔だった。

He worked in harmony with his office colleagues.

彼は職場の同僚たちと協調して働いた。

In light of my schedule, I declined the invitation.

自分の予定に照らして，私は招待を断った。

They *were* badly in need of food.

彼らは食べ物を非常に必要としていた。

Most people *were* in opposition to the war.

ほとんどの人々が戦争に反対していた。

They immigrated in search of better working conditions.

彼らはよりよい労働環境を求めて移住した。

He was embarrassed in the presence of girls.

彼は女の子たちがいる前でどぎまぎした。

In view of the circumstances, we'd better not go there.

諸事情を考慮すると，私たちはそこへ行くべきではない。

The parked car *was* in *our* way.

駐車された車が邪魔になっていた。

■ 基本動詞を使いこなそう

make 力を加えて作る

他 ～を作る，作り出す；～にさせる；
～を…にする
自 ～になる；進む

> 「～を作る」という基本的な意味から拡張して，「何らかの状態を作り出す」というイメージをとらえる。make it「うまくやる」の場合のように，作り出される状況は文脈によって決まることもある。

make の基本

■ He <u>made</u> a toy *for* his son.　彼は息子におもちゃを作ってやった。
- He made his son a toy. とも言える。

■ Five and three <u>make</u> eight.　5 足す 3 は 8 になる。
- 「5 と 3」が「8 を作る」。

■ What <u>made</u> you so angry?　なんでそんなに怒っているのですか。
- 「何があなたの怒っている状態を作ったのか」が文字通りの意味。

■ His words <u>made</u> her change her mind.
彼の言葉が彼女の決心を変え<u>させた</u>。
- 〈make + O + *do*〉で「O が do する状態を作る」。

■ She will <u>make</u> him a good partner.
彼女は彼をよいパートナーに<u>する</u>だろう。
- 〈him = a good partner〉の状態を作る。

make を含む重要表現

■ **make it：間に合う；うまくいく，成功する**

She took a taxi and <u>made it</u> in time.
彼女はタクシーに乗ってやっと<u>間に合った</u>。
- 時間内に「求めていた状況 (it)」を「作り出した」。

■ **make fun of ～：～をからかう**

They <u>made fun of</u> the boy.
彼らはその少年を<u>からかった</u>。
- poke fun at ～とも言う。

276

make の群動詞

■ make for ～： ～に向かう

Paul was <u>making for</u> the station.
ポールは駅に向かっていた。

●駅を「求めて」進んで行く感じ。

■ make out ～： ～を理解する

She couldn't <u>make out</u> what her teacher said.
彼女は先生が言ったことを理解できなかった。

●先生が言ったことから意味を「作り出す」。

■ make A of B： B で A を作る

This table *is* <u>made of</u> wood.
このテーブルは木でできている。

●素材がそのままの姿でわかる場合には of を用いる。

■ make A from B： B から A を作る

Butter *is* <u>made from</u> milk.
バターは牛乳からできる。

●素材が姿を変えて別の物になっている場合には from を用いる。

■ *be* made up of ～： ～から成る

The committee *is* <u>made up of</u> twelve members.
委員会は 12 人のメンバーから成る。

●「12 人のメンバー」で「完全な状態 (up)」ができている。

■ make up (with ～)： (～と)仲直りする

She <u>made up with</u> her boyfriend.
彼女は彼氏と仲直りした。

●関係を (再度) 作り上げる。

■ make up for ～： ～を埋め合わせる

She <u>made up for</u> the loss.
彼女は損失の埋め合わせをした。

●「代わりになるもの」を作って「完全な状態 (up)」にする。

▪ 基本動詞を使いこなそう

break　力をかけて壊す

他 ～を壊す，割る，砕く，折る，破る
自 壊れる，故障する，休憩する
名 休憩，中断，破損

「外から強い力をかけて壊す」が基本的な意味。全体としてまとまっていた物を分断することから，継続していた状態などの（突然の）中断などにも意味が広がる。

break の基本

■ She <u>broke</u> a coffee cup.　彼女はコーヒーカップを<u>割った</u>。
　　● 壊れた状態に変えた。

■ He <u>broke</u> *open* the safe.　彼は金庫を<u>こじ開けた</u>。
　　●「金庫」に力を加えて壊し，「開いた」状態に変えた。

■ He finally <u>broke</u> the world record.　彼はついに世界記録を<u>破った</u>。
　　●「記録」という境界線を破る。

■ You mustn't <u>break</u> the rules.　ルールを<u>破って</u>はいけない。
　　●「力を加えて，行動を制限するルールを壊す」というイメージ。

■ She <u>broke</u> her left arm.　彼女は左腕を<u>折った</u>。
　　● 1 つにつながっていた骨を分断した。

■ Jack <u>broke</u> the silence.　ジャックは沈黙を<u>破った</u>。
　　●「沈黙」という状態の連続を途切れさせた。

break を含む重要表現

■ **break *one's* word [promise]：約束を破る**

She often <u>breaks</u> *her* <u>word</u>.
彼女はよく<u>約束を破る</u>。
　　●「約束」が壊れてしまう。

■ **go broke：破産する**

He finally <u>went</u> <u>broke</u>.
彼はついに<u>破産した</u>。
　　● この broke は 形「文無しで」。broken ではないことに注意する。

278

break の群動詞

■ **break down (〜)**：故障する，壊れる；〜を分解する

My computer suddenly <u>broke</u> <u>down</u>.
私のコンピュータは突然<u>故障した</u>。

● 正常な状態が「壊れて」，機能が「ダウン」。

■ **break into 〜**：〜に侵入する；突然〜し出す

Her house *was* <u>broken</u> <u>into</u> last week.
彼女の家は先週泥棒に<u>入られた</u>。

● 「無理やり入り込む」というイメージ

They <u>broke</u> <u>into</u> *laughter*.
彼らは<u>突然</u>笑い<u>出した</u>。

● 急に状態が変化して「笑い」の状態に入る。

■ **break out**：(火事・戦争などが) 突然起こる

A fire <u>broke</u> <u>out</u> in my neighborhood.
うちの近所で火事が<u>あった</u>。

● 火事が平穏な状態を破って外に出てきた。

■ **break through 〜**：〜を克服する

They were able to <u>break</u> <u>through</u> racial barriers.
彼らは人種の壁<u>を克服する</u>ことができた。

● 「障害を突き抜けて，先へ進む」イメージ。

■ **break up**：終わりになる；解散する

The meeting <u>broke</u> <u>up</u> early.
会議は早く<u>終わった</u>。

● 「終了してばらばらになる」というイメージ。

■ **break up with 〜**：〜との関係を断つ，〜と絶交する

He <u>broke</u> <u>up</u> <u>with</u> his girlfriend.
彼はガールフレンド<u>との関係を断った</u>。

● with だが，「結びつきを断つ」ことに注意する。

■ 重要な多義語・多品詞語

head

動	❶ ～に向かう	Our bus *was* heading *north.*
		私たちのバスは北に向かっていた。
	❷ ～を率いる， ～の長である	She headed the research team.
		彼女が研究チームを率いていた。
	❸ ～の先頭に立つ	Her name headed the list.
		彼女の名前がリストの先頭にあった。

名	❶ 頭	She *nodded her* head.
		彼女は首を縦に振った（＝賛成・承諾した）。
		TIPS この文脈では日本語の「首」に相当。
	❷ 頭脳	Use your head.　頭を使いなさい。
	❸ 最上部，てっぺん	the head of the page　ページの最上部
	❹ (コインの) 表	Heads or tails.　（コイントスで）表か裏か。

term

名	❶ 期間，任期	in the long term
		長期的には
	❷ 学期	the spring term
		春学期
	❸ (支払いなどの) 条件	terms *and conditions* of business
		取引条件
	❹ 専門用語	medical terms
		医学用語
成句	❶ *be* on ～ terms with ... …と～の間柄である	She *is* on friendly terms with them.
		彼女は彼らと親しい間柄だ。
	❷ in terms of ～ ～の観点から	We discussed the problem in terms of profits.
		私たちはその問題について利益の観点から議論した。

280

figure

名 ❶ 数字，数値，額
statistical figures
統計上の数字

❷ 金額，価格
the annual *sales* figures of the company
その会社の年間売上額

❸ 人物
one of the greatest figures in history
歴史上最も偉大な人物の1人

❹ 図；図形
the figures in the textbook
教科書の中の図

❺ (人の) 姿，人影
She saw a figure crossing the street.
彼女は通りを渡っている人影を見た。

動 (～だ) と思う，考える
She figured *that* the plan would work.
彼女は計画がうまくいくと思った。

成句 figure out ～
～を理解する
He couldn't figure out what I had said.
彼は私が言ったことを理解できなかった。

chance

名 ❶ 機会，チャンス
She gave us another chance *to answer*.
彼女は私たちに答える機会をもう一度くれた。

❷ 偶然
He met her *by sheer* chance.
彼は彼女に全くの偶然で出会った。

❸ 見込み，可能性
There is no chance *of* her winning the game.
彼女がその試合に勝つ見込みは全くない。

動 ❶ 〈+ to *do*〉
たまたま do する
She chanced *to witness* the accident.
彼女はたまたま事故を目撃した。

❷ 〈It を主語として〉
たまたま～が起こる
It chanced *that* they were on the same flight.
偶然彼らは同じ飛行機に乗っていた。

■ 重要な多義語・多品詞語

subject

名 **❶ 主題, テーマ, 話題**　the <u>subject</u> of his term paper
彼の学期末レポートの<u>主題</u>

❷ 科目, 教科　English is *my favorite* <u>subject</u>.
英語は私の大好きな<u>科目</u>だ。

❸ (王国・帝国の) 国民　all the <u>subjects</u> of the empire
その帝国の全<u>国民</u>

❹ (文の) 主語　the <u>subject</u> of the sentence
文の<u>主語</u>

形 **❶ (〜に)かかりやすい,**　He *is* <u>subject</u> *to* frequent colds.
(〜を)受けやすい　彼はよく風邪を<u>ひきやすい</u>。

❷ (〜に)支配されて　Everything *is* <u>subject</u> *to* the laws of
nature.
すべてのものは自然界の法則に<u>支配されている</u>。

rest

名 **❶ ⟨the +⟩残り, 余り**　*the* <u>rest</u> *of* her life
彼女の人生の<u>残り</u>の時間

❷ 休憩, 休み　He *took a* <u>rest</u>.
彼は<u>休憩</u>をとった。

❸ 停止, 静止　The truck crushed and *came to* <u>rest</u>.
トラックは衝突して<u>停止</u>した。

動 **❶ 休む, 休息する**　She lay down and <u>rested</u> for a while.
彼女は横になってしばらく<u>休んだ</u>。

❷ 〜を (…に) 乗せる　She <u>rested</u> her head *on* a pillow.
彼女は枕に頭<u>を乗せた</u>。

成句 **rest on 〜**　Their success <u>rests</u> *on* her efforts.
〜にかかっている　彼らの成功は彼女の努力に<u>かかっている</u>。

STAGE 5

入試頻出語②

国公立2次や私大上位校受験に向けた知識の基盤をつくるステージです。語義だけではなく，用例や定型句を意識し，それぞれの語を的確に用いることのできる十分な語い知識を身に着け，英語の運用力を高めましょう。

Unit 1

[動詞] 1 思考・認識・感情

1150 □ **grasp** B2
[græsp] グラスプ
[動] ～を理解する，把握する；～を握る
[名] 理解，把握；しっかりつかむこと

1151 □ **infer** B2
[ɪnfə́:r] インファー [ア]
[動] ～を推論する，推測する
▶ infer A from B [句] B から A を推論する

1152 □ **astonish** B2
[əstánɪʃ] アスタニッシュ
[動] ～を（ひどく）驚かせる，～をびっくりさせる
□ astonishment [名] 驚き

1153 □ **impress** A2
[imprés] インプレス
[動] ～を感銘させる，～に印象を与える
□ impression [名] 印象，感動
□ impressive [形] 印象的な，感動させる

1154 □ **comprehend**
[kàmprɪhénd] カンプリヘンド [ア]
[動] ～を理解する，～を把握する；～を包含する
□ comprehension [名] 理解
□ comprehensive [形] 包括的な

1155 □ **shed** B2
[ʃéd] シェド
[動]（血・涙）を流す，（光・熱）を発する；～を取り除く
[活用] shed - shed - shed

1156 □ **thrill** B2
[θríl] スリル [発]
[動] ～をわくわくさせる；感動する，興奮する
[名] スリル，わくわくする感じ
□ thrilled [形] わくわくした

1157 □ **speculate**
[spékjəlèɪt] スペキャレイト
[動] いろいろと考える，推測する
[イメージ] 根拠も知識もなく，あれこれ考える。
□ speculátion [名] 考えをめぐらすこと，憶測

1158 □ **envy** B2
[énvɪ] エンヴィ
[動] ～をうらやましがる，ねたむ
[名] ねたみ，嫉妬
□ envious [形] ねたましい

1159 □ **offend** B2
[əfénd] オフェンド
[動] ～の気分を害する，～を怒らせる
□ offense [名] 罪，違反；気分を害すること；攻撃
□ offensive [形] 侮辱的な；攻撃的な

1160 □ **deceive** B2
[disí:v] ディスィーヴ
[動] ～をだます，～を欺く
□ deception [名] だますこと

The students failed to grasp what the teacher was saying.	学生たちは教師が言っていることを理解できなかった。
It can be inferred *that* she is ignorant of the rules.	彼女が規則を知らないことが推測できる。
The news astonished everybody.	そのニュースは皆を驚かせた。
We *were* all impressed *with* her talent.	私たちは皆彼女の才能に感銘を受けた。
She couldn't comprehend her boss's intention.	彼女は上司の意図を理解できなかった。
The boy was shedding tears.	少年は涙を流していた。
Their performance thrilled spectators.	彼らの演技は観客をわくわくさせた。
They speculated *on* the health of the princess.	彼らは王女の健康についていろいろと考えた。
I envy him his wealth.	私は彼の裕福さがうらやましい。
She *was* offended by her co-worker's rude remark.	彼女は同僚の無礼な発言に気分を害した。
He deceived me *into believing* his lies.	彼は私をだまして嘘を信じ込ませた。

Unit 1 [動詞] [2] 評価・判断

1161 □ **dismiss** B2 [dɪsmís] ディスミス

[動] ～を解散させる，～を解雇する；～を退ける

[イメージ] 「外へ (dis-)」＋「送る (-miss)」で「終わりにする」。

□ dismissal [名]解雇；無視

1162 □ **precede** B2 [prɪsíːd] プリスィード

[動] ～に先行する；～の前に来る；～より重要である

□ preceding [形]前の，先立つ

□ précedence [名]優先，先立つこと

□ précedent [名]先例，前例

1163 □ **elect** B2 [ɪlékt] イレクト

[動] ～を選挙する；～を選抜する，～を選ぶ

□ election [名]選挙

1164 □ **tolerate** B2 [tάlərèɪt] タラレイト [ア]

[動] ～を許容する，(大目に見て) 許す

□ tolerance [名]寛容 □ tolerant [形]寛容な

1165 □ **scold** B1 [skóuld] スコウルド

[動] ～を叱る

▶ scold A for B [句]B のことで A を叱る

1166 □ **bless** B1 [blés] ブレス

[動] ～に恩恵を与える

▶ *be* blessed with ～ [句]～に恵まれている

□ blessing [名]ありがたいもの；祝福

1167 □ **overtake** B2 [òuvərtéɪk] オウヴァテイク [ア]

[動] ～を追い越す；(恐怖などが) ～を急に襲う

[活用] overtake - overtook - overtaken

1168 □ **congratulate** B1 [kəngrǽtʃəlèɪt] カングラチャレイト [ア]

[動] ～を祝う，～に祝いの言葉を述べる

[イメージ] 一緒になって喜び合う。

▶ congratulate A on B [句]B のことで A を祝う

□ congratulátion [名]祝い (の言葉)

1169 □ **opt** [άpt] アプト

[動] 選ぶ，選択する

□ option [名]選択，選択肢

1170 □ **supervise** B2 [súːpərvàɪz] スーパァヴァイズ [ア]

[動] ～を監督する，管理する

□ supervísion [名]監督，管理

1171 □ **gauge** [géɪdʒ] ゲイジ [発]

[動] ～を (計器で) 測定する，計測する

[名] 計器

They dismissed her proposal *as* unrealistic.	彼らは彼女の提案を非現実的だとして退けた。
His speech *was* preceded by a toast.	彼のスピーチの前に乾杯が行われた。
She *was* elected *mayor* of the city.	彼女はその市の市長に選ばれた。
She couldn't tolerate her husband's carelessness.	彼女は夫の不注意を許すことができなかった。
John *was* scolded *for* breaking his promise.	ジョンは約束を破ったことで叱られた。
He *is* blessed *with* good friends.	彼はよい友だちに恵まれている。
The runner *was* soon overtaken by her rivals.	そのランナーはすぐにライバルたちに追い抜かれた。
We congratulated her *on* her promotion.	私たちは彼女の昇進を祝った。
My son opted *to major* in physics.	私の息子は物理学を専攻することを選んだ。
He is supervising a team of researchers.	彼は研究者のチームを監督している。
They gauged the wind speed.	彼らは風速を測定した。

5

Unit 1 動詞 3 提供・利用・指導

1172
B2
instruct
[ɪnstrʌ́kt] インストラクト

動 ~を指示する，~に教える
語源 中に (in-) ＋築く (-struct)。
□ instruction 名指示，指導；〈-s〉使用説明（書）

1173
B2
interfere
[ìntərfíər]
インタァフィア 🅐

動 〈＋ with ~〉(~の) 邪魔をする，妨げる；〈＋ in ~〉(~に) 干渉する
▶ interfere with ~ 句 ~の邪魔をする
□ interference 名妨害，干渉

1174
B2
submit
[səbmít] サブミット

動 ~を提出する，提示する；〈＋ to ~〉(~に) 服従する，屈服する
語源 下に (sub-) ＋置く (-mit)。
□ submission 名提出

1175
B2
donate
[dóunèit]
ドウネイト 🅐

動 ~を寄付する，~を贈与する；(臓器) を提供する
□ donátion 名寄付；提供
□ donor 名 (臓器などの) 提供者

1176
foster
[fɔ́:stər] フォースタ

動 ~を育成する，育む；~を養育する
形 (血縁ではなく) 養育による
▶ a foster parent 句育ての親

1177
B2
exploit
[ɪksplɔ́it] イクスプロイト

動 ~を (利己的に) 利用する；~を搾取する；(資源など) を開発する
□ exploitátion 名 (利己的な) 利用；開発

1178
B1
appoint
[əpɔ́int] アポイント

動 ~を指名する；(日時) を決める，指定する
イメージ ある1つの点 (point) を指示して決める。
□ appointment 名約束，(診察などの) 予約；任命
TIPS appointment は面会・診察などの「予約」。promise は必ずするという意思表明としての「約束」。

1179
accommodate
[əkámədèit]
アカマデイト 🅐

動 ~を宿泊させる，~を収容する；~に対応する
□ accommodátion 名宿泊施設

1180
B1
heal
[hí:l] ヒール

動 ~を治す，癒す；癒える，治る
□ healing 形治療の 名治療，癒し

I <u>instructed</u> her *how to use* the device.	私は彼女にその装置の使い方を<u>教えた</u>。
The noise <u>interfered</u> *with* her study.	騒音が彼女の勉強の<u>邪魔をした</u>。
You must <u>submit</u> the term paper by the deadline.	学期末レポートを期限までに<u>提出し</u>なさい。
He <u>donated</u> a large sum of money *to* the local charity.	彼は多額のお金を地元の慈善団体に<u>寄付した</u>。
The manager <u>fostered</u> good relations with his players.	監督は選手たちとよい関係を<u>育んだ</u>。
The country tried to <u>exploit</u> its natural resources.	その国は天然資源を<u>開発し</u>ようとした。
The prime minister <u>appointed</u> her defense minister.	首相は彼女を防衛大臣に<u>指名した</u>。
The auditorium <u>accommodates</u> more than 500 people.	講堂は 500 人以上の人を<u>収容する</u>。
This ointment will help <u>heal</u> skin problems.	この軟膏は肌のトラブルを<u>治す</u>のに役立つだろう。

5

1181 **disclose**
[dɪsklóuz] ディスクロウズ
[動] (事実・秘密など)を明かす，公開する (≒ reveal)
[イメージ] 閉じて (-close) いたものを開いて，中を示す。
□ disclosure [名]公表，公開

1182 **boast**
B1
[bóust] ボウスト
[動] (～を) 自慢する，鼻にかける
▶ boast of [about] ～ [句]～を自慢する
[名] 自慢(のもの)

1183 **depict**
[dɪpíkt] ディピクト
[動] ～を描写する，～を表現する
□ depiction [名]描写，表現

1184 **whisper**
B2
[(h)wíspər] ウィスパァ
[動] (～を) ささやく，内緒話をする
[名] ささやき，小声

1185 **contradict**
B2
[kὰntrədíkt] カントラディクト [ア]
[動] ～と矛盾する；～を否定する
[語源] 反対にして (contra-) ＋言う (-dict)。
□ contradiction [名]矛盾；否定
□ contradictory [形]矛盾する

1186 **beg**
A2
[bég] ベッグ
[動] (～を) 懇願する，頼む；(金・食料などを) 乞う
▶ beg O to *do* [句]O に do してくれと頼む
□ beggar [名]物乞い

1187 **edit**
B2
[édɪt] エディット [ア]
[動] ～を編集する
□ edítion [名] (本などの) 版
□ editórial [形]編集上の [名] (新聞の) 社説，論説

1188 **confess**
B2
[kənfés] カンフェス [ア]
[動] (過ち・罪を) 告白する，白状する，認める
[イメージ] 隠していたことをあえて口にして明かす。
▶ confess to *doing* [句]do したことを白状する
□ confession [名]告白，白状

1189 **utter**
B2
[ʌ́tər] アタァ
[動] (声) を発する，(言葉) を口に出す
[形] 全くの，完全な
□ utterance [名]発言，発話
□ utterly [副]全く，完全に

He <u>disclosed</u> the secret *to* his friend.	彼は秘密を友人に<u>明かした</u>。
She is always <u>boasting</u> *of* her talent.	彼女はいつも自分の才能を<u>自慢して</u>いる。
The movie <u>depicts</u> the singer's life quite vividly.	映画はその歌手の人生をとても生き生きと<u>描いて</u>いる。
She <u>whispered</u> something *to* the man sitting next to her.	彼女は隣に座っている男性に何かを<u>ささやいた</u>。
His actions <u>contradict</u> his words.	彼の行動は彼の言葉と<u>矛盾して</u>いる。
I <u>begged</u> him *to think* about my request.	私は彼に依頼について考えてほしいと<u>頼んだ</u>。
He skillfully <u>edited</u> the movie.	彼は巧みに映画を<u>編集した</u>。
She <u>confessed</u> *to cheating* on the exam.	彼女は試験でカンニングをしたことを<u>認めた</u>。
She did not <u>utter</u> a single word during the discussion.	彼女は話し合いの間一言も<u>発し</u>なかった。

STAGE 5

Unit 1 [動詞] [5] 変化・変更 (1)

1190 □ **accelerate** [ækséləreɪt] アクセラレイト [ア]

[動] ～を速める，～を加速させる；～を促進する
(⇔ decelerate ～を減速する)
□ accelerátion [名] 加速；増大，促進

1191 □ **simplify** B1 [símpləfàɪ] スィンプラファイ

[動] ～を単純にする，簡単にする，簡略化する
□ simplificátion [名] 単純化，簡素化

1192 □ **diminish** [dɪmínɪʃ] ディミニッシュ [ア]

[動] 減少する；減退する；～を減らす，軽減する
□ diminútion [名] 減少，縮小

1193 □ **explode** B2 [ɪksplóʊd] イクスプロウド

[動] 爆発する；激怒する；～を爆発させる
□ explosion [名] 爆発
□ explosive [形] 爆発(性)の [名] 爆発物

1194 □ **convert** B2 [kənvə́ːrt] カンヴァート [ア]

[動] ～を変える，～を改造する；～を改宗させる
[イメージ] 用途や目的に合うようにすっかり変えてしまう。
□ conversion [名] 変換，転換

1195 □ **lessen** B1 [lésn] レスン

[動] ～を少なくする，～を軽減する；減少する
([同音] lesson)

1196 □ **reinforce** B2 [riːɪnfɔ́ːrs] リーインフォース [発]

[動] ～を強化する，補強する
□ reinforcement [名] 強化，補強

1197 □ **digest** B2 [daɪdʒést] ダイジェスト [ア]

[動] ～を消化する；～を理解する
[名] [dáɪdʒest] 要約，ダイジェスト
□ digestion [名] 消化；理解 □ digestive [形] 消化の
▶ a digestive organ [句] 消化器官

1198 □ **update** B1 [ʌ̀pdéɪt] アップデイト [ア]

[動] ～を更新する，改訂する，最新の状態にする
[名] [ʌ́pdeɪt] 更新，最新情報

1199 □ **rob** A2 [rɑ́b] ラブ

[動] ～から (…を) 奪う，強奪する；強盗に入る
▶ rob A of B [句] A から B を奪う
[入試] steal B from A「A から B を (こっそり) 盗む」と区別する。

1200 □ **accumulate** B2 [əkjúːmjəlèɪt] アキューミャレイト

[動] ～を蓄積する，～をためる；たまる
□ accumulátion [名] 蓄積
[イメージ] 長期間にわたって少しずつたまっていく。

The measures will <u>accelerate</u> the economic growth.	その方策は経済の成長を<u>加速させる</u>だろう。
The professor <u>simplified</u> the explanation for his students.	その教授は学生のために説明を<u>単純にした</u>。
Our profit has gradually been <u>diminishing</u>.	我々の利益は次第に<u>減少してきている</u>。
A bomb <u>exploded</u> in that building.	その建物内で爆弾が<u>爆発した</u>。
He <u>converted</u> a barn *into* a garage.	彼は納屋を車庫に<u>変えた</u>。
This medicine will <u>lessen</u> the pain.	この薬で痛みが<u>和らぐ</u>でしょう。
The government <u>reinforced</u> restrictions on exports to that country.	政府はその国への輸出規制を<u>強化した</u>。
These foods are easy to <u>digest</u>.	これらの食品は<u>消化し</u>やすい。
The airline <u>updated</u> the flight information.	航空会社はフライト情報を<u>更新した</u>。
The man <u>robbed</u> the store *of* its safe.	男は店<u>から</u>金庫を<u>奪った</u>。
He has already <u>accumulated</u> a large sum of money.	彼はすでに多額のお金を<u>ためている</u>。

5

1201 □ B2	**postpone** [pous(t)póun] ポウス(ト)ポウン	動 ~を延期する，後に延ばす (≒ put off) 語源 うしろへ（post-）＋置く（-pone）。 □ postponement 名 延期
1202 □ B1	**delete** [dɪlíːt] ディリート	動 ~を削除する，~を抹消する □ deletion 名 削除
1203 □ B1	**crush** [krʌ́ʃ] クラッシュ	動 ~を押しつぶす，~を砕く；~を壊滅させる TIPS crash は「衝突する, 墜落する」。clash は「意見が対立する」。 名 押しつぶすこと；大混雑，雑踏
1204 □	**thrive** [θráɪv] スライヴ	動 繁栄する，栄える；(動植物が) 育つ ▶ thrive on ~ 句 ~で栄える
1205 □	**flourish** [fláːrɪʃ] フラーリッシュ	動 繁栄する，栄える；(草木が) 繁茂する
1206 □ B1	**enrich** [ɪnrítʃ] インリッチ	動 (心など) を豊かにする，(香・味など) を高める □ enrichment 名 豊かにすること，充実
1207 □ B2	**disguise** [dɪsgáɪz] ディスガイズ	動 ~を変装させる；(事実など) を偽る，隠す ▶ be disguised [disguise *oneself*] 句 変装する 名 変装；見せかけ ▶ in disguise 句 変装して，変装した
1208 □ B2	**snap** [snǽp] スナップ	動 ぷっつり切れる；かちっと閉まる [開く] 名 かちり [ぱちん] という音
1209 □	**undermine** [ʌ̀ndərmáɪn] アンダァマイン	動 ~を徐々に弱らせる，~をむしばむ イメージ 下に穴を掘って土台を弱くする。
1210 □ B1	**devastate** [dévəstèɪt] デヴァステイト 🅐	動 ~を壊滅する；~をひどく落胆させる □ devastátion 名 壊滅；精神的動揺
1211 □	**erase** [ɪréɪs] イレイス	動 ~を消す，消去する，削除する □ eraser 名 消しゴム (《英》rubber)

They had to <u>postpone</u> the match due to rain.	彼らは雨のため試合を<u>延期</u>しなければならなかった。
He <u>deleted</u> many old files *from* his computer.	彼はコンピュータから多くの古いファイルを<u>削除</u>した。
He <u>crushed</u> a walnut with his bare hands.	彼は素手でクルミを<u>砕</u>いた。
The movie industry in our country is <u>thriving</u>.	わが国の映画産業は<u>栄</u>えている。
The city <u>flourished</u> for centuries.	その都市は何世紀にもわたって<u>繁栄した</u>。
Traveling will <u>enrich</u> your life.	旅行はあなたの人生を<u>豊かにする</u>。
She *was* <u>disguised</u> *as* a police officer.	彼女は警察官に<u>変装</u>していた。
Her patience finally <u>snapped</u>.	彼女の忍耐もついに<u>切</u>れた。
Stress <u>undermines</u> our health in many ways.	ストレスは多くの点で私たちの健康を<u>むしばむ</u>。
The civil war <u>devastated</u> the country's infrastructure.	内戦はその国の社会基盤を<u>壊滅させた</u>。
He tried in vain to <u>erase</u> the memory of his ex-girlfriend.	彼は前の彼女の記憶を<u>消</u>そうとしたが無駄だった。

STAGE 5

Unit 1 [動詞] 7 存在・持続・保持

1212 □ **yield** B2
[jíːld] イールド
[動] ～を生む，産出する；屈服する，譲歩する
▶ yield to ～ [句] ～に屈する，負ける
[名] 産出（高），収穫（量）

1213 □ **fade** B1
[féɪd] フェイド
[動]（光・音が）消えていく（≒ fade away, disappear）；（力などが）衰える

1214 □ **vanish** B2
[vǽnɪʃ] ヴァニシュ
[動] 突然消える（≒ disappear）；消滅する
[イメージ] 突然跡形もなく消えて，わけがわからない。

1215 □ **reproduce** B1
[rìːprəd(j)úːs] リープラデュース
[動] ～を再生する；繁殖する
□ reprodúction [名] 再生；繁殖
[イメージ] 繰り返し生み出す。

1216 □ **inhabit** B2
[ɪnhǽbɪt] インハビット [ア]
[動] ～に住む，～に居住する；～に生息する
[TIPS] 〈場所＋ inhabited by ＋人・動物〉もよく用いられる。
□ inhabitant [名] 住民；生息動物

1217 □ **starve** B2
[stáːrv] スターヴ
[動] 餓死する，空腹である；～を餓死させる
[発信] I'm starving. 腹ぺこだよ。
□ starvátion [名] 餓死；飢餓

1218 □ **conserve**
[kənsə́ːrv] コンサァーヴ
[動] ～を保護する；～を節約する
□ conservátion [名] 保護，保全；節約
□ conservative [形] 保守的な

1219 □ **prolong**
[prəlɔ́(ː)ŋ] プロロ（ー）ング
[動] ～を長引かせる，～を延長する
□ prolongátion [名] 延長

1220 □ **revive** B2
[rɪváɪv] リヴァイヴ
[動] ～を生き返らせる；～を復活させる；復興する
□ revival [名] 復活，再生

1221 □ **dwell**
[dwél] ドゥウェル
[動] 住む，居住する
[活用] dwell - dwelt [dwelled] - dwelt [dwelled]
▶ dwell on ～ [句] ～を長々と話す

1222 □ **coincide** B2
[kòuɪnsáɪd] コウインサイド [ア]
[動] 同時に起こる；（意見などが）一致する
□ coíncidence [名] 偶然の一致，同時発生
□ coincidéntal [形] 同時の

This business <u>yields</u> much profit.	この商売は多くの利益を<u>生む</u>。
The light <u>faded</u> into darkness.	光は<u>消えて</u>真っ暗になった。
The ghost suddenly <u>vanished</u>.	幽霊は突然<u>消えた</u>。
Not all plants <u>reproduce</u> by producing seeds.	すべての植物が種子を作ることで<u>繁殖する</u>わけではない。
This insect <u>inhabits</u> certain areas of the island.	この昆虫は島の特定の地域に<u>生息している</u>。
A lot of people are <u>starving</u> in that country.	その国では多くの人々が<u>餓死している</u>。
We must <u>conserve</u> the natural habitat of that species.	私たちはその種の自然生息地を<u>保護し</u>なければならない。
A big disagreement <u>prolonged</u> the meeting.	大きな意見の不一致が会議を<u>長引かせた</u>。
It took a long time to <u>revive</u> the country after the war.	戦後，その国を<u>復活させる</u>には長い時間がかかった。
The hunter <u>dwells</u> *in* the mountains.	その猟師は山の中に<u>住んでいる</u>。
The two accidents happened to <u>coincide</u> *with* each other.	その2つの事故はたまたま<u>同時に起こった</u>。

STAGE 5

Unit 1 [動詞] 8 関係・性質・操作・配置

1223 **incline**
[ɪnkláɪn] インクライン

[動] (心が) 傾く；～を傾ける；～したい気にさせる
▶ *be* inclined to *do* [句] ～する傾向がある [気である]
□ inclinátion [名] 意向，したいという気持ち

1224 **drain**
B2
[dréɪn] ドレイン

[動] ～の水を抜く，～を排水する
[名] 排水管，排水口

1225 **incorporate**
[ɪnkɔ́ːrpərèɪt]
インコーパレイト [ア]

[動] ～を組み込む，(～を) 合併する
□ incorporátion [名] 合併，合同；法人

1226 **disrupt**
B2
[dɪsrʌ́pt] ディスラプト

[動] ～を混乱させる，～を中断させる
□ disruption [名] 混乱，中断

1227 **enroll**
B2
[ɪnróʊl] インロウル

[動] 登録する，入学する；～を登録させる
▶ enroll in [on] ～ [句] ～に登録する
□ enrollment [名] 登録，入会；登録数

1228 **underlie**
[ʌ̀ndərláɪ] アンダァライ

[動] ～の基礎にある，根底にある
[活用] underlie - underlay - underlain

1229 **manipulate**
B2
[mənípjəlèɪt]
マニピャレイト [ア]

[動] ～を操作する，巧みに扱う，操る
[イメージ] しばしば悪い意味で「自分の都合のいいように操作する」。
□ manipulátion [名] (巧みな) 操作

1230 **differentiate**
[dɪfərénʃièɪt]
ディファレンシエイト [ア]

[動] ～を区別する，～を識別する (≒ distinguish)
▶ differentiate A from B [句] A を B と区別する
□ differentiátion [名] 区別

1231 **coordinate**
[koʊɔ́ːrdənèɪt]
コウオーダネイト [発]

[動] ～を調和させる；～を協調させる；協調する
[名] [koʊɔ́ːrdənɪt] 〈-s〉 (服などの) コーディネート
□ coordinátion [名] 調和，協力；連動

1232 **infect**
B2
[ɪnfékt] インフェクト

[動] ～を感染させる，(病気) をうつす
□ infection [名] 感染 (症)
□ infectious [形] 伝染性の，感染性の

1233 **unify**
B1
[júːnəfàɪ] ユーナファイ

[動] ～を統一する，一体化する
□ unificátion [名] 統一

He <u>inclines</u> *to* the view that she is right.	彼は彼女が正しいという考えに<u>傾いている</u>。
He <u>drained</u> the bathtub after taking a bath.	彼は入浴の後に，バスタブの<u>水を抜いた</u>。
This laptop <u>incorporates</u> a video camera and video editing software.	このノートパソコンはビデオカメラと編集ソフトを<u>組み込んでいる</u>。
Her inconsiderate remark <u>disrupted</u> the meeting.	彼女の気配りのない発言が会議を<u>混乱させた</u>。
She <u>enrolled</u> *in* the applied chemistry class.	彼女は応用化学の授業に<u>登録した</u>。
Poverty <u>underlies</u> many global problems.	貧困は世界の多くの諸問題の<u>根底にある</u>。
The government tried to <u>manipulate</u> public opinion.	政府は世論を<u>操作し</u>ようとした。
He can't even <u>differentiate</u> lettuce *from* cabbage.	彼はレタスをキャベツと<u>区別する</u>こともできない。
He found it difficult to <u>coordinate</u> *with* other club members.	彼は他の部員と<u>協調する</u>のが難しいとわかった。
A lot of people *are* <u>infected</u> *with* that virus.	たくさんの人がそのウィルスに<u>感染している</u>。
It took long before the two countries *were* <u>unified</u>.	その両国が<u>統一される</u>までには長くかかった。

1234 ☐ B2	**inherit** [ɪnhérɪt] インヘリット	動 ～を引き継ぐ；(財産) を相続する；～を遺伝で受け継ぐ ☐ inheritance 名遺産；相続；遺伝
1235 ☐ B2	**tackle** [tǽkl] タクル	動 (問題など) に取り組む；(人) と話し合う 入試 tackle ＋人＋ about ～「人と～について話し合う」は和訳で問われる。 名 (ラグビーなどの) タックル
1236 ☐ B2	**transmit** [trænsmít, trænz-] トランスミット 発	動 ～を伝達する，送信する；～を伝染させる ☐ transmission 名伝達；送信，放送
1237 ☐ B2	**sweep** [swíːp] スウィープ	動 ～を掃く，掃除する；一掃する 活用 sweep - swept - swept 名 勢いよく動かすこと；(シリーズでの) 全勝；圧勝 ☐ sweeping 形広範囲に及ぶ，全面的な
1238 ☐ B2	**descend** [dɪsénd] ディセンド	動 (～を) 降りる，下る (⇔ ascend 上る)；(子孫に) 伝わる ▶ in descending order 句降順に ☐ descendant 名子孫 (⇔ ancestor 先祖)
1239 ☐ B2	**enforce** [ɪnfɔ́ːrs] インフォース	動 ～を実施する，施行する；(規則など) を強制する ☐ enforcement 名施行
1240 ☐ B2	**wipe** [wáɪp] ワイプ	動 ～を拭く，拭う，拭き取る 名 拭くこと，拭うこと
1241 ☐ B2	**bark** [báːrk] バーク	動 ほえる；怒鳴る 名 ほえ声，叫び声；木の皮
1242 ☐ B2	**commute** [kəmjúːt] カミュート	動 通勤する，通学する ☐ commuter 名通勤者，通学者
1243 ☐ B2	**carve** [káːrv] カーヴ	動 ～を彫る；(肉を) を切り分ける
1244 ☐ B1	**drag** [drǽg] ドラッグ	動 ～を引っ張る，～を引きずる；のろのろと進む

He inherited a large property.	彼は広い地所を相続した。
She tackled the problem of cost reduction.	彼女はコスト削減の問題に取り組んだ。
He transmitted the data online.	彼はオンラインでデータを送信した。
The boy swept the floor with a broom.	少年はほうきで床を掃いた。
I heard someone descending the stairs.	誰かが階段を下りてくるのが聞こえた。
The government strictly enforced the new law.	政府は厳格に新しい法律を施行した。
The girl wiped the sand *off* her face.	少女は顔の砂を拭いた。
The dog barked *at* the neighbors.	その犬は隣人に向かってほえた。
I'm tired of commuting *to* work by train.	私は職場に電車で通勤するのにうんざりしている。
He carved his name on the tree.	彼はその木に自分の名前を彫った。
The boys were dragging a sled behind them.	少年たちは後ろにそりを引きずっていた。

1245 ☐ B2	**lean** [líːn] リーン	動 傾く，~にもたれる；~をもたれさせる，~を傾ける 形 やせ型の；(肉が) 脂身の少ない
1246 ☐ B1	**leap** [líːp] リープ	動 跳ぶ，飛び跳ねる；さっと動く；急上昇する 活用〉leap - leaped [leapt] - leaped [leapt] 名 跳ぶこと，跳躍；躍進
1247 ☐ B2	**extract** [ɪkstrǽkt] イクストラクト 発 ア	動 ~を引き抜く；~を抽出する 名 [ékstrækt] 引用，抜粋；抽出物，エキス ☐ extráction 名抽出；抜き取り
1248 ☐ B2	**soar** [sɔ́ːr] ソーア	動 急に上がる，急騰する；舞い上がる
1249 ☐ A2	**invade** [ɪnvéɪd] インヴェイド	動 ~を侵略する；~を侵害する ☐ invasion 名侵入；侵害 ☐ invasive 形 (治療などが) 侵襲的な
1250 ☐ B2	**bully** [búlɪ] ブリィ	動 ~をいじめる 名 いじめっ子
1251 ☐ B1	**seize** [síːz] スィーズ 発	動 ~を (突然) つかむ，つかみ取る，捕える ☐ seizure 名没収，差し押さえ；占領，掌握
1252 ☐ B1	**drift** [drɪ́ft] ドリフト	動 漂う，漂流する；~を漂流させる 名 移動；変化；漂流
1253 ☐	**sting** [stíŋ] スティング	動 ~を刺す；~を苦しませる；ひりひりする 活用〉sting - stung - stung 名 刺された傷；(ハチなどの) 針；痛み
1254 ☐ B1	**twist** [twíst] トゥウィスト	動 ~をひねる，ねじる；よじれる 名 ひねり，ねじり
1255 ☐ B2	**navigate** [nǽvəgèɪt] ナヴァゲイト ア	動 ~を操縦する；~を誘導する；~を航行する ☐ navigátion 名航行 (術)，(船・車などの) 誘導
1256 ☐ B1	**curve** [kɔ́ːrv] カーヴ	動 ~を曲げる；曲がる 名 曲線，カーブ

She was leaning *against* the wall.	彼女は壁にもたれかかっていた。
The boy leaped *over* the log.	少年は丸太を跳び越えた。
I had a wisdom tooth extracted by the dentist.	私は親知らずを歯医者に抜いてもらった。
Prices are soaring.	物価が急に上がっている。
The troops invaded the neighboring country.	軍隊は隣国を侵略した。
Bullying at school should be severely punished.	学校でのいじめは厳しく罰せられるべきだ。
Bob seized her *by* the wrist.	ボブは彼女の手首をつかんだ。
A raft was drifting *on* the lake.	いかだが湖を漂っていた。
A bee stung her arm.	ミツバチが彼女の腕を刺した。
He twisted his ankle while playing tennis.	彼はテニスをしているときに足首をひねった。
The tanker was able to navigate the canal.	タンカーは運河を航行することができた。
The river curves to the left.	川は左へ曲がっている。

1257
□ **plantation**
[plæntéɪʃ(ə)n]
プランテイシ ョン

图 大農園，大農場；栽培地；入植地
TIPS〉特に熱帯地方の大規模なもの。

1258
□ **wilderness**
B2
[wíldərnəs]
ウィルダァネス 発

图 荒野，荒地；原野
□ wild　形野生の；乱暴な

1259
□ **iceberg**
[áɪsbə̀ːrg] アイスバーグ

图 氷山
▶ a tip of an iceberg　句 (比喩的に) 氷山の一角

1260
□ **wheat**
B2
[(h)wíːt] ウィート

图 小麦
cf. barley 图大麦　flour 图小麦粉

1261
□ **weed**
B2
[wíːd] ウィード

图 雑草；海藻，藻
cf. seaweed 图海藻（食用のものは sea vegetable とも言う）

1262
□ **ecology**
B1
[ɪkáləʤi] イカロジ

图 生態系；生態学
語源〉「住む場所 (eco-)」について「語る (-logo)」こと。
□ ecological　形生態系の，生態学の；環境保護の

1263
□ **bloom**
A2
[blúːm] ブルーム

图 花，花盛り
▶ in full bloom　句満開で

1264
□ **rubbish**
B1
[rʌ́bɪʃ] ラビシュ

图 くず，がらくた，ごみ；くだらないこと
TIPS〉rubbish は主に《英》で用いる。《米》では trash, garbage。

1265
□ **peninsula**
[pɪnínsələ]
ピニンサラ

图 半島
cf. the Arabian Peninsula　句アラビア半島

1266
□ **deforestation**
B2
[dìːfɔ(ː)rɪstéɪʃ(ə)n]
ディーフォ(ー)リステイション

图 森林破壊，森林伐採
cf. afforestation 图植林

1267
□ **reptile**
[répt(ə)l] レプタル

图 は虫類(の動物)
cf. mammal 图哺乳類，哺乳動物

学習アプリ「いいずなラボ 参考書・問題集版」

「いいずなラボ」は学習をサポートするためのアプリです

フラッシュカード、リスニング、問題演習などの機能があります。ほかにも正答率のわかる学習進捗表、全国の学習者におけるランキング機能など、様々な側面から学習をサポートします。
※アプリの機能は教材により異なります。

● 無料 ※通信料は別途かかります。
● 利用にはパスワード認証が必要です。
　パスワードは、各教材内に記載されている単語です。
　該当の単語を入力すると認証に成功します。

Android版　　　　iOS版

〈英語 問題演習画面例〉　〈国語 問題演習画面例〉　〈進捗表画面例〉

スマホを使って
著者みずか

AR
スマホで動画にリンク

My father
p.m.

ⓧ is coming　②

使い方は簡単!

①無料アプリをダウンロード
App StoreまたはGoogle Playを開き、cp clickerと検
または下記QRコードからアプリをインストールします。

②スマホ・タブレットを本にかざす
アプリを立ち上げ、各教材にある **AR** のマーク付近にスマホ・タブレ
スマホ・タブレットは、紙面から10cm～15cmほど離して読み取りたい
てください。

③動画が始まります
画面が変わったら動画が始まります。

講義動画は、弊社HPまたは学習アプリ「いいずなラボ 参考書・問題集版」
からもご覧頂けます。

Android版　　　iOS

すべて無

モ

笑えること、ホ
話題はありません
● 迷解答・珍解答
● 授業中や試験で
● 恥ずかしい勘違い

みなさんの投稿を
当社発行書籍には
全国のすべての学
さんに、そして先生た
りする時間」をお届け

いいずな書店ホーム
こりタイム投稿フォー
応募ください。アクセス
QRコードを読み取っ
くか、「いいずな
書店ほっこりタ
イム」で検索して
ください。

☆優秀(?)作品は、「しおり」
ムページに掲載し、賞品と
カードネットギフト500円分
げます。
☆「しおり」やホームペー
載の際は、学校名(職業
は匿名とさせていただ

the people working at the rubber <u>plantation</u>	ゴムの<u>大農園</u>で働く人々
the preservation of the pristine <u>wilderness</u>	手つかずの<u>原野</u>の保存
a giant <u>iceberg</u> in the Antarctic	南極の巨大な<u>氷山</u>
the annual harvest of <u>wheat</u>	<u>小麦</u>の年間収穫高
a flower bed overgrown with <u>weeds</u>	<u>雑草</u>のはびこった花壇
the delicate balance of <u>ecology</u>	<u>生態系</u>の微妙なバランス
cherry blossoms *in full* <u>bloom</u>	<u>満開</u>の桜の花
trucks collecting <u>rubbish</u>	<u>ごみ</u>を収集しているトラック
the steep cliff at the end of the <u>peninsula</u>	<u>半島</u>の先端にある険しい崖
progressing <u>deforestation</u> of the rainforest	雨林の進行する<u>森林破壊</u>
the differences between <u>reptiles</u> and amphibians	<u>は虫類</u>と両生類の違い

5

1268 ☐ **penalty** B2
[pén(ə)lti] ペヌルティ [ア]
[名] 刑罰；罰金；報い
☐ penalize [動]～を処罰する
cf. fine [名]罰金 [動]～に罰金を科す

1269 ☐ **prison** B1
[príz(ə)n] プリズン
[名] 刑務所，拘置所 (≒ jail)
☐ prisoner [名]囚人；(戦争の) 捕虜

1270 ☐ **poll**
[póul] ポウル
[名] 投票；投票数；〈opinion ～〉世論調査
[動] ～に聞き取り調査をする

1271 ☐ **refugee** B2
[rèfjudʒí:] レフュジー [ア]
[名] 難民，避難者，亡命者
▶ refugee camp [句]難民キャンプ
☐ réfuge [名]避難；避難所

1272 ☐ **census**
[sénsəs] センサス
[名] 人口調査，国勢調査

1273 ☐ **treaty** B2
[trí:tɪ] トリーティ
[名] 条約，盟約；合意，契約

1274 ☐ **nationality** A1
[næʃ(ə)nǽləti] ナシャナリティ
[名] 国籍；国民；国民性
▶ dual nationality [句]二重国籍
☐ nátional [形]国家の，国民の

1275 ☐ **abuse** B2
[əbjú:s] アビュース [発]
[名] 虐待；乱用，悪用
[語源] 誤った (ab-) ＋扱い方 (-use)。
[動] [əbjú:z] ～を虐待する；～を悪用する
☐ abusive [形]虐待する，口汚い

1276 ☐ **cabinet** B2
[kǽbɪnɪt] キャビニット
[名] (集合的に) 閣僚；(飾り) 戸棚
[語源] 部屋 (cabin) ＋小さな (-et)。

1277 ☐ **humankind** B1
[hjú:mənkàɪnd] ヒューマンカインド
[名] (集合的に) 人類，人間 (≒ mankind)
[TIPS] mankind は "man (男性)" から性差別と見なされることがあるので，humankind や human beings などを用いる傾向がある。

a *heavy* penalty imposed on the company	その企業に科された重い処罰
an escape from prison	刑務所からの脱走
an *opinion* poll *conducted* before the election	選挙の前に実施された世論調査
the acceptance of refugees from abroad	海外からの難民の受け入れ
a nationwide census *conducted* every 10 years	10年ごとに行われる全国規模の国勢調査
an agreement to *conclude a peace* treaty	平和条約を締結する合意
people of various nationalities	さまざまな国籍の人々
the social issue of *child* abuse	児童虐待という社会問題
the resignation of the whole cabinet	全閣僚の辞任
problems common to all humankind	全人類に共通の問題

Unit 2

[名詞] 3 国家・社会・政治・法律 (2)

1278 □ **parliament** B2
[pɑ́ːrləmənt] パーラマント [発]
[名] 〈P-〉(英国などの) 国会，議会
□ parliaméntary [形] 議会の
cf. Congress [名] (米国の) 国会，議会

1279 □ **archive**
[ɑ́ːrkaɪv] アーカイヴ
[名] 保存記録，公文書 (保管所)
[動] (文書) をアーカイブに保管する
[TIPS] achieve「～を達成する」と混同しない。

1280 □ **ally** B2
[ǽlaɪ] アライ [ア]
[名] 同盟国；協力者
[動] [əláɪ] ～と同盟を結ぶ
▶ *be* allied with ～ [句] ～と同盟を結んでいる
□ allíance [名] 同盟，連合
□ allied [形] 同盟した，連合した

1281 □ **monarch**
[mɑ́nərk] マナァク [発]
[名] 君主，国王；支配者
[語源] 世襲によって受け継がれる，唯一の (mono-) 支配者 (-arch)。
□ monarchy [名] 君主制，君主政治

1282 □ **legislation** B2
[lèdʒisléɪʃ(ə)n] レジスレイション
[名] 法律，法令；立法
□ législative [形] 立法の，立法権のある
□ législature [名] 立法府，立法機関

1283 □ **liberty** A2
[líbərtɪ] リバァティ
[名] 自由，(束縛からの) 解放；権利
[TIPS] liberty は freedom よりやや改まった語。
▶ at liberty [句] (囚人や動物が) 自由で，拘束されず

1284 □ **lord**
[lɔ́ːrd] ロード
[名] 領主，支配者；貴族

1285 □ **republic** B1
[rɪpʌ́blɪk] リパブリック
[名] 共和国，共和制
□ republican [形] 共和国の；〈R-〉(米国の) 共和党 (員) の

the British Parliament and the Japanese Diet	英国議会と日本の国会
the archives of scientific research papers	科学研究論文の保存記録
a superpower and its allies	超大国とその同盟国
a country ruled by a monarch	君主によって支配されている国
legislation to raise the consumption tax	消費税を上げる法律
the right to pursue liberty and happiness	自由と幸福を追求する権利
feudal lords in medieval Europe	中世ヨーロッパの封建領主
the constitution of the republic	共和国の憲法

5

1286 ☐ **deposit** B1
[dɪpɑ́zɪt] ディパズィト [ア]
[名] 預金，貯金；保証金，手付金；埋蔵物
[動] ～を預金する，預ける；～を置く；堆積させる

1287 ☐ **inflation** B2
[ɪnfléɪʃ(ə)n] インフレイション
[名] インフレ，(物価の) 暴騰 (⇔ deflation デフレ，通貨収縮)；膨張
☐ inflate [動] ～を膨らませる，膨らむ；～を誇張する

1288 ☐ **transaction**
[trænzǽkʃ(ə)n] トランザクション
[名] (商) 取引，業務；処理
[語源] 横切っての (trans-) ＋行動 (action)。
☐ transact [動] (取引など) (を) 行う

1289 ☐ **venture** B2
[véntʃər] ヴェンチャァ
[名] 新興企業，(冒険的な) 事業
[動] ～と思い切って言う；～を危険にさらす
▶ venture to *do* [句] 思い切って do する

1290 ☐ **pirate** B2
[páɪ(ə)rət] パイ(ァ)ラット
[名] 海賊 (船)；著作権侵害者
[動] ～の著作 [特許] 権を侵害する

1291 ☐ **fare** A2
[féər] フェア [発]
[名] 運賃，乗車料金 ([同音] fair [形] 公正な [名] 品評会)

1292 ☐ **marketing** B2
[mɑ́ːrkətɪŋ] マーカティング
[名] マーケティング，市場戦略
☐ market [動] ～を市場に出す [名] 市場

1293 ☐ **publicity** B2
[pʌblísəti] パブリサティ [ア]
[名] 知名度，評判；広報，宣伝
☐ públic [形] 公共の；公職の；社会一般の
[名] 〈the ～〉 大衆

1294 ☐ **bargain** A2
[bɑ́ːrgən] バーガン
[名] 安売り(品)，特売品；売買契約，取り引き
[動] (値段の) 交渉をする，(売買の) 契約をする
[TIPS] bargain は安く売られる商品のことを言い，「安売りの期間」の意味では sale を用いる。

1295 ☐ **patent**
[pǽtnt] パトント [発] [ア]
[名] 特許(権)，特許品
[形] 特許の，特許権のある

a <u>deposit</u> of $5,000 in a savings account	普通預金口座の5千ドルの<u>預金</u>
accelerating <u>inflation</u> in that country	その国の加速する<u>インフレ</u>
commercial <u>transactions</u> *between* the two corporations	その2つの企業間の商<u>取引</u>
our investment in <u>ventures</u>	<u>新興企業</u>に対するわれわれの投資
a <u>pirate</u> *version* of the movie	その映画の<u>海賊版</u>
the *bus* <u>fare</u> from Tokyo to Osaka	東京から大阪までのバス<u>運賃</u>
a new mode of <u>marketing</u>	<u>市場戦略</u>の新しい手法
<u>publicity</u> to improve the company's brand image	企業のブランドイメージを高めるための<u>広報</u>
a <u>bargain</u> counter	<u>特売品</u>売場
an application for a <u>patent</u>	<u>特許</u>の出願

1296 □ **frustration** B1 [frʌstréɪʃ(ə)n] フラストレイション
[名] 欲求不満；挫折，失望，落胆
□ frústrate [動] ～を欲求不満にさせる，挫折させる

1297 □ **illusion** [ɪlú:ʒ(ə)n] イルージョン
[名] 幻想，誤解；錯覚
▶ an optical illusion [句] 目の錯覚
□ illusory [形] 錯覚の

1298 □ **affection** B1 [əfékʃ(ə)n] アフェクション
[名] 愛情，愛着
□ affectionate [形] 愛情のある

1299 □ **prejudice** B1 [prédʒədɪs] プレジャディス [ア]
[名] 先入観；偏見
[動] ～に先入観を抱かせる
□ prejudiced [形] 偏見を持った

1300 □ **distress** [dɪstrés] ディストレス [ア]
[名] (極度の) 悩み，苦悩；困難
[動] ～を苦しめる
□ distressed [形] 苦しんで，悩んで

1301 □ **impulse** B2 [ímpʌls] インパルス
[名] 衝動，強い欲求
□ impúlsive [形] 衝動的な

1302 □ **caution** B1 [kɔ́:ʃ(ə)n] コーション
[名] 注意，用心；警告
[動] ～に警告する，用心させる
□ cautious [形] 用心深い，慎重な

1303 □ **soul** B1 [sóʊl] ソウル
[名] 魂；精神，心；人；熱情
□ soulful [形] 感情のこもった

1304 □ **delight** B1 [dɪláɪt] ディライト
[名] 楽しみ，大喜び，歓喜
▶ take (a) delight in ～ [句] ～を大いに楽しむ
[動] ～を喜ばせる；(～に) 喜ぶ
□ delighted [形] 喜んで

1305 □ **dilemma** B2 [dɪlémə] ディレマ [発]
[名] 板挟み，ジレンマ，窮地

1306 □ **gratitude** B1 [grǽtət(j)ù:d] グラタテュウード
[名] 感謝，感謝の気持ち
▶ gratitude to [toward] ～ [句] ～に対する感謝

her increasing <u>frustration</u> with her job	仕事に対して募る彼女の<u>欲求不満</u>
his <u>illusions</u> *about* marriage	結婚に関する彼の<u>幻想</u>
a mother's deep <u>affection</u> *for* her baby	赤ん坊への母親の深い<u>愛情</u>
a strong <u>prejudice</u> *against* foreigners	外国人に対する強い<u>偏見</u>
a young woman *in great* <u>distress</u>	大いに<u>苦悩</u>している若い女性
a sudden <u>impulse</u> *to shout*	叫びたいという突然の<u>衝動</u>
a road sign of <u>caution</u>	<u>注意</u>の道路標識
the <u>souls</u> of the deceased	死者の<u>魂</u>
the <u>delight</u> of visiting art galleries	美術館へ行く<u>楽しみ</u>
a <u>dilemma</u> *about* whether or not to disclose the secret	秘密を明かすべきかどうかでの<u>ジレンマ</u>
his profound *feeling of* <u>gratitude</u>	彼の深い<u>感謝</u>の気持ち

313

1307
□ **hemisphere**

[héməsfìər] ヘマスフィア

名 半球；脳半球

語源 「球 (-sphere)」の「半分 (hemi-)」。

cf. sphere 名球，球体；範囲，領域

1308
□ **inquiry**
B1
[ínkwari] インクワリ

名 質問，問い合わせ；探究；調査

□ inquíre 動 ～を尋ねる
▶ inquire into ～ 句 ～を調査する
□ inquísitive 形 詮索好きな

1309
□ **pupil**
B1
[pjú:p(ə)l] ピューパル

名 児童，生徒；教え子；瞳

TIPS 「児童，生徒」の意味ではやや古風な感じで，小学生には
schoolchild，中高生には student を使うのがふつう。

1310
□ **sodium**

[sóudiəm] ソウディアム

名 ナトリウム (元素記号 Na)

▶ sodium chloride [klɔ́:raɪd] 句 塩化ナトリウム

1311
□ **expertise**

[èkspə:rtí:z]
エクスパーティーズ 発

名 専門知識 [技術]

1312
□ **frontier**
B2
[frʌntíər]
フランティア ア

名 辺境，フロンティア；(研究などの) 最先端

語法 「最先端」の意味では通例，the frontiers。

▶ frontier spirit 句 開拓者精神

1313
□ **circuit**
B2
[sə́:rkɪt] サーキット

名 一周，巡回；回路；サーキット

1314
□ **fluid**
B2
[flú:ɪd] フルーイド

名 流体，流動体
形 流動性の；流動的な

□ fluídity 名 流動性

1315
□ **breakthrough**
B1
[bréɪkθrù:] ブレイクスルー

形 大躍進，大発見；突破 (口)

イメージ 遮っていた壁を打ち破って (break) 先へ進む。

1316
□ **nursery**
B2
[nə́:rs(ə)ri] ナーサリ

名 保育園；託児所 (≒ day care center)

▶ nursery rhyme 句 童謡，わらべ歌

1317
□ **vacuum**

[vǽkjuəm]
ヴァキュアム ア

名 真空；空虚；空白(状態)；電気掃除機
動 (～に) 掃除機をかける

---

the *left* <u>hemisphere</u> of the human brain	人間の脳の<u>左半球</u>
an <u>inquiry</u> *about* the price of the item	商品の価格に関する<u>問い合わせ</u>
the number of <u>pupils</u> in the kindergarten	その幼稚園の<u>児童</u>の数
the recommended daily consumption of <u>sodium</u> *chloride*	塩化<u>ナトリウム</u>の1日の推奨消費量
her <u>expertise</u> *in* information science	彼女の情報科学の<u>専門知識</u>
the <u>frontiers</u> of medical research	医療研究の<u>最先端</u>
a complicated *electric* <u>circuit</u>	複雑な電気<u>回路</u>
a study of <u>fluid</u> *mechanics*	<u>流体</u>力学の研究
a <u>breakthrough</u> *in* cancer treatment	がん治療の<u>大躍進</u>
a critical shortage of <u>nurseries</u>	<u>保育園</u>の危機的な不足
a *political* <u>vacuum</u> after an election	選挙後の政治の<u>空白</u>

5

1318 □ **kidney**
[kídni] キドニィ
[名] 腎臓
▶ kidney failure [句] 腎不全
cf. liver [名] 肝臓

1319 □ **intake**
[íntèɪk] インテイク [ア]
[名] 摂取(量)；採用 [受け入れ] 人数

1320 □ **fatigue**
[fətíːg] ファティーグ [発]
[名] 疲労，疲れ
[動] ～を疲れさせる
□ fatigued [形] 疲労困ぱいした

1321 □ B1 **skeleton**
[skélətn] スケラトン
[名] 骨格，骸骨；骨組み
□ skeletal [形] 骨格の

1322 □ **hormone**
[hɔ́ːrmoun] ホーモウン [発]
[名] ホルモン
□ hormónal [形] ホルモンの

1323 □ **longevity**
[lɑndʒévətɪ] ランジェヴァティ
[名] 長生き，長寿；寿命

1324 □ A2 **chest**
[tʃést] チェスト
[名] 胸，胸部；収納箱
▶ chest of drawers [句] 整理だんす

1325 □ B1 **suicide**
[súːəsàɪd] スーァサイド
[名] 自殺(すること)
[語源]「自分 (sui-)」を「殺す (-cide)」。
▶ commit suicide [句] 自殺する (≒ kill *oneself*)
□ suicídal [形] 自殺の

1326 □ B2 **medication**
[mèdəkéɪʃ(ə)n] メダケイション
[名] 薬物(治療)
▶ *be* on medication [句] 薬物治療を受けている
□ médicated [形] 薬用の
□ médicine [名] 医学；医薬

1327 □ B2 **microbe**
[máɪkroub] マイクロウブ
[名] 微生物，細菌
□ micróbial [形] 微生物の，細菌の

the donor of a <u>kidney</u> for transplant	移植のための<u>腎臓</u>の提供者
a sufficient <u>intake</u> of nutrition	十分な栄養の<u>摂取</u>
a slight illness caused by <u>fatigue</u>	<u>疲労</u>により引き起こされた軽い病気
the <u>skeleton</u> of a whale	クジラの<u>骨格</u>
the <u>hormone</u> balance in the body	体内の<u>ホルモン</u>バランス
an island famous for the <u>longevity</u> of its residents	住民の<u>長寿</u>で有名な島
a sharp pain in the <u>chest</u>	<u>胸</u>の鋭い痛み
an *attempted* <u>suicide</u>	<u>自殺</u>未遂
an effective <u>medication</u> for the disease	その病気に対する効果的な<u>薬</u>
<u>microbes</u> cultured in a laboratory	実験室で培養された<u>微生物</u>

5

| 1328 □ B1 | **deadline**
[dédlàɪn] デッドライン | 名 締め切り，期限
▶ meet a deadline 句 締め切りに間に合う |

| 1329 □ B1 | **excess**
[ɪksés] イクセス 発 ア | 名 過剰，超過；やりすぎ
▶ in excess of ~ 句 ~より多く，~を超えて
形 [ékses] 余分の，超過した
□ excéssive 形 過度の，度を越した |

| 1330 □ | **trillion**
[tríljən] トリリァン | 名 1兆；無数
cf. billion 名 10億 million 名 100万 |

| 1331 □ B2 | **dawn**
[dɔ́ːn] ドーン 発 | 名 夜明け；(事の) 始まり
入試 「始まり」(≒ beginning) の意味は頻出。
▶ at the dawn of ~ 句 ~の黎明に
動 (夜が) 明ける；(真相などが) わかり始める |

| 1332 □ | **millennium**
[mɪléniəm] ミレニアム | 名 千年紀 [期]，千年間 (の始まり，終わり)
(複数形 millennia, millenniums)
cf. century 名 世紀 |

| 1333 □ | **duration**
[d(j)ʊ(ə)réɪʃ(ə)n]
ドゥ(ァ)レイション | 名 継続時間，維持
□ dúrable 形 持続する，耐久性のある |

| 1334 □ | **criterion**
[kraɪtí(ə)riən]
クライティ(ァ)リアン | 名 (判断の) 基準，尺度 (複数形 criteria, criterions) |

| 1335 □ B1 | **interval**
[íntərv(ə)l]
インタァヴァル ア | 名 (空間・時間的) 間隔，隔たり
▶ at intervals of ~ 句 ~の間隔で |

| 1336 □ | **meantime**
[míːntàɪm] ミーンタイム | 名 合い間，その間の時間
▶ in the meantime 句 それまでの間；一方で
入試 「一方で」は和訳問題で狙われる。 |

| 1337 □ B1 | **gallon**
[gǽlən] ギャラン | 名 (液量単位) ガロン
TIPS 米国では約3.8リットル，英国では約4.5リットルに相当。 |

| 1338 □ B2 | **surge**
[sə́ːrdʒ] サージ | 名 急増，急騰，急上昇；大波，うねり
動 急上昇する，急増する |

the <u>deadline</u> *for* submitting manuscripts	原稿提出の<u>締め切り</u>
an <u>excess</u> *of* fat intake	<u>過剰</u>な脂肪摂取
<u>trillions</u> *of* dollars in tax cuts	何<u>兆</u>ドルもの減税
the <u>dawn</u> *of* a new era	新しい時代の<u>夜明け</u>
the turn of the <u>millennium</u>	<u>千年期</u>の変わり目
the <u>duration</u> of the war	戦争の<u>期間</u>
rigid <u>criteria</u> *for* evaluating the candidates	候補者を評価する厳格な<u>基準</u>
trains leaving *at* 10-minute <u>intervals</u>	10分<u>間隔</u>で発車する列車
The movie starts in 15 minutes. *In the* <u>meantime</u>, let's get something to drink.	映画は15分後に始まります。<u>それまでの間</u>, 何か飲み物を買おう。
gasoline sold *by the* <u>gallon</u>	<u>ガロン</u>単位で売られるガソリン
an unprecedented <u>surge</u> *in* sales	売上高の空前の<u>急増</u>

1339 □ **parenthesis** [pərénθəsɪs] パレンサスィス
[名] 丸かっこ(《英》round bracket)([複数形] parentheses)
▶ in parentheses [parenthesis] [句]ついでながら；かっこ内に[の]
cf. (square) bracket [名]鍵かっこ

1340 □ B2 **controversy** [kɑ́ntrəvə̀ːrsi] カントロヴァースィ [ア]
[名] 論争，論議，議論
□ controvérsial [形]異論の多い，論争となる

1341 □ B1 **headline** [hédlàɪn] ヘドライン
[名] (新聞の) 大見出し；トップニュース

1342 □ A2 **pronunciation** [prənʌ̀nsiéɪʃ(ə)n] プラナンスィエイシ(ョ)ン
[名] 発音
□ pronóunce [動] (～を) 発音する；～を宣言する
[入試] 名詞 pronunciation では，動詞と異なり，n の後に O がないことに注意する。

1343 □ B2 **metaphor** [métəfɔ̀ːr] メタフォーァ
[名] 隠喩，暗喩；象徴
□ metaphórical [形]隠喩の，比喩の
cf. simile [名]直喩，明喩

1344 □ A2 **column** [kɑ́ləm] カラム [発]
[名] (表などの) 縦の列；円柱；(新聞などの) コラム
▶ a column of smoke [句]立ち上る煙，煙の柱

1345 □ A1 **cartoon** [kɑːrtúːn] カートゥーン
[名] (1コマの) 漫画；風刺画；漫画映画
cf. caricature [名]風刺漫画
cf. comic strip [句]続き漫画
cf. comic [comic book] [名]漫画雑誌

1346 □ B1 **fur** [fə́ːr] ファー
[名] 毛皮；(ふさふさした) 毛
cf. leather [名]皮，皮革

1347 □ A1 **jewelry** [dʒúːəlri] ジューアルリィ
[名] (集合的に) 宝石類，宝飾品類
□ jewel [名] (個々の) 宝石
cf. gem [名] (カットして磨いた) 宝石

1348 □ B1 **narrative** [nǽrətɪv] ナラティヴ [ア]
[名] 物語，話 (≒ story)；語り口
[形] 物語形式の
□ narrátion [名]語り

a phrase put *in* parentheses	丸かっこでくくったフレーズ
a long controversy *over* political reforms	政治改革をめぐる長い議論
the headline of major newspapers	主要な新聞の大見出し
a difficult pronunciation for non-native speakers	非母語話者には難しい発音
similes and metaphors in everyday language	日常言語における直喩と隠喩
an interesting column in the newspaper	新聞の興味深いコラム
a lot of famous cartoon characters	多くの有名な漫画のキャラクター
illegal trading in furs	毛皮の違法取引
jewelry such as rings, bracelets and necklaces	指輪，ブレスレット，ネックレスのような宝飾品
a narrative in verse	韻文の物語

1349 □ **divorce** B2
[dɪvɔ́ːrs] ディヴォース
[名] 離婚；分離
[動] (～と) 離婚する；～を切り離す
□ divorced [形] 離婚した
cf. separated [形] 別居した

1350 □ **postage**
[póustɪdʒ] ポウスティジ [ア]
[名] 送料，郵送料金
▶ postage and handling [《英》packing]
[句] 荷造り代金込みの郵送料
□ postal [形] 郵便の

1351 □ **beverage**
[bév(ə)rɪdʒ] ベヴァリッジ
[名] 飲み物，飲料 (≒ drink)
[TIPS] 水以外の飲み物。drink は主にアルコール飲料。

1352 □ **souvenir** B1
[sùːvəníər]
スーヴァニア [ア]
[名] 土産品，(旅行などの) 記念品
[TIPS] 他人のための物に限らず，自分用の思い出の品も含む。

1353 □ **aisle** A2
[áɪl] アイル [発]
[名] (乗り物・劇場の) 通路
cf. a window seat [句] 窓側席

1354 □ **queue** B1
[kjúː] キュー [発]
[名] 《英》(待っている) 列 (≒《米》line) ([同音] cue 合図)
▶ jump the queue [句] 《英》列に割り込む
[動] (順番待ちの) 列を作る

1355 □ **avenue** B1
[ǽvən(j)ùː]
アヴァニ(ュ)ウー
[名] 大通り，並木道；(～への) 手段
cf. bóulevard [名] 大通り；並木道

1356 □ **cabin** B1
[kǽbɪn] キャビン
[名] 山小屋；船室；(船・航空機の) 客室
▶ cabin crew [attendant] [句] 客室乗務員

1357 □ **gear** B2
[gíər] ギア
[名] 道具，用具一式；ギヤ，歯車；(流行の) 服装
[動] ～を適合させる；～を連動させる

1358 □ **needle** B1
[níːdl] ニードル
[名] 針
▶ thread a needle [句] 針に糸を通す

the rising rate of <u>divorce</u>	高まる離婚率
<u>postage</u> based on weight	重量を基準とした郵便<u>料金</u>
the annual consumption of *alcoholic* <u>beverages</u>	アルコール<u>飲料</u>の年間消費量
a <u>souvenir</u> of her trip to Cambodia	彼女のカンボジア旅行の<u>土産品</u>
a preference for an <u>aisle</u> *seat*	通路側の席を好むこと
a long <u>queue</u> at the cashier	レジ待ちの長い<u>列</u>
shops and restaurants *along the* <u>avenue</u>	<u>大通り</u>沿いの店やレストラン
a *log* <u>cabin</u> on the summit of a mountain	山の頂上にある丸太<u>小屋</u>
his <u>gear</u> for camping and fishing	彼のキャンプと釣りの<u>道具</u>
a thread through *the eye of a* <u>needle</u>	<u>針</u>の穴を通した糸

1359 ☐ B2	**thoughtful** [θɔ́:tf(ə)l] ソートフ(ァ)ル	形 思いやりのある，親切な；思慮深い (⇔ thoughtless 思慮のない；軽率な)

1360 ☐ B1	**bold** [bóuld] ボウルド	形 大胆な，勇敢な；ずうずうしい，厚かましい

1361 ☐ B2	**straightforward** [strèitfɔ́:rwərd] ストレイトフォーワァド	形 率直な，正直な；まっすぐな；簡単な ☐ straightforwardness 名 率直さ，単純さ

1362 ☐ A1	**ugly** [ʌ́gli] アグリィ 発	形 醜い，見苦しい；不快な TIPS 人に対しては，遠まわしに plain や homely《米》を用いる。 ▶ ugly duckling 句 醜いアヒルの子（アンデルセンの童話から） ☐ ugliness 名 醜さ

1363 ☐ B1	**ridiculous** [rɪdíkjələs] リディキャラス	形 ばかげた，滑稽な ☐ rídicule 名 あざけり，嘲笑 動 ～を嘲笑する

1364 ☐ B2	**innate** [ìnéit] イネイト	形 生まれながらの，生得の，先天性の イメージ 「生まれた (-nate)」ときから備わっている。

1365 ☐ B1	**selfish** [sélfɪʃ] セルフィシュ	形 自分勝手な，わがままな，利己的な (⇔ selfless 無私の，利己心のない)

1366 ☐ B1	**awkward** [ɔ́:kwərd] オークワァド 発	形 気まずい；不器用な，ぎこちない(≒ clumsy)； 扱いにくい

1367 ☐ B1	**cruel** [krú:əl] クルーアル	形 残酷な，むごい；悲惨な ☐ crúelty 名 残酷さ，残虐

1368 ☐ B1	**desperate** [désp(ə)rɪt] デスパリット 発	形 必死の；絶望的な；自暴自棄の ☐ despáir 名 絶望 動 絶望する

1369 ☐ A2	**grateful** [gréɪtf(ə)l] グレイトフ(ァ)ル	形 感謝して，ありがたく思って イメージ 手紙や公式な場で改まった感謝の気持ちを示す。 入試 be grateful [thankful / obliged] to ＋人＋ for ～「～に対し人に感謝している」は語法問題でよく問われる。

his <u>thoughtful</u> words of comfort	彼の<u>思いやりのある</u>慰めの言葉
her <u>bold</u> *decision* to quit her job	仕事を辞めるという彼女の<u>大胆な</u>決心
her <u>straightforward</u> opinion about his plan	彼の計画に関する彼女の<u>率直な</u>意見
the <u>ugly</u> *face* of the monster	怪物の<u>醜い</u>顔
a <u>ridiculous</u> question to answer	答えるのも<u>ばからしい</u>質問
our <u>innate</u> *ability* to speak a language	言葉を話す私たちの<u>生まれながらの</u>能力
his <u>selfish</u> *behavior* at work	職場での彼の<u>自分勝手な</u>ふるまい
her <u>awkward</u> attitude toward her daughter	娘に対する彼女の<u>ぎこちない</u>態度
He *is* sometimes <u>cruel</u> *to* animals.	彼は時々動物に対して<u>残酷</u>だ。
their <u>desperate</u> *efforts* to survive	生き延びようとする彼らの<u>必死の</u>努力
I*'m* <u>grateful</u> *to* you *for* your cooperation.	あなたのご協力に<u>感謝</u>しております。

1370 □ **noble** B2
[nóubl] ノウブル
[形] 高潔な，気高い；貴族の，高貴な
(⇔ ignoble 卑しい，下劣な)

1371 □ **outgoing**
[àutgóuɪŋ]
アウトゴウイング [ア]
[形] 社交的な，交際好きな；出ていく

1372 □ **hostile**
[hástl] ハストル [発]
[形] 敵意のある，反感を持った(⇔ friendly 友好的な)；断固反対の；(状況が) 不利な
□ hostílity [名] 敵意；大反対

1373 □ **ashamed** B1
[əʃéɪmd] アシェイムド
[形] 恥じて，恥ずかしくて
▶ *be* ashamed to *do* [句] do するのが恥ずかしい

1374 □ **mad** A2
[mǽd] マァド
[形] (とても) 怒って(≒ angry)；夢中で
[イメージ] 平常心を失っている状態。
▶ go mad [句]《英》興奮する；激怒する

1375 □ **pregnant** B1
[prégnənt] プレグナント
[形] 妊娠した
□ pregnancy [名] 妊娠 (期間)
[TIPS] 婉曲的に She is going to have a baby. や She is expecting.「彼女はおめでたです」も用いられる。

1376 □ **stubborn** B1
[stʌ́bərn] スタバァン [ア]
[形] 頑固な，強情な；断固とした (≒ obstinate)
□ stubbornness [名] 頑固，強情

1377 □ **energetic** A2
[ènərdʒétɪk]
エナジェティク [ア]
[形] 活動的な，精力的な，エネルギッシュな
□ énergy [名] エネルギー

1378 □ **skeptical**
[sképtɪkl] スケプティクル
[形] 懐疑的な，疑い深い
□ skepticism [名] 懐疑的態度；懐疑論

1379 □ **dynamic** B2
[daɪnǽmɪk] ダイナミック [ア]
[形] 活動的な；動的な；動力の
□ dynamics [名] 力関係；力学

1380 □ **impatient** A2
[ɪmpéɪʃ(ə)nt]
インペイシャント [発]
[形] いらいらした，気短な (⇔ patient)；待ち遠しく思って
▶ *be* impatient to *do* [句] do したくてたまらない
□ impatience [名] いら立ち，せっかち

the <u>noble</u> character of the saint	聖人の<u>高潔</u>な人格
the <u>outgoing</u> personality of the girl	少女の<u>社交的</u>な性格
The boy *was* <u>hostile</u> *to* his father.	その少年は父親に<u>反感</u>を持っていた。
She *was* <u>ashamed</u> *of* having told a lie.	彼女は嘘をついたことを<u>恥じ</u>ていた。
The customer *got* <u>mad</u> *at* the waiter's rude attitude.	客はウェイターの無礼な態度に<u>激怒</u>した。
His wife *is* <u>pregnant</u> *with* a second child.	彼の妻は第2子を<u>妊娠</u>している。
the characteristic traits of a <u>stubborn</u> child	<u>頑固</u>な子どもの典型的な特徴
an <u>energetic</u> young politician full of passion	情熱に満ちた<u>精力的</u>な若い政治家
She *is* <u>skeptical</u> *about* what he said.	彼女は彼が言ったことに<u>懐疑的</u>だ。
a <u>dynamic</u> political leader	<u>活動的</u>な政治指導者
He *is* always <u>impatient</u> *with* bad service.	彼はいつもひどいサービスに<u>いらいら</u>している。

STAGE 5

Unit 3

形容詞 3 評価・判断

1381
□ **problematic**
[prὰbləmǽtɪk]
プラブラマティク

形 問題のある，疑わしい
□ próblem 名 問題，課題

1382
A2
□ **fancy**
[fǽnsi] ファンスィ

形 高級な，豪勢な；装飾的な，派手な
動 ～を想像する，空想する；～を好む
名 好み；空想
□ fanciful 形 空想的な，非現実的な

1383
□ **mainstream**
[méɪnstrì:m]
メインストリーム

形 主流の；本流の
名 主流；本流

1384
B1
□ **spectacular**
[spektǽkjulər]
スペクタキュラァ 🔊

形 壮観な，目を見張らせる
名 壮大なショー［番組］
□ spéctacle 名 壮観，素晴らしい光景

1385
B2
□ **fatal**
[féɪtl] フェイトル

形 致命的な，命取りの；重大な
イメージ 死という運命 (fate) に向かってしまうような。
□ fatálity 名 (事故などによる) 死亡者 (数)

1386
B1
□ **grave**
[gréɪv] グレイヴ

形 重大な；深刻な；重々しい
名 墓，墓所
□ gravity 名 重大さ；重力

1387
B1
□ **definite**
[défənɪt] デファニト 🔊

形 明確な(≒ clear)；一定の(⇔ indefinite)；確信して
□ definitely 副 確かに，絶対に；全くその通り

1388
B1
□ **peculiar**
[pɪkjú:ljər]
ピキューリァ

形 奇妙な，変な；独特の
□ peculiárity 名 特色；異様さ

1389
□ **unprecedented**
[ʌnprésədèntɪd]
アンプレサデンティド 🔊

形 先例のない，空前の，未曽有の

1390
B2
□ **valid**
[vǽlɪd] ヴァリド

形 有効な，期限切れでない；妥当な
□ valídity 名 妥当性，正当性

1391
B2
□ **probable**
[prάbəbl] プラバブル

形 起こりそうな，たぶん(そう) なりそうな
□ probabílity 名 見込み，公算；確率
□ probably 副 たぶん，恐らく

<u>problematic</u> sites on the Internet	インターネット上の<u>問</u><u>題</u>のあるサイト
dinner at a <u>fancy</u> restaurant	<u>豪勢な</u>レストランでの夕食
the <u>mainstream</u> political faction	政治の<u>主流</u>派閥
a <u>spectacular</u> view of the valley	渓谷の<u>壮観な</u>景色
a <u>fatal</u> *flaw* in the design of the rocket	ロケットの設計における<u>致命的な</u>欠陥
the <u>grave</u> *condition* of the patient	患者の<u>深刻な</u>容体
his <u>definite</u> answer to my request	私の依頼に対する彼の<u>明確な</u>返答
a <u>peculiar</u> smell in the hotel room	ホテルの部屋の<u>変な</u>臭い
an <u>unprecedented</u> disaster	<u>未曽有の</u>災害
coupons <u>valid</u> *for* three months	3か月<u>有効な</u>クーポン
It is <u>probable</u> *that* he will be elected.	彼は<u>おそらく</u>当選するだろう。

1392 ☐ **used** A2
[júːzd] ユーズド
[形] 中古の，使用済みの

1393 ☐ **overtime** B2
[óuvərtàim] オウヴァタイム [ア]
[形] 時間外の，超過勤務の
[名] 残業(手当)
[副] 時間外に，超過勤務で

1394 ☐ **terminal** B1
[tə́ːrminl] ターミヌル
[形] 最終的な，終末の；末期的な
[名] 終点，終着駅；ターミナル
[イメージ] 区切りとなる境界線に到達する。
☐ terminate [動] ～を終わらせる

1395 ☐ **ongoing**
[ɔ́ngòuiŋ] オンゴウィング
[形] 進行中の；行われている

1396 ☐ **secondhand**
[sèkən(d)hǽnd] セカン(ド)ハンド
[形] 中古の (≒ used)；(情報などが) 間接的な，また聞きの
[副] 中古で；間接的に，また聞きで
cf. firsthand [形] 直接的な，じかの [副] 直接に，じかに

1397 ☐ **postwar**
[pòustwɔ́ːr] ポウストウォー
[形] 戦後の(⇔ prewar 戦前の)

1398 ☐ **prehistoric** B2
[prìː(h)istɔ́(ː)rik] プリーヒストーリク
[形] 有史以前の，先史時代の
[イメージ] 文字の記録が残っていない時代の。
☐ prehístory [名] 先史時代，有史以前

1399 ☐ **foremost**
[fɔ́ːrmòust] フォーモウスト [ア]
[形] 一流の，第１の，主要な；真っ先の
▶ first and foremost [句] 真っ先に，何よりも

1400 ☐ **outdated**
[àutdéitid] アウトデイティド
[形] 時代遅れの；期限切れの
(≒ out-of-date, old-fashioned, dated)

the purchase of a <u>used</u> car	<u>中古</u>車の購入
a monthly cap on <u>overtime</u> *work*	<u>時間外</u>労働に対する月間の上限
the <u>terminal</u> *care* of a cancer patient	がん患者の<u>終末</u>医療
the <u>ongoing</u> *process* of constructing a new museum	新しい美術館を建設する<u>進行中の</u>プロセス
<u>secondhand</u> information about the incident	その出来事についての<u>また聞きの</u>情報
the rapid reconstruction of the country during the <u>postwar</u> *period*	<u>戦後</u>期のその国の急速な再建
the <u>prehistoric</u> remains of extinct organisms	絶滅した生物の<u>有史以前の</u>遺物
one of the <u>foremost</u> *authorities* on heart surgery	心臓外科の<u>一流の</u>権威の1人
an <u>outdated</u> business model	<u>時代遅れの</u>ビジネスモデル

1401 □ **parallel**
[pǽrəlèl] パラレル

[形] 平行な，並列の；類似した
[名] 対等の物；類似点；平行線
[動] ~に匹敵する；~に並行する
TIPS 日本語の「平行線」は「互いに相いれない」という意味もあるが，英語の parallel は相互にずっと距離の変わらない「同等の」関係。
□ parallelism [名] 並行；類似（点）

1402 □ **shallow**
B1
[ʃǽlou] シャロウ

[形] 浅い(⇔ deep)；浅はかな
[名] 浅瀬

1403 □ **rear**
B2
[ríər] リア

[形] 後方の，後部の(⇔ front)
(⇔ frontal [形] 正面の，前面の)
[名] 後部，背面
[動] ~を育てる

1404 □ **analog**
[ǽnəlɔ̀(:)g] アナローグ

[形] アナログの(⇔ digital)
[名] アナログ；類似物
TIPS《英》では analogue ともつづるが，「アナログ時計」の意味では，《英》でも analog watch [clock] がふつう。
□ análogy [名] 類似性；類推

1405 □ **magnetic**
[mægnétɪk] マグネティク

[形] 磁気の，磁石の；人をひきつける
□ mágnet [名] 磁石

1406 □ **symbolic**
B2
[simbάlɪk] スィンバリク

[形] 象徴の，象徴的な；記号の，記号を用いた
□ sýmbol [名] 象徴；記号

1407 □ **spontaneous**
[spɑntéɪniəs] スパンテイニアス [ア]

[形] 自発的な，任意の；自然発生的な
□ spontanéity [名] 自発性
□ spontaneously [副] 自発的に

1408 □ **vertical**
[vә́:rtɪkl] ヴァーティクル

[形] 垂直の，縦の
cf. horizontal [形] 水平の，横の
diagonal [形] 対角線の，斜めの

1409 □ **steep**
B1
[stí:p] スティープ

[形] 急な，急こう配の

two lines parallel *to* each other	互いに平行な 2 本の直線
the shallow *end* of a swimming pool	プールの浅い方の端
the rear *seats* of a car	車の後部座席
an analog electronic circuit	アナログの電子回路
a magnetic *storm* caused by a solar flare	太陽フレアによって引き起こされる磁気嵐
the symbolic *meaning* of blue roses	青いバラの象徴的な意味
spontaneous participation in volunteer activities	ボランティア活動への自発的な参加
the vertical *axis* of the chart	図の縦軸
a steep slope toward the summit	頂上へ向かう急な坂

I-85
☐ **blow up (~)**

かっとなる；~を爆破する（≒ explode）

I-86
☐ **brush up ~**

（忘れかけている外国語など）をやり直す

I-87
☐ **call up ~**

~に電話する；（記憶）を呼び起こす

I-88
☐ **fill up ~**

~をいっぱいに満たす，（空間・時間）を埋める

I-89
☐ **hang up (~)**

電話を切る；~を掛ける

I-90
☐ **pick up ~**

（言葉）を覚える；（車で）~を迎えに行く，乗せる；~を拾い上げる

I-91
☐ **pull up (~)**

（車）を止める，（車を）止める，（車が）止まる；~を引き抜く

I-92
☐ **use up ~**

~を使い切る，~を使い果たす

I-93
☐ **end up *doing***

結局~になる，~に終わる

I-94
☐ **live up to ~**

（期待など）に応える

I-95
☐ **look up to ~**

~を尊敬する（≒ respect）（⇔ look down on ~　~を見下す）

I-96
☐ **catch up with ~**

~に追いつく　入試 keep up with ~「~に遅れずについていく」と区別する。

Our teacher blew up and yelled at us.

先生はかっとなって私たちに向かってどなった。

I need to brush up my Chinese.

私は中国語をやり直す必要がある。

She called him up and asked for advice.

彼女は彼に電話をかけ，アドバイスを求めた。

He filled up my glass.

彼は私のグラスにいっぱいついでくれた。

Don't hang up yet, please.

まだ電話を切らないでください。

She picked up some Thai during her stay in Bangkok.

彼女はバンコク滞在中にタイ語を少し覚えた。

He pulled up in front of the store.

彼は店の前で車を止めた。

She used up all the ketchup.

彼女はケチャップを全部使い切った。

He ended up *losing* his job.

彼は結局仕事を失うことになった。

Their son lived up to their expectations.

彼らの息子は彼らの期待に応えた。

All the students looked up to the teacher.

生徒たちは皆その先生を尊敬していた。

She tried to catch up with her classmates.

彼女はクラスメイトに追いつこうとした。

I-97
☐ **stand out**

目立つ；抜きん出る

I-98
☐ **pick out ~**

~を選ぶ，選び出す；~をつまみ出す

TIPS pick up は「拾い上げる」で，「選ぶ」の意味はない。

I-99
☐ **single out ~**

~を選び出す，選抜する

I-100
☐ **rule out ~**

~を除外する，締め出す

I-101
☐ **lay out ~**

~を広げる，（広げて）並べる；~を設計する

I-102
☐ **let out ~**

（秘密など）を漏らす；~を外に出す，解放する

I-103
☐ **point out ~**

~を指摘する；~を指し示す

I-104
☐ **leave out ~**

（言葉など）を省く，~を除外する，~を抜かす

I-105
☐ **set out**

（~（すること）に）着手する；出発する

I-106
☐ **die out**

死に絶える，絶滅する

I-107
☐ **carry out ~**

~を実行する，~を行う

I-108
☐ **watch [look] out (for ~)**

（~に）注意する，警戒する

He stood out *from* the other students.

彼はほかの学生から抜きん出ていた。

His wife picked out a nice necktie for him.

彼の妻は彼にすてきなネクタイを選んであげた。

The manager singled her out for promotion.

部長は昇進の対象に彼女を選んだ。

The President did not rule out a military option.

大統領は軍事的オプションを除外しなかった。

Her dress *was* laid out *on* the floor.

彼女のドレスは床に広げられていた。

He accidentally let out the secret.

彼は偶然秘密を漏らしてしまった。

She pointed out *that* the project was behind schedule.

彼女はプロジェクトが予定から遅れていることを指摘した。

He left two paragraphs out of his report.

彼は報告書から2つの段落を省いた。

They set out *to clean* up the park.

彼らは公園の清掃に取りかかった。

It is said that the Japanese wolf died out long ago.

ニホンオオカミはかなり昔に絶滅したと言われている。

We successfully carried out our plan.

私たちは首尾よく計画を実行した。

Watch out for cars when crossing the street.

通りを渡るときは，車に注意しなさい。

I-109

□ **all the better for ~ [because S＋V]**

~ [S＋V] だからこそますます…

I-110

□ **A as well as B**

Bと同様にAも　　語法　主語の位置の場合，動詞の人称・数はAに一致させる。

I-111

□ **as far as ~**

~まで (遠くに)　　TIPS　前置詞のように用いられる。

I-112

□ **as far as ~ is concerned**

~に関する限り，~としては　　入試　as far as ~ go も同じ意味。

I-113

□ **as far as ~ know**

~の知る限り　　入試　know の主語は1人称で，I または we。

I-114

□ **as ~ as ever**

相変わらず~

I-115

□ **at (the) most [= at the very most]**

せいぜい，多くて

I-116

□ **at (the) least [= at the very least]**

少なくとも，最低でも

I-117

□ **at (the) worst**

最悪の場合には [でも]

I-118

□ **know better than to *do***

do するほどばかではない，do しないだけの分別がある

I-119

□ **make the best of ~**

(不利な状況など) を最大限に生かす，どうにか乗り切る

I-120

□ **make the most of ~**

(機会など) を最大限に利用する

I like her all the better for her shyness.

彼女が恥ずかしがりだからこそますます彼女が好きだ。

You as well as I *are* to blame for it.

私と同様に君にもその責任がある。

She walked as far as the post office and then turned back.

彼女は郵便局まで歩き，それから引き返した。

As far as *I'm* concerned, there is no other choice.

私に関する限り，他の選択肢はない。

As far as *I* know, she is the best clarinet player in the country.

私の知る限り，彼女はその国で一番のクラリネット奏者だ。

She looked as young as ever.

彼女は相変わらず若く見えた。

He was there just for five minutes at most.

彼はそこにはせいぜいほんの5分しかいなかった。

I want to stay in London for at least three days.

ロンドンには少なくとも3日は滞在したい。

At the worst, he will be kicked out of school.

最悪の場合には，彼は退学させられるだろう。

She knows better than to *fight* with her boss.

彼女は上司とけんかするほどばかではない。

We didn't have much money, but we made the best of what we had.

私たちはお金をあまり持っていなかったが，あるお金でどうにか乗り切った。

You should make the most of this opportunity.

君はこの機会を最大限に利用するべきだ。

■ 基本動詞を使いこなそう

keep そのままにしておく

他 ~をとっておく；~にしておく；~を守る，養う

自 ずっと~である；~し続ける

「何かを保つ」ことが基本的な意味。そこから，「状態の継続」の意味が生まれる。さらに，状態を維持することは，「他の状態が生じることを妨げる」ことの意識が生まれる。

keep の基本

■ He kept the money *in* a safe.　彼はお金を金庫に しまっておいた。
●「お金が金庫の中にある」状態を維持していた。

■ My watch keeps *good time*.　私の腕時計は正確に動いている。
●時計がちゃんとした時間を保っている。

■ I'm sorry to have kept you *waiting*.　お待たせしてすみません。
●「あなたが待っている」状態を継続させた。

■ Please keep *quiet*.　静かに していてください。
●「静かである」状態を保持する。

■ She has to keep three children.
彼女は 3 人の子どもを養わなければならない。
●「大家族」を正常な状態に保つ→「扶養する」。

■ I wonder what is keeping him.　彼は何を ぐずぐずしているのだろう。
●彼を押さえてそのまま来させないでいる。

keep を含む重要表現

■ **keep going**: なんとかやっていく；(相手を励まして)頑張れ

You just have to keep going.
君はただ なんとかやっていくしかない。
●「進んでいる」（going）状態をそのまま保つ。

■ **keep ~ to oneself**: ~を秘密にしておく

He kept the secret *to* himself.
彼は秘密を人に話さないでおいた。
●自分だけのもののままにしておいた。

keep の群動詞

■ keep back 〜：〜を抑えておく

She couldn't <u>keep back</u> her tears.
彼女は涙を抑えることができなかった。

　●前に出てこないようにとどめておく。

■ keep 〜 from *doing*：〜に do させない，〜が do しないようにする

The rain <u>kept</u> Nancy <u>from</u> *going* out.
雨のせいでナンシーは外出できなかった。

　●「外出すること」から離れたままにしておいた。

■ keep (on) *doing*：do し続ける

John <u>kept</u> <u>(on)</u> *asking* silly questions.
ジョンはばかな質問をし続けた。

　●「質問をする」ことを途切れることなく維持した。

■ keep off 〜：〜に近寄らない

<u>Keep</u> <u>off</u> the tracks.
線路内立ち入り禁止。

　●「離れた状態 (off)」のままでいる。

■ keep to 〜：〜を堅く守る

They promised to <u>keep</u> <u>to</u> the rules.
彼らは規則を守ると約束した。

　●「規則に合わせた」状態を維持する。

■ keep up with 〜：〜に遅れないでついて行く

She tried to <u>keep</u> <u>up</u> <u>with</u> her class mates.
彼女はクラスメイトについて行けるよう頑張った。

　●「クラスメイトと一緒である」ままでいる。

5

❚■ 基本動詞を使いこなそう

put ある位置・状態に置く

他 ～を置く，移す，動かす，しまう；
～を(ある状態に)する；～を言い表す

> 「物をある場所に置く」が原義。そこから「別の場所へ動かす」意味へとつながり，さらには「別の状態に変化させる」という意味に展開する。

put の基本

■ He put the keys *in* the drawer.　彼は鍵を引き出しの中に入れた。
　● 「中へ置く」 → 「入れる」

■ She put her son *to bed*.　彼女は息子を寝かせた。
　● 「息子をベッドへ移動させる」 → 「寝かせる」

■ His words put *an end to* the debate.　彼の言葉で議論は終わった。
　● 「彼の言葉」が「(議論に)終了(した状態)をもたらす」。

■ She put the Japanese sentence *into* Russian.
彼女はその日本語の文をロシア語に翻訳した。
　● 日本語の文をロシア語の「中へと移し替える」。

■ She put her room *in order*.　彼女は部屋を整頓した。
　● 部屋を「整理された状態 (in order)」へと移す。

put を含む重要表現

■ **stay put: じっとしている**

She closed her eyes and stayed put.
彼女は目を閉じてじっとしていた。
　● 置かれた状態のままでいる。

■ **to put (it) another way: 言い換えれば**

He is unwilling to do anything. To put it another way, he is lazy.
彼は何もしたがらない。言い換えれば，彼は怠惰だ。
　● 別な方法で述べる。

342

put の群動詞

■ put forward ～ : ～を提案する

He put forward a new project.
彼は新しいプロジェクトを提案した。

● 新しいプロジェクトを「前の方に置く」。

■ put off ～ : ～を延期する

They had to put off the meeting.
彼らは会議を延期しなければならなかった。

● 会議を「(予定から) 離れた所へ移す」。

■ put on ～ : (衣類など) を身につける

He put on his sunglasses before going out.
彼は出かける前にサングラスをかけた。

● サングラスを「体に触れるように置く」→「かける」。

■ put out ～ : (灯りなど) を消す；～を生産する

She put out the light.
彼女は灯りを消した。

● 灯りを「消えた状態に変化させる」→「消す」。

■ put ～ through (to …) : 電話で～を(…に)つなぐ

I'll put you through to the manager.
部長に電話をおつなぎします。

● 文字通りには「通過させて…の所に置く」。

■ put up (～) : ～を建てる；(人) を泊める, 泊まる

They put up the tent in the park.
彼らは公園にテントを張った。

● テントを高い位置に上げる。

■ put up with ～ : ～を我慢する, ～に耐える

They had to put up with the inconvenience.
彼らは不便を我慢しなければならなかった。

● 「仕方がないとあきらめる」イメージ。

343

■ 重要な多義語・多品詞語

mean

動 ❶ ～を意味する

The sign <u>means</u> *that* you are not supposed to enter there.
その標識はそこへ入ってはいけないこと<u>を意味している</u>。

❷ ～するつもりである

She didn't <u>mean</u> *to become* an English teacher.
彼女は英語教師になる<u>つもり</u>はなかった。

形 ❶ 意地の悪い, 不親切な

It was <u>mean</u> *of him to disclose* her secret.
彼女の秘密を明かすとは彼も<u>意地悪</u>だった。

❷ 平均の, 中間の

the <u>mean</u> temperature　<u>平均</u>気温

名 ❶ 平均, 中間

The <u>mean</u> of 30, 32, 37 is 33.
30, 32, 37 の<u>平均</u>は 33 だ。

❷ 〈-s〉手段, 方法

a new <u>means</u> *of* communication
新しい通信<u>手段</u>

❸ 〈-s〉財産, 収入

They live *within their* <u>means</u>.
彼らは<u>収入</u>の範囲内で暮らしている。

part

名 ❶ 部分

the latter <u>part</u> of the movie
映画の後半<u>部分</u>

❷ 部品

the very small <u>parts</u> of the device
その装置の非常に小さい<u>部品</u>

❸ 役割, 役

She *played an* important <u>part</u> in the project.
彼女はプロジェクトで重要な<u>役割</u>を果たした。

動 ～を分ける, (人)を引き離す

She <u>parts</u> her hair in the middle.
彼女は髪<u>を</u>真ん中で<u>分けている</u>。

成句 part with ～　～を手放す

She <u>parted</u> <u>with</u> her cherished ring.
彼女は大切にしていた指輪<u>を手放した</u>。

must

助
❶ ～しなければならない
We must leave right away.
私たちはすぐに出発しなければいけない。

❷ (否定文で)
～してはいけない
You mustn't go there.
あなたはそこへ行ってはいけない。

❸ ～に違いない
She must be joking.
彼女は冗談を言っているに違いない。

名 しなければいけないこと，ぜひ見るべきもの
This book is a must for high school students.
この本は高校生には必読書です。

work

動
❶ 働く
He works long hours every day.
彼は毎日長時間勤務をしている。

❷ (機械などが) 動く
The escalator isn't working now.
今，エスカレーターが動いていない。

❸ (薬などが) 効果がある
He hoped that the medicine would work.
彼は薬が効くことを願った。

名
❶ 仕事，勤め口
She is looking for work.
彼女は仕事を探している。

❷ 職場
He drives to work.
彼は車で職場に行く。

❸ 作品
a work of art
芸術作品

save

動
❶ ～を救う，救出する
A high school student saved the child's life.
ある高校生がその子どもの命を救った。

❷ ～を蓄える，取っておく
She is saving money for a rainy day.
彼女は万一に備えてお金をためている。

❸ ～を節約する
We have to save water.
私たちは水を節約しなければいけない。

❹ (ファイル)を保存する
He forgot to save the file.
彼はファイルを保存するのを忘れた。

▪ 重要な多義語・多品詞語

minute

名 ❶ (時間の) 分
You have five minutes left.
残り時間は5分です。

❷ 瞬間
I'll be with you in a minute.
すぐにそちらに行きます。

成句 (接続詞的に)
the minute (that) ~
~するとすぐに
She fell asleep the minute she lay down.
彼女は横になるとすぐに眠りに落ちた。

形 ❶ 極めて小さい,
微少の
[maɪn(j)úːt]
minute particles of dust
ほこりの微粒子

ground

名 ❶ 地面
He was sitting on the ground.
彼は地面に座っていた。

❷ 土地, 土壌
They started to cultivate the ground.
彼らは土地を耕し始めた。

❸ ⟨-s⟩ 根拠, 理由
She was absent on the grounds that she was ill.
(=She was absent on the grounds of her illness.)
病気だという理由で彼女は欠席だった。

動 ⟨be grounded in [on] ~⟩
~の根拠を…に置く
Her opinion is grounded in facts.
彼女の意見は事実に基づいている。

形 (grind の過去・過去分詞)
粉にした, ひいた
freshly ground coffee
ひきたてのコーヒー

mine

名 ❶ 鉱山
a diamond mine
ダイヤモンド鉱山

❷ 地雷, 機雷
an open field full of mines
地雷だらけの開けた草原

❸ 私のもの
His watch is more expensive than mine.
彼の腕時計は私のものより高価だ。

STAGE 6

国公立2次・私大上位で
差をつける語①

国公立2次や私大上位校の受験に対応でき
るレベルを目指すステージです。特に読解
問題のテーマに直結する語が多く含まれて
いますので, それぞれの語がどのようなテー
マと関連しているのかを意識して学習する
のが効果的です。

STAGE 6

Unit 1　動詞 ❶ 思考・認識・感情 (1)

1410
☐ **startle**
B2
[stáːrtl] スタートル

動 ~をびっくりさせる

イメージ びっくりして飛び上がってしまうような驚き。

☐ startling 形びっくりさせるような
☐ startled 形びっくりした，驚いた

1411
☐ **pray**
A1
[préi] プレイ

動 祈る，懇願する （同音 prey 犠牲）

☐ prayer [préər] 名祈り；祈る人

1412
☐ **disregard**
B2
[dìsrigáːrd] ディスリガード

動 ~を無視する，~を軽視する

イメージ 故意に注意を向けず，軽視する。

名 無視，軽視

1413
☐ **underestimate**
B2
[ʌ̀ndəréstəmeit]
アンダエスタメイト 発

動 ~を過小評価する，見くびる，低く見積もる

名 [ʌ̀ndəréstəmət] 過小評価

（⇔ overestimate 動 ~を過大評価する 名 過大評価）

1414
☐ **assure**
B2
[əʃúər] アシュア

動 ~に (…を) 保証する，~に確約する；~を確信する

▶ assure A of B 句 A に B を保証する
☐ assurance 名保証；確信；自信

1415
☐ **conceive**
B2
[kənsíːv] カンスィーヴ

動 (考え・感情など) を抱く；(~を) 思いつく

▶ conceive of ~ 句 ~を思いつく
▶ conceive of A as B 句 A を B と見なす
☐ conception 名概念，認識

1416
☐ **frighten**
A2
[fráitn] フライトン

動 ~を怖がらせる，~をぎょっとさせる

☐ frightening 形ぎょっとさせるような
☐ frightened 形おびえた，ぎょっとした

1417
☐ **reassure**
[rìːəʃúər] リーアシュア

動 ~を安心させる

☐ reassurance 名安心 (させるもの)

1418
☐ **irritate**
B1
[írətèit] イラテイト 発

動 ~をいら立たせる，~を怒らせる

☐ irritation 名いら立ち，いらいら

1419
☐ **stun**
B1
[stʌ́n] スタン

動 ~を驚かせる，あぜんとさせる

イメージ 驚いて動けなくなるほどの驚き。

☐ stunning 形驚くべき；とても美しい

The thunder startled the children.	雷は子どもたちを<u>びっくりさせた</u>。
We pray *for* eternal peace.	私たちは永遠の平和を<u>祈っ</u>ている。
The executives disregarded his opinion.	取締役たちは彼の意見<u>を無視した</u>。
The teacher underestimated the students' ability.	教師は生徒たちの能力<u>を過小評価</u>していた。
She assured me *of* the area's safety.	彼女は私にその地域の安全を<u>保証した</u>。
She conceived a new idea for the school play.	彼女は学校劇のための新たなアイデア<u>を思いついた</u>。
The story frightened her very much.	その物語は彼女をとても<u>怖がらせた</u>。
Her mother's words reassured her.	母親の言葉が彼女を<u>安心させた</u>。
His frequent questions irritate me.	彼の頻繁な質問が私を<u>いら立たせる</u>。
Everybody *was* stunned by his stupid response.	皆彼のばかげた返答に<u>あぜんとした</u>。

1420 **terrify** A2
[térəfàɪ] テラファイ
[動] ～を怖がらせる，～をおびえさせる
[イメージ] 心底怖がって，肝をつぶすような。
□ terrible [形]ひどい，恐ろしい
□ terrífic [形]素晴らしい
[入試] terrible と terrific は意味の混同に注意。

1421 **disappoint** B1
[dìsəpɔ́ɪnt]
ディスァポイント [ア]
[動] ～をがっかりさせる，～を失望させる
□ disappointing [形]がっかりさせる
□ disappointed [形]がっかりした
□ disappointment [名]失望，落胆

1422 **presume**
[prɪzúːm]
プリズーム [発]
[動] ～を推定する，～を(…と)見なす
□ presumption [名]推定，仮定
□ presumably [副]たぶん，おそらく

1423 **browse** B2
[bráuz] ブラウズ [発]
[動] ～をざっと見る；～を閲覧する；拾い読みする
□ browsing [名]拾い読み；(インターネットの) 閲覧

1424 **amuse** B2
[əmjúːz] アミューズ
[動] ～を面白がらせる，～を楽しませる
□ amusement [名]楽しみ；面白さ；娯楽
▶ amusement park [名]遊園地

1425 **annoy** A2
[ənɔ́ɪ] アノイ
[動] ～をいら立たせる，～を嫌がらせる
□ annoying [形]うるさい，迷惑な
□ annoyed [形]いらいらした，むっとした
□ annoyance [名]いら立ち；悩みの種

1426 **sniff** B2
[sníf] スニフ
[動] (匂い)を嗅ぐ；鼻をすする
▶ sniff around [句]～を嗅ぎまわる
[名] 鼻をすすること，くんくん嗅ぐこと

1427 **obsess** B2
[əbsés] アブセス [ア]
[動] 〈ふつう受け身で〉(妄想などが) ～に取りつく，～を悩ます
▶ *be* obsessed with [by] ～ [句]～に取りつかれている
□ obsession [名]執着，頭から離れないこと［考え］

1428 **recite** B1
[rɪsáɪt] リサイト
[動] ～を暗唱する；～を詳しく述べる
□ recital [名]独奏会，リサイタル

The violent scenes in the movie <u>terrified</u> her.	映画の中の暴力的場面が彼女を怖がらせた。
His absence <u>disappointed</u> me very much.	彼がいないことが私を<u>とてもがっかりさせた</u>。
The journalist *is* <u>presumed</u> *to be* dead.	そのジャーナリストは死亡していると<u>考えられている</u>。
He has been <u>browsing</u> the Internet for more than three hours.	彼は3時間以上インターネット<u>を閲覧している</u>。
The teacher's funny drawings <u>amused</u> the students.	教師のおかしな絵が学生<u>を面白がらせた</u>。
His repeated calls <u>annoyed</u> her.	彼の繰り返しの電話が彼女を<u>いらいらさせた</u>。
She <u>sniffed</u> *at* the food.	彼女は食べ物の匂いを<u>かいだ</u>。
He *is* <u>obsessed</u> *with* money.	彼は金に<u>取りつかれている</u>。
He <u>recited</u> the complete lyrics of the song.	彼はその歌の歌詞を完全に<u>暗唱した</u>。

6

Unit 1 [動詞] 3 評価・判断

1429 □ **inspect** B2
[ɪnspékt] インスペクト

[動] ～を検査する，～を調べる；～を視察する
[語源] 中を (in-) ＋見る (-spect)。
□ inspection [名] 検査，点検；査察

1430 □ **surpass**
[sərpǽs] サァパス [ア]

[動] ～を上回る，超える，しのぐ (≒ exceed)
[語源] 上を (sur-) ＋越える (-pass)。

1431 □ **despise** B2
[dɪspáɪz] ディスパイズ

[動] ～を軽蔑する(≒ look down on) (⇔ respect)；～を嫌悪する (≒ hate)

1432 □ **excel** B2
[ɪksél] イクセル [ア]

[動] 優れている；～より優れている，～に勝る
[入試] than などと一緒には用いない。
□ éxcellence [名] 優秀さ
□ éxcellent [形] 優れた，優秀な

1433 □ **condemn** B2
[kəndém] カンデム [発]

[動] ～を非難する，～をとがめる
[イメージ] 主に道徳的に問題のあることに対する非難。
▶ condemn A for B [句] B のことで A を非難する
□ condemnátion [名] 非難

1434 □ **probe** B2
[próʊb] プロウブ

[動] ～を調査する，探る
[名] 調査；探り針；探査機

1435 □ **bid** B2
[bíd] ビド

[動] (…に) ～の値をつける；入札する
[活用] bid - bid - bid
▶ bid to *do* [句] do しようとする
[名] (競売などの) 付け値；(工事などの) 入札

1436 □ **applaud** B1
[əplɔ́:d] アプロード

[動] (～に) 拍手する；～を称賛する
□ applause [名] 称賛；拍手

1437 □ **adore** B2
[ədɔ́:r] アドーァ

[動] ～を慕う；～が大好きである
□ adorable [形] 愛くるしい (≒ charming)

1438 □ **sue** B2
[sú:] スー

[動] ～を告訴する，～を訴える
▶ sue A for B [句] A を B で訴える；B を求めて A を訴える

They <u>inspected</u> the security system of the building.	彼らは建物の警備システムを<u>検査した</u>。
The results <u>surpassed</u> all expectations.	結果はあらゆる予想を<u>上回っていた</u>。
People <u>despised</u> the politician *for* being dishonest.	人々は不誠実だとその政治家を<u>軽蔑した</u>。
He <u>excelled</u> *in* sports.	彼はスポーツに<u>優れていた</u>。
They <u>condemned</u> him *for* abusing his position.	彼らは自らの地位を悪用していることで彼を<u>非難した</u>。
The astronauts <u>probed</u> the surface of the moon.	宇宙飛行士たちは月の表面を<u>調査した</u>。
She <u>bid</u> $4,000 *for* the painting.	彼女はその絵に4千ドルの<u>値をつけた</u>。
The audience loudly <u>applauded</u> the speaker.	聴衆は演説者に大きな<u>拍手をした</u>。
He <u>adores</u> his grandchildren.	彼は孫たちが<u>大好きだ</u>。
They <u>sued</u> the city *for* gender discrimination.	彼女たちは性差別だと市を<u>告訴した</u>。

6

1439 nurture
[nə́ːrtʃər] ナーチャ
[動] ～を育てる；～を育む，発展させる
[名] 養育，養成
▶ nature or nurture [句]生まれか育ちか，素質か環境か

1440 utilize
B2
[júːtəlàɪz] ユータライズ
[動] ～を利用する；～を活用する (≒ make use of)
□ utilizátion [名]利用，活用

1441 suppress
B2
[səprés] サプレス
[動] ～を抑える；～を抑圧する
[語源]「下へ (sup-)」＋「押し付ける (-press)」から「抑制する」。
□ suppression [名]抑圧，鎮圧，抑制

1442 compensate
B2
[kɑ́mpənsèɪt]
カムパンセイト [ア]
[動] (～を) 補う，埋め合わせる；～を補償する
▶ compensate for ～ [句]～を補う (≒ make up for)
□ compensátion [名]補償 (金)，償い，埋め合わせ

1443 prescribe
B2
[prɪskráɪb] プリスクライブ
[動] (薬) を処方する；～を規定する
□ prescription [名]処方箋
□ prescriptive [形]規定する

1444 refrain
B2
[rɪfréɪn] リフレイン
[動] (行動を) 控える，慎む
▶ refrain from *doing* [句]do するのを控える
[名] (曲の) 繰り返しの部分

1445 confine
B2
[kənfáɪn]
カンファイン
[動] ～を制限する，限定する；～を閉じ込める
▶ confine A to B [句]A を B に限る，とどめる
□ confinement [名]監禁

1446 induce
[ɪnd(j)úːs]
インデュース
[動] ～に勧めて～させる；～を引き起こす
▶ induce O to *do* [句]O を do する気にさせる
□ induction [名]誘発，誘導；就任

1447 entitle
B2
[ɪntáɪtl] インタイトル
[動] ～に資格を与える；～に題名をつける
▶ *be* entitled to *do* [句]～する資格がある

1448 surrender
B2
[səréndər] サレンダァ
[動] 降伏する；～を明け渡す (≒ give up)
▶ surrender to ～ [句]～に降伏する (≒ give in to)
[名] 降伏，降参；明け渡し

They nurtured a good *relationship* with the group.	彼らはそのグループと良好な関係を育んだ。
We can utilize wind as an alternative energy source.	私たちは代替エネルギー源として風を利用することができる。
She suppressed the *impulse* to go with them.	彼女は彼らと一緒に行きたいという衝動を抑えた。
He worked overtime to compensate *for* the delay.	彼は遅れを補うために残業した。
The doctor prescribed several kinds of drugs *for* the patient.	医師は数種類の薬を患者に処方した。
You must refrain *from using* your smartphone in the theater.	劇場ではスマートフォンの使用を控えなければいけない。
The problem *is* not confined *to* Japan.	その問題は日本に限られたことではない。
The subsequent experience induced him *to change* his career.	その後の経験が彼を仕事を変える気にさせた。
People aged 18 and over *are* entitled *to vote* in the election.	18歳以上の人は選挙で投票する資格がある。
The soldiers surrendered *to* the enemy.	兵士たちは敵に降伏した。

6

STAGE 6

Unit 1 [動詞] [5] 変化・変更

1449 □ **refine** [rɪfáɪn] リファイン
[動] ～を改良する；～を精製する
□ refinement [名]改善，改良；精製

1450 □ **discard** [dɪskɑ́:rd] ディスカード [ア]
[動] ～を捨てる，～を放棄する

1451 □ **prevail** B2 [prɪvéɪl] プリヴェイル
[動] 普及している，広く見られる；勝る
□ prévalence [名]普及，流行
□ prévalent [形]流行している，よくある

1452 □ **distort** [dɪstɔ́:rt] ディストート
[動] ～を変形させる；～をゆがめる，～をわい曲する
□ distortion [名]わい曲；ゆがみ

1453 □ **abolish** B2 [əbɑ́lɪʃ] アバリッシュ
[動] (法律・制度など) を廃止する (≒ do away with)
□ abolishment [名]廃止

1454 □ **decay** B2 [dɪkéɪ] ディケイ [ア]
[動] 腐敗する，朽ちる；衰える
[名] 腐食；衰退；虫歯
□ decayed [形]腐った，朽ちた；虫歯の

1455 □ **dispose** [dɪspóuz] ディスポウズ
[動] 〈+ of ～〉～を処分する，捨てる (≒ get rid of)；～を配置する
□ disposal [名]処理，処分

1456 □ **render** [réndər] レンダァ
[動] ～を…にする (≒ make)；(援助など) を与える

1457 □ **displace** B2 [dɪspléɪs] ディスプレイス
[動] ～に取って代わる (≒ replace)
□ displacement [名]取って代わる [代わられる] こと

1458 □ **conform** [kənfɔ́:rm] カンフォーム
[動] 〈+ to ～〉(～に) 従う，順応する
□ conformity [名]従うこと，順応

1459 □ **swell** B1 [swél] スウェル
[動] 腫れる；膨らむ，膨張する；増える
[活用] swell - swelled - swelled [swollen]
[名] 増大，膨張；(感情などの) 高まり
□ swelling [名]腫れ物，こぶ

Our company contributes to <u>refining</u> the AI technology.	当社は AI 技術の<u>改良</u>に貢献しています。
They <u>discarded</u> the plan for the new restaurant.	彼らは新しいレストランの計画を<u>破棄した</u>。
Social unrest <u>prevails</u> in that country.	その国では社会不安が<u>広がっている</u>。
His explanation <u>distorted</u> her view.	彼の説明は彼女の見解を<u>ゆがめていた</u>。
These unreasonable school rules should *be* <u>abolished</u>.	こうした理不尽な校則は<u>廃止される</u>べきだ。
Have our morals <u>decayed</u>?	私たちの道徳心は<u>衰えた</u>のだろうか。
We have to <u>dispose</u> *of* waste properly.	私たちは廃棄物を適切に<u>処分し</u>なければならない。
They <u>rendered</u> assistance *to* the unemployed.	彼らは失業者に支援を<u>与えた</u>。
Humans will *be* <u>displaced</u> *by* robots in those industries.	人間はそれらの産業ではロボットに<u>取って代わられる</u>だろう。
We should <u>conform</u> to these traditions.	私たちはこれらの伝統に<u>従う</u>べきだ。
Her injured wrist is <u>swelling</u>.	彼女のけがをした手首が<u>腫れて</u>きた。

6

357

Unit 1 [動詞] [6] 関係・性質・配置

1460 **comprise** [kəmpráɪz] カムプライズ [ア]
[動] (全体が) ～から**成る**；～を(部分として) **含む** (≒ consist of)

1461 **insert** [ɪnsə́ːrt] インサート [ア]
[動] ～を**挿入する**，～を**差し込む**
□ insertion [名] 挿入，差し込むこと

1462 **dissolve** B1 [dɪzɑ́lv] ディザルヴ [発]
[動] ～を**溶かす**，**溶ける**；～を**解散する**
[イメージ] 液体の中で溶ける。
□ dissolútion [名] 解散，解消

1463 **discriminate** B2 [dɪskrímənèɪt] ディスクリマネイト [ア]
[動] **差別する**；～を**区別する**
▶ discriminate A from B [between A and B] [句] A と B を区別する
□ discriminátion [名] 差別

1464 **indulge** B2 [ɪndʌ́ldʒ] インダルジ
[動] (～に) **ふける**，**夢中になる**；～を**甘やかす**
▶ indulge in ～ [句] ～にふける
□ indulgence [名] ふけること，好きなだけすること

1465 **clarify** B2 [klǽrəfàɪ] クラリファイ
[動] ～を**明確にする**，～を**明らかにする**
□ clarificátion [名] 明確化，明瞭化

1466 **arouse** B2 [əráuz] アラウズ [発]
[動] (感情・欲望) を**刺激する**，～を**かき立てる**
[TIPS] arise (生じる) の過去形 arose [aróuz] と区別する。
□ arousal [名] (性的) 興奮；(感情の) 喚起

1467 **provoke** [prəvóuk] プラヴォウク
[動] ～を**引き起こす**，**誘発する**；～を**挑発する**
□ provocátion [名] 挑発，怒らせること
□ provocative [形] 挑発的な，怒らせる

1468 **adhere** [ədhíər] アドヒァ [ア]
[動] 〈+ to ～〉(～に) **忠実に従う**，**固執する**；**くっつく**
□ adherence [名] 固執；遵守
□ adhesion [名] 粘着，付着

1469 **enclose** B1 [ɪnklóuz] インクロウズ
[動] ～を**同封する**；～を**囲む**
□ enclosure [名] 囲い地；同封物

The rocket <u>comprises</u> two main components.	そのロケットは2つの主要な部分<u>から成る</u>。
He <u>inserted</u> the key *into* the keyhole.	彼は鍵穴に鍵を<u>差し込んだ</u>。
She <u>dissolved</u> the powder *in* water.	彼女は粉末を水に<u>溶かした</u>。
It is illegal to <u>discriminate</u> *against* disabled people.	障害のある人たちを<u>差別する</u>のは違法だ。
The boy <u>indulges</u> *in* computer games too much.	少年はあまりにもコンピュータゲームに<u>ふけっている</u>。
We need to <u>clarify</u> the purpose of our research.	私たちは研究の目的を<u>明確にする</u>必要がある。
Her vivid explanation <u>aroused</u> the children's interest.	彼女の生き生きとした説明が子どもたちの興味<u>をかき立てた</u>。
The mayor's remark <u>provoked</u> anger among the residents.	市長の発言が住民たちの間に怒りを<u>引き起こした</u>。
He always <u>adheres</u> *to* his principles.	彼はいつも自分の信念に<u>固執する</u>。
<u>Enclosed</u> *is the* invitation to the reception.	<u>同封されている</u>のは歓迎会への招待状です。

1470 **depart** B1
[dipá:rt] ディパート
[動] 出発する，旅立つ
□ departure [名] 出発

1471 **weave** B2
[wí:v] ウィーヴ
[動] ～を織る，編む
[活用] weave - wove - woven

1472 **crawl** B2
[kró:l] クロール
[動] はう，はって進む；のろのろ進む
[名] はうこと，はい歩き；(水泳の)クロール

1473 **spill** A2
[spíl] スピル
[動] ～をこぼす，あふれさせる；こぼれる
[活用] spill - spilled [spilt] - spilled [spilt]
▶ spill the beans [句] (うっかり)秘密を漏らす
[名] こぼれること；こぼしたもの

1474 **violate** B2
[váiəlèit] ヴァイアレイト [ア]
[動] ～に違反する，(規則など)を破る；(プライバシーなど)を侵害する
□ violátion [名] 違反(行為)；侵害

1475 **steer** B2
[stíər] スティァ
[動] ～を操縦する，～のかじを取る；(進路)を取る
□ steering [名] 操舵装置，ステアリング

1476 **swallow** A2
[swálou] スワロウ
[動] ～を飲み込む；～をうのみにする
[名] 飲み込むこと；ひと飲みの量

1477 **frown**
[fráun] フラウン [発]
[動] 眉をひそめる，顔をしかめる；不快感を示す
▶ frown *one's* brows [句] 眉をひそめる
[名] しかめっ面

1478 **slide** B2
[sláid] スライド
[動] 滑る，～を滑らせる；そっと動く
[活用] slide - slid - slid
[名] 滑走，滑ること；地すべり(= landslide)；下落

1479 **halt**
[hó:lt] ホールト [発]
[動] ～を停止させる，～を中断する；停止する
[名] 中止，中断，停止
▶ come to a halt [句] 停止する

1480 **hug** A2
[hʌ́g] ハグ
[動] ～を抱きしめる
[名] 抱擁，ハグ

Our flight <u>departed</u> on time.	私たちの便は時間通りに<u>出発</u>した。
He is <u>weaving</u> a basket.	彼は籠を<u>編んで</u>いる。
The traffic <u>crawled</u> at about 10 miles an hour.	車の流れは時速約 10 マイルで<u>のろのろと進</u><u>ん</u>だ。
He <u>spilled</u> his coffee all over his trousers.	彼はズボンの上にコーヒーを<u>こぼした</u>。
The driver <u>violated</u> the traffic regulation.	その運転者は交通規則に<u>違反</u>した。
The vehicle *is* automatically <u>steered</u>.	その乗り物は自動的に<u>操縦されて</u>いる。
She immediately <u>swallowed</u> the tablets.	彼女はすぐにその錠剤を<u>飲み込んだ</u>。
She <u>frowned</u> at the sight of the noisy boys.	彼女は騒々しい少年たちを見て<u>眉をひそめ</u><u>た</u>。
The children *were* <u>sliding</u> on the ice.	子どもたちは氷の上を<u>滑って</u>いた。
The train <u>halted</u> at the station.	列車は駅で<u>停止</u>した。
They <u>hugged</u> each other.	彼らは互いに<u>抱きしめ</u>合った。

6

1481
☐ **cease**
B2
[síːs] スィース 発

動 ~をやめる，~を中止する；終わる
▶ cease *doing* [to *do*]　句do するのをやめる

1482
☐ **resign**
B2
[rɪzáɪn] リザイン

動 (~を) 辞める，辞職する，退職する
☐ resignátion　名辞任，辞職；辞表

1483
☐ **dye**
B2
[dáɪ] ダイ 発

動 ~を (…に) 染める，~を着色する　(同音 die)
名 染料

1484
☐ **squeeze**
B2
[skwíːz] スクウィーズ

動 ~を絞る；~を絞り出す；~を詰め込む
名 絞ること；手を握ること

1485
☐ **resume**
B2
[rɪzúːm] リズーム

動 (~を) 再開する，再び始める
☐ resumption　名再開，続行

1486
☐ **exert**
[ɪgzə́ːrt] イグザート 発

動 (影響力・権力) を行使する，及ぼす
☐ exertion　名 (権力の) 行使，(力の) 発揮；尽力

1487
☐ **discharge**
B2
[dɪstʃáːrdʒ]
ディスチャージ 発

動 ~を排出する，~を放出する；~を解雇する
語源 「積み荷 (charge)」を「降ろす (dis-)」。
名 [dístʃɑːrdʒ] 排出，放出；解放，解雇

1488
☐ **soak**
B2
[sóuk] ソウク

動 浸る；~を浸す，~をずぶぬれにする
名 浸すこと；風呂につかること
☐ soaked　形ずぶぬれで
▶ *be* soaked to the skin　句ずぶぬれになる

1489
☐ **scratch**
B2
[skrǽtʃ] スクラッチ

動 ~をかく，こする；~をひっかく
名 かすり傷，ひっかき傷
▶ from scratch　句最初から，ゼロから

1490
☐ **stumble**
B1
[stʌ́mbl] スタンブル

動 つまずく，よろめく；つかえながら言う
▶ stumble across [on, upon] ~　句~を偶然見つける
名 つまずき，よろめき

The government decided to <u>cease</u> *providing* financial aid to that country.	政府はその国への財政援助を行うことを<u>やめる</u>ことに決めた。
The minister <u>resigned</u> due to a bribery scandal.	大臣は収賄のスキャンダルで<u>辞任した</u>。
He <u>dyed</u> his hair purple.	彼は髪を紫に<u>染めた</u>。
He <u>squeezed</u> the juice *from* an orange.	彼はオレンジから果汁を<u>絞り出した</u>。
The train line <u>resumed</u> operations shortly after the earthquake.	列車は地震の後すぐに運行を<u>再開した</u>。
Her attitude <u>exerted</u> some influence *on* others.	彼女の態度は他の人に何らかの影響を<u>及ぼした</u>。
The factory continued <u>discharging</u> contaminated water *into* the sea.	その工場は汚染された水を海に<u>放出し</u>続けた。
She <u>soaked</u> cups *in* hot water.	彼女はカップをお湯に<u>浸した</u>。
Do not <u>scratch</u> a mosquito bite.	蚊に刺されたところを<u>かいて</u>はいけない。
He <u>stumbled</u> *on* a stone.	彼は石に<u>つまずいた</u>。

1491 B1	**retain** [rɪtéɪn] リテイン	動 ~を保つ, ~を維持する(≒ keep);~を覚えている (≒ remember) □ retention 名保持, 維持;記憶(力)

1492 B2	**anticipate** [æntísəpèɪt] アンティサペイト 🔊	動 ~を予期する;~を楽しみに待つ (≒ look forward to) □ anticipátion 名予測, 期待

1493 B2	**chase** [tʃéɪs] チェイス	動 (~を)追う, 追跡する 名 追跡

1494 B1	**compel** [kəmpél] カンペル 🔊	動 ~に(無理に…)させる;(反応など)を強いる ▶ compel O to do 句 Oに(強制的に)do させる □ compulsion 名強制 □ compulsory 形強制的な

1495 B2	**strive** [stráɪv] ストライヴ	動 努力する, 〈to do〉(~しようと)努める (≒ try) 活用 strive - strove [strived] - striven [strived]

1496 B1	**tempt** [tém(p)t] テン(プ)ト	動 ~を(…)する気にさせる, ~を誘惑する ▶ tempt O to do 句 O を do したい気にさせる □ temptátion 名誘惑, 誘惑するもの

1497 B1	**attain** [ətéɪn] アテイン	動 ~を達成する;~を手に入れる, 獲得する □ attainment 名到達, 達成

1498 B2	**retrieve** [rɪtríːv] リトリーヴ	動 ~を取り戻す, 回収する;~を検索する □ retrieval 名(情報の)検索;回復

1499	**oblige** [əbláɪdʒ] アブライジ 🔊	動 ~に(…することを)強いる, 義務づける ▶ oblige O to do 句 O に do することを強いる □ obligátion 名義務 □ obligatory 形義務的な

1500 B2	**aspire** [əspáɪər] アスパイァ	動 (~を)熱望する, 切望する, あこがれる □ aspirátion 名抱負, 熱望

1501 B2	**foresee** [fɔːrsíː] フォースィー	動 ~を見通す, 予測する □ foreseeable 形予見できる

He does regular exercise to retain his youthfulness.	彼は若さを保つために規則的に運動をしている。
She is anticipating the delivery of the package.	彼女は小包の配達を楽しみにしている。
The police were chasing the suspect.	警察は容疑者を追っていた。
She *was* compelled *to resign* her job.	彼女は仕事を辞めざるをえなかった。
They are striving *to win* the championship.	彼らは優勝を勝ちとろうと努力している。
He *is* sometimes tempted *to skip* a class.	彼は時々授業をさぼりたい気になる。
She finally attained her goal of graduating from college.	彼女はついに大学を卒業するという目標を達成した。
The Internet has made it much easier to retrieve information.	インターネットのおかげで情報を検索するのがとても楽になった。
She *was* obliged *to pay* off her father's debt.	彼女は父親の借金を払うことを余儀なくされた。
He aspires *to be* a surgeon.	彼は外科医になることを熱望している。
It is difficult to foresee the outcome of the election.	選挙の結果を見通すのは難しい。

6

1502		
☐	**clay**	名 粘土
	[kléɪ] クレイ	

1503		
☐	**offspring**	名 (集合的に) 子, 子孫
	[ɔ́(:)fsprìŋ] オーフスプリング	入試 ×*an* offspring とはしない。
		cf. descendant 名子孫

1504		
☐ B1	**harbor**	名 港湾, 港
	[hɑ́:rbər] ハーバァ	*cf.* port 名港
		TIPS harbor は船が安全に停泊できる場所としての「港」。
		port は harbor を持つ町全体としての「港」。

1505		
☐ B1	**dirt**	名 土；泥(≒ mud), ほこり, 汚れ
	[də́:rt] ダート	☐ dirty 形汚い, 泥だらけの；不正の；下品な

1506		
☐ B1	**mud**	名 泥, ぬかるみ
	[mʌ́d] マッド	☐ muddy 形泥だらけの, ぬかるんだ

1507		
☐	**eclipse**	名 (太陽・月の) 食
	[ɪklíps] イクリプス	▶ solar [lunar] eclipse 句日食 [月食] (=eclipse of the sun [moon])

1508		
☐ B2	**altitude**	名 海抜, 標高；高所
	[ǽltɪt(j)ùːd] アルティテュード	▶ at an altitude of ~ feet 句標高 [海抜] ~フィートに

1509		
☐ B1	**moisture**	名 水分, 湿気, 水蒸気
	[mɔ́ɪstʃər] モイスチァ	☐ moist 形湿った, 湿っぽい
		☐ moisturize 動~に湿気を与える

1510		
☐	**odor**	名 (独特の・嫌な) 臭い
	[óʊdər] オウダァ 発	

figures made of <u>clay</u>	<u>粘土</u>でできた人形
a cloned pig and its <u>offspring</u>	クローン豚とその<u>子孫</u>
a big ship anchored in the <u>harbor</u>	<u>港</u>に係留された大きな船
shoes *covered with* <u>dirt</u>	<u>土</u>まみれの靴
a car stuck in the <u>mud</u>	<u>泥</u>にはまった車
the different types of *lunar* <u>eclipse</u>	異なるタイプの<u>月食</u>
a summit *at a high* <u>altitude</u>	高い<u>標高</u>にある山頂
the evaporation of <u>moisture</u>	<u>水分</u>の蒸発
a strange <u>odor</u> in the refrigerator	冷蔵庫の中の変な<u>臭い</u>

1511 □ B2	**rebel** [rébl] レブル 発	名 反逆者，反乱者 動 [rɪbél] 反抗する，反逆する □ rebéllion 名反乱，謀反；暴動 □ rebéllious 形反抗的な
1512 □ B1	**skyscraper** [skáɪskrèɪpər] スカイスクレイパァ 発	名 超高層ビル，摩天楼 イメージ 「空をこする」ほど高い。
1513 □	**combat** [kámbæt] カムバット 発	名 戦闘；(病気・悪・犯罪などとの) 闘い(≒ fight) 動 [kəmbæt] (〜と) 戦う □ combátive 形戦闘的な，けんか腰の
1514 □	**landmark** [lǽn(d)mà:rk] ランドマーク	名 目印；道しるべ；画期的な出来事
1515 □ B2	**troop** [trú:p] トループ	名 〈-s〉軍隊，軍勢；(移動する) 群れ，一団 ▶ a troop of 〜 句〜の群れ 動 群がって進む
1516 □ B1	**bureau** [bjú(ə)rou] ビュ(ァ)ロウ 発	名 事務局；(官庁などの) 局 cf. the Federal Bureau of Investigation (FBI) 句 (米国) 連邦捜査局
1517 □	**hierarchy** [háɪ(ə)rà:rki] ハイ(ァ)ラーキィ 発	名 階層；階級 □ hierárchical 形階層性の，階級組織の
1518 □ B2	**outbreak** [áutbrèɪk] アウトブレイク 発	名 (戦争・疫病などの) 勃発，発生 cf. break out 句起こる，勃発する
1519 □ B1	**theft** [θéft] セフト	名 窃盗(罪)，盗み □ thief 名泥棒
1520 □	**predecessor** [prédəsèsər] プレダセサァ 発 ア	名 前任者，先任者 (⇔ successor 後継者)

armed anti-government <u>rebels</u>	武装した反政府<u>反乱軍</u>
<u>skyscrapers</u> in the metropolitan area	大都市圏の<u>超</u>高層ビル
soldiers killed in <u>combat</u>	<u>戦闘</u>で死んだ兵士たち
a <u>landmark</u> in the history of astronomy	天文学史上の<u>画期的な出来事</u>
the <u>troops</u> to maintain peace	平和を維持するための<u>軍隊</u>
the <u>Bureau</u> of Immigration	入国管理<u>局</u>
the *social* <u>hierarchy</u> of the country	その国の社会<u>階層</u>
the <u>outbreak</u> of the plague	伝染病の<u>発生</u>
a case of <u>theft</u>	<u>窃盗</u>事件
the present dean and her <u>predecessor</u>	現在の学部長とその<u>前任者</u>

1521 □ **chairman** A2
[tʃéərmən] チェアマン
[名] 議長，司会者；（企業の）会長（≒ chairperson）
[TIPS] chairman の -man による性差を避ける場合，chair や chairperson が用いられる。

1522 □ **collision**
[kəlíʒ(ə)n] カリジョン
[名] 衝突，激突；対立
□ collide [動] 衝突する；対立する
▶ collide with ～ [句] ～と衝突する
[入試] collide with ～は語法問題で狙われる。

1523 □ **orphan** A2
[ɔ́:rf(ə)n] オーフ(ァ)ン
[名] 孤児，みなしご
□ orphanage [名] 孤児院

1524 □ **province** B2
[prάvɪns] プラヴィンス [ア]
[名]（カナダなどの）州；〈-s〉田舎，地方
□ províncial [形] 州の；地方の

1525 □ **agenda** B1
[ədʒéndə] アジェンダ
[名]（検討すべき）課題；議題；行動計画
▶ (*be*) high on the agenda [句] 重要な課題で（ある）

1526 □ **catastrophe** B2
[kətǽstrəfi] カタストラフィ [ア]
[名] 大災害，大惨事，大事故
[イメージ] 悲劇的な結末をもたらすような惨事。
□ catastróphic [形] 大惨事の，破滅的な

1527 □ **chaos** B1
[kéɪɑs] ケイアス [発]
[名] 大混乱，無秩序；カオス
□ chaótic [形] 無秩序の，混沌とした

1528 □ **legacy**
[légəsi] レガスィ
[名] 遺産；受け継いだもの，名残り

1529 □ **fraud** B2
[frɔ́:d] フロード
[名] 詐欺(行為)，不正行為；詐欺師

a new <u>chairman</u> of the corporation	その企業の新しい<u>会長</u>
the <u>collision</u> of two planes	2機の飛行機の<u>衝突</u>
war <u>orphans</u> left behind in the region	その地域に残された戦災<u>孤児たち</u>
her family's simple lifestyle *in the* <u>provinces</u>	彼女の家族の田舎での質素な生活スタイル
three topics *high on the* <u>agenda</u>	重要な<u>議題</u>である3つのトピック
one of the survivors of the <u>catastrophe</u>	<u>大災害</u>の生存者の1人
the <u>chaos</u> after the train accident	列車事故の後の<u>大混乱</u>
the *negative* <u>legacy</u> of the previous century	前世紀の負の<u>遺産</u>
a case of credit card <u>fraud</u>	クレジットカード<u>詐欺</u>の事件

6

Unit 2 [名詞] [4] 経済・職業・金銭

1530 □ **asset** [名] 資産，財産；貴重な物
[ǽset] アセット [ア]

1531 □ B2 **commerce** [名] 商業，商取引，交易
[kɑ́mə(:)rs] カマァス [ア]
□ commércial [形] 商業の，貿易の；営利的な

1532 □ B2 **entrepreneur** [名] 起業家，企業家
[ɑ̀:ntrəprənə́:r]
アーントラプラナー [発]

1533 □ B2 **tuition** [名] 授業料；(個人・小人数の) 授業
[t(j)u:íʃ(ə)n]
テュウーイション [ア]

1534 □ **subsidy** [名] 助成金，補助金
[sʌ́bsədi] サブサディ
□ subsidize [動] ～に補助金を支給する

1535 □ B2 **certificate** [名] 証明書，免許状
[sərtífəkɪt]
サァティファキト [ア]
□ cértify [動] ～を証明する
□ certificátion [名] 証明，保証；証明書，認定証

1536 □ B2 **headquarters** [名] 本社，本部；司令部
[hédkwɔ̀:rtərz]
ヘッドクォータァズ

1537 □ B2 **personnel** [名] (集合的に) 全職員，社員；人事部 (≒ human resources)
[pə̀:rsənél]
パーサネル [発] [ア]
[語法] 集合名詞で，複数扱い。
[TIPS] personal ([形] 個人的な) との区別に注意。

1538 □ B2 **veteran** [名] 退役軍人；熟練者，ベテラン
[vét(ə)rən] ヴェタラン
[TIPS] 「熟練した人」の意味での日本語の「ベテラン」は expert に相当することが多い。

1539 □ B2 **estate** [名] 地所，所有地；財産，遺産
[ɪstéɪt] イステイト [ア]
▶ real estate [句] 不動産

1540 □ **monopoly** [名] 独占(権)，専売；独占企業
[mənɑ́pəli] マナパリ [ア]
□ monopolize [動] ～を独占する

an expert in <u>asset</u> *management*	<u>資産</u>管理の専門家
regulations on *electronic* <u>commerce</u>	電子<u>商取引</u>に対する規制
an aspiring <u>entrepreneur</u>	意欲的な<u>起業家</u>
the monthly <u>tuition</u> *for* piano lessons	ピアノのレッスンの毎月の<u>授業料</u>
a small <u>subsidy</u> from the government	政府からの少額の<u>補助金</u>
the *birth* <u>certificate</u> of a child	子の出生<u>証明書</u>
the relocation of the company's <u>headquarters</u>	その会社の<u>本社</u>の移転
the employment of *temporary* <u>personnel</u>	臨時<u>職員</u>の雇用
a special pension for <u>veterans</u>	<u>退役軍人</u>に対する特別年金
real <u>estate</u> transactions	<u>不動産</u>の取り引き
a <u>monopoly</u> on the domestic market	国内市場の<u>独占</u>

STAGE 6

Unit 2 [名詞] [5] 思考・思想・感情 (1)

1541 □ **pity** A2
[píti] ピティ

[名] 哀れみ，同情；残念なこと
[発信] It's a pity (that) ～.「～とは残念だ」
[動] ～を気の毒に思う
□ pitiful [形] 哀れみをさそう，痛ましい

1542 □ **insult** B2
[ínsʌlt] インサルト ㋐

[名] 侮辱，無礼
[動] [insʌ́lt] ～を侮辱する，ばかにする

1543 □ **worship** B2
[wə́ːrʃip] ワーシップ

[名] 崇拝；礼拝
[動] ～を崇拝する

1544 □ **horror** A2
[hɔ́ːrər] ホーラァ

[名] 恐怖，憎悪；恐ろしいもの
□ horrify [動] ～をぞっとさせる
□ horrible [形] ぞっとするほど嫌な，恐ろしい

1545 □ **faith** B2
[féiθ] フェイス

[名] 信頼，信用；信仰；信義
□ faithful [形] 忠実な，誠実な

1546 □ **viewpoint** B1
[vjúːpɔ̀int] ヴューポイント

[名] 観点，視点，見方
[入試] from the viewpoint of ～「～の観点からすると」は長文中で頻出。
cf. point of view [句] 観点，視点

1547 □ **consensus** B2
[kənsénsəs] カンセンサス

[名] (意見の) 一致，合意
▶ by consensus [句] 全員一致で

1548 □ **optimism** B2
[ɑ́ptəmìz(ə)m]
アプタミズム ㋐

[名] 楽観論，楽天主義 (⇔ pessimism 悲観論)
□ optimístic [形] 楽観的な
□ optimist [名] 楽観論者，楽天家

1549 □ **paradox** B2
[pǽrədɑ̀ks]
パラダクス ㋐

[名] 逆説，パラドックス；矛盾
□ paradóxical [形] 逆説の，矛盾した

1550 □ **gaze** B2
[géiz] ゲイズ

[名] (じっと見つめる) まなざし，凝視
[動] (～を) じっと見る，凝視する

1551 □ **outlook** B2
[áutlʊ̀k] アウトルク ㋐

[名] 見通し (≒ prospect)；見解；見晴らし
▶ outlook on life [句] 人生観

It's a <u>pity</u> *that* she has to leave the company.	彼女が会社を辞めなければいけないのは<u>残念</u>だ。
a deliberate <u>insult</u> *to* the minister	大臣に対する故意の<u>侮辱</u>
the <u>worship</u> of idols	偶像<u>崇拝</u>
the <u>horrors</u> of terrorism	テロの<u>恐怖</u>
her strong <u>faith</u> *in* her husband	夫への彼女の厚い<u>信頼</u>
opinions *from* various <u>viewpoints</u>	さまざまな<u>視点</u>からの意見
a <u>consensus</u> of the committee	委員会の<u>合意</u>
false <u>optimism</u> *about* global warming	地球温暖化に関する誤った<u>楽観論</u>
an irresolvable <u>paradox</u>	解決できない<u>矛盾</u>
children's curious <u>gaze</u> on the street performer	大道芸人への子どもたちの好奇の<u>まなざし</u>
the <u>outlook</u> *for* the presidential election	大統領選挙の<u>見通し</u>

1552 □ B1 **temper**
[témpər] テムパ
[名] 気性，気質；怒りっぽい性格；怒り
▶ *be* in a temper　[句]怒っている
▶ lose *one's* temper　[句]かんしゃくを起こす

1553 □ B1 **meditation**
[mèdətéɪʃ(ə)n] メダテイション
[名] 瞑想，熟考
□ méditate　[動]瞑想する

1554 □ B1 **vegetarian**
[vèdʒəté(ə)rɪən] ヴェジャテ(ァ)リアン [ア]
[名] 菜食(主義)者
[形] 菜食主義の
cf. végan　[名]完全な菜食主義者（乳製品・卵も食べない）

1555 □ **sentiment**
[séntəmənt] センタマント
[名] 感情，心情；感傷
□ sentiméntal　[形]感情に動かされる，感傷的な

1556 □ B2 **mercy**
[mə́:rsi] マースィ
[名] 慈悲，情け；恵み
▶ mercy killing　[句]安楽死（≒ euthanasia）
□ merciful　[形]慈悲深い，ありがたい

1557 □ **Bible**
[báɪbl] バイブル
[名] 〈the +〉（キリスト教・ユダヤ教の）聖書；必読書
□ biblical　[形]聖書（から）の

1558 □ **disgust**
[dɪsgʌ́st] ディスガスト [発]
[名] 嫌悪感，反感，むかつき
[動] ～をうんざりさせる
[イメージ] むかついて吐き気がするほどの強い嫌悪。
□ disgusting　[形]むかつく，とてもひどい

1559 □ B2 **grief**
[gríːf] グリーフ
[名] 悲しみ，嘆き
□ grieve　[動]（～を）深く悲しむ

1560 □ **missionary**
[míʃ(ə)nèri] ミシャネリ
[名] 宣教師，伝道者

1561 □ B2 **compassion**
[kəmpǽʃ(ə)n] カンパッション
[名] 同情，哀れみ
▶ out of compassion　[句]同情心から
□ compassionate　[形]情け深い

1562 □ **propaganda**
[prɑ̀pəgǽndə] プラパガンダ [ア]
[名] （主義などの組織的な）宣伝活動

his *quick* temper	彼のすぐ<u>かっとなる</u>気性
a man in deep <u>meditation</u>	深い<u>瞑想</u>にふけっている男
the diet of a <u>vegetarian</u>	<u>菜食主義者</u>の食事
public <u>sentiment</u> *on* gun control	銃規制に関する国民<u>感情</u>
a war *without* <u>mercy</u>	情け容赦のない戦争
a quote from the <u>Bible</u>	<u>聖書</u>からの引用
his response *in* <u>disgust</u>	<u>むかついて</u>いる彼の反応
her *deep* <u>grief</u> *over* the death of her pet dog	ペットの犬の死に対する彼女の深い<u>悲しみ</u>
the first Christian <u>missionary</u> to the island	その島への最初のキリスト教<u>宣教師</u>
<u>compassion</u> *for* abused animals	虐待された動物に対する<u>同情</u>
the spread of anti-Japanese <u>propaganda</u>	反日<u>宣伝</u>の広がり

STAGE 6
Unit 2
名詞 **7** 学問・研究・科学・技術

1563
□ **collaboration**
[kəlæbəréɪʃ(ə)n]
コラバレイション

名 協力，協調；共同研究，共同作業 [制作]
□ colláborate 動共同して働く，協力する
□ colláborative 形共同の，協力的な

1564
□ **machinery**
[məʃíːn(ə)ri] マシーナリ 発

名 (集合的に) 機械（類）；装置，機構
語法 不可算名詞で機械類全体を指す。可算名詞として個々の機械は machine。

1565
B2 □ **microscope**
[máɪkrəskòʊp]
マイクラスコウプ ア

名 顕微鏡
□ microscópic 形微少の；顕微鏡による
cf. telescope 名望遠鏡

1566
B1 □ **encyclopedia**
[ɪnsàɪkləpíːdɪə]
インサイクラピーディア ア

名 百科事典
□ encyclopedic 形百科事典的な；博学の

1567
□ **premise**
[préməs] プレマス 発

名 (議論の) 前提，根拠；⟨-s⟩ 敷地，構内
▶ on the premise that ～ 句～という前提に基づいて

1568
□ **hacker**
[hǽkər] ハカァ

名 (コンピュータシステムに) 不正侵入する人，ハッカー
TIPS 元々は悪い意図を持たず，「コンピュータの達人」の意味。

1569
B2 □ **astronomy**
[əstránəmi]
アストラノミ ア

名 天文学
□ astronómical 形天文学の；天文学的な
□ astronomer 名天文学者

1570
□ **domain**
[doʊméɪn] ドウメイン

名 領域，分野；領地，領土
入試 the domain of ～「～の領域」は和訳で狙われる。

1571
□ **sociology**
[sòʊsiálədʒi]
ソウスィアラジ 発

名 社会学
□ sociológical 形社会学の

1572
A2 □ **atom**
[ǽtəm] アタム

名 原子
□ atómic 形原子の，原子力の
cf. molecule 名分子
cf. elementary particle 句素粒子

1573
B1 □ **radiation**
[rèɪdiéɪʃ(ə)n]
レイディエイション 発

名 放射；放射線
□ rádiate 動放射する

---

parents' <u>collaboration</u> *with* the teachers	親の教師たちとの<u>協力</u>
a piece of agricultural <u>machinery</u>	1台の農業<u>機械</u>
the observation of microbes *through* a <u>microscope</u>	<u>顕微鏡</u>を用いた微生物の観察
an illustrated <u>encyclopedia</u>	図解入り<u>百科事典</u>
the *underlying* <u>premise</u> of the theory	理論の基礎となる<u>前提</u>
<u>hackers</u>' attacks on the network	<u>ハッカー</u>によるネットワークへの攻撃
frontiers of <u>astronomy</u>	<u>天文学</u>の最先端
the <u>domain</u> of mechanical engineering	機械工学の<u>領域</u>
expertise in <u>sociology</u>	<u>社会学</u>の専門知識
the number of electrons in the <u>atom</u>	<u>原子</u>中の電子の数
exposure to <u>radiation</u> from the sun	太陽からの<u>放射線</u>への被ばく

6

1574
☐ **mortality**

[mɔːrtǽləti] モータラティ

名 死亡率 (= mortality rate)；死ぬべき運命 (⇔ immortality 不死)

☐ **mórtal** 形 死ぬ運命にある；致命的な (⇔ immortal 不死の；不滅の)

1575
☐ **vaccine**

[væksíːn] ヴァクスィーン 発 ア

名 ワクチン

☐ **vaccinátion** 名 ワクチン接種

1576
☐ **remedy**

[rémədi] レマディ

名 治療法，治療薬；改善法；救済手段

☐ **remédial** 形 治療上の；救済的な；補習の

1577
☐ **vessel**

[vésl] ヴェスル 発

名 (血液などを通す) 管；船舶

1578
☐ **germ**

[dʒə́ːrm] ジャーム 発

名 ばい菌，細菌；(考えなどの) 芽生え

▶ germ cell 句 生殖細胞，胚細胞

1579
☐ **syndrome**

[síndroum] スィンドロウム

名 症候群，シンドローム

1580
☐ **hygiene**

[háɪdʒiːn] ハイジーン ア

名 衛生状態；衛生学

☐ **hygíenic** 形 衛生的な

1581
☐ **cough**

[kɔ́ːf] コーフ 発

名 咳，咳払い

動 咳をする

1582
☐ **lifespan**

[láɪfspæn] ライフスパン

名 寿命，生存期間

TIPS life span と 2 語で示すことも多い。

1583
☐ **lung**

[lʌ́ŋ] ラング

名 肺

☐ **pulmonary** 形 肺の，肺に関する

cf. respiratory 形 呼吸 (器) の

380

the <u>mortality</u> *rate* of infants	乳幼児の<u>死亡</u>率
<u>vaccines</u> *for* preventing influenza	インフルエンザ予防の<u>ワクチン</u>
a folk <u>remedy</u> *for* colds	風邪の民間<u>療法</u>
blood <u>vessels</u> in the brain	脳内の血<u>管</u>
a breeding ground of <u>germs</u>	ばい<u>菌</u>の温床
a patient of apathy <u>syndrome</u>	無気力症<u>候群</u>の患者
the improvement of *public* <u>hygiene</u>	公衆<u>衛生</u>の向上
the common causes of persistent <u>coughs</u>	しつこい<u>咳</u>の一般的な原因
the *average* <u>lifespan</u> of apes	類人猿の平均<u>寿命</u>
a <u>lung</u> disease known as tuberculosis	結核として知られる<u>肺</u>の病気

1584 □ **monument** B1
[mánjəmənt] マニャマント
[名] 記念碑；遺跡
□ monuméntal [形] 記念碑的な；(作品が) 不朽の

1585 □ **tragedy** B1
[trǽdʒədi] トラジャディ
[名] 悲しい出来事，惨事；悲劇(⇔ comedy 喜劇)
□ tragic [形] 悲劇の，悲劇的な

1586 □ **draft** B2
[drǽft] ドラフト
[名] 下書き，草稿；隙間風；通気
[動] ～の下書きをする
[TIPS]《英》では draught とつづることもあり，意味による使い分けもある。

1587 □ **proverb** B1
[právə:rb] プラヴァーブ [ア]
[名] ことわざ，格言 (≒ saying)
▶ as the proverb goes [句] ことわざにある通り
□ provérbial [形] ことわざの

1588 □ **masterpiece** B2
[mǽstərpì:s] マスタァピース
[名] 傑作，名作；代表作

1589 □ **plot** B2
[plát] プラット
[名] (物語・小説などの) 筋，構想；策略，陰謀
[動] ～をたくらむ；(図表) を描く

1590 □ **coverage**
[kʌ́v(ə)rɪdʒ] カヴ(ァ)リジ
[名] (ニュースなどの) 報道，取材；(対象・適用の) 範囲
□ cover [動] ～を取材する

1591 □ **margin** B2
[má:rdʒən] マージャン
[名] (ページの) 余白；(得票・得点などの) 差；余裕
▶ by a margin of ～ [句] ～の差で
□ marginal [形] わずかな，重要でない；余白の

1592 □ **manuscript**
[mǽnjəskrɪ̀pt] マニャスクリプト [ア]
[名] 原稿
[語源] 手で (manu-) ＋書かれたもの (-script)。

1593 □ **biography** B1
[baɪágrəfi] バイアグラフィ [ア]
[名] 伝記
□ biográphical [形] 伝記の
cf. autobiography [名] 自伝

1594 □ **prose** B2
[próuz] プロウズ
[名] 散文
cf. verse [名] 韻文 (一定の韻 (rhyme) や韻律 (meter) を持つ詩文)

a monument *to* war victims	戦争犠牲者の記念碑
characters in a *Greek* tragedy	ギリシャ悲劇の登場人物
the *final* draft of a novel	小説の最終稿
ancient Japanese proverbs	昔からある日本のことわざ
one of the masterpieces of modern sculpture	現代彫刻の傑作の1つ
a plot *to assassinate* the president	大統領を暗殺しようとする陰謀
news coverage of the royal wedding	皇族の結婚についてのニュース報道
notes written *in the* margin	余白に書かれたメモ
the delayed submission of the manuscript	遅れた原稿の提出
an interesting biography of a famous inventor	有名な発明家の面白い伝記
a novel written *in* elegant prose	優美な散文で書かれた小説

Unit 2 [名詞] [10] 日常生活 (1)

1595 □ **stack** B2
[stæk] スタック
[名] (きちんと積み重ねた) 山，積み重ね
[動] (きちんと) ～を積み重ねる；積み重なる
cf. pile [名] (同種の物の) 山

1596 □ **questionnaire** B1
[kwèstʃ(ə)néər] クウェスチュネァ ㋐
[名] アンケート(調査)
[TIPS] 日本語の「アンケート」はフランス語 (enquête) に由来。

1597 □ **quarrel** B2
[kwɔ́:rəl] クウォーラル
[名] 口論，言い争い，けんか
[動] 口論する，言い争う
□ quarrelsome [形] 口論好きな

1598 □ **reception** B1
[rɪsépʃ(ə)n] リセプション
[名] 歓迎会，(公式な) パーティー；(世間の) 反応；受付
□ receive [動] ～を受け取る
□ receipt [名] 領収書

1599 □ **pottery** B1
[pɑ́təri] パタリ
[名] (集合的に) 陶器類；陶芸
[語法] pot (なべ，容器) は可算名詞だが，pottery は不可算名詞。
□ potter [名] 陶芸家

1600 □ **utility** B2
[ju:tíləti] ユーティラティ
[名] 実用性，効用；〈-ies〉(電気・ガス・水道など) 公共サービス
[形] 実用的な，多目的の
□ útilize [動] ～を利用する

1601 □ **dormitory** B2
[dɔ́:rmətɔ̀:ri] ドーマトーリ
[名] 寮，寄宿舎

1602 □ **hardship** B1
[hɑ́:rdʃìp] ハードシップ
[名] 困難，苦難

1603 □ **fabric** B2
[fǽbrɪk] ファブリク
[名] 織物，編み物，布地；基本構造，組織

1604 □ **spouse**
[spáus] スパウス
[名] 配偶者
cf. partner [名] 配偶者，恋人；パートナー
cf. sibling [名] 兄弟姉妹

1605 □ **funeral** B1
[fjú:n(ə)rəl] フューナラル
[名] 葬式，葬儀
[形] 葬式の，葬儀の

a stack *of* documents	書類の山
individual questions on the questionnaire	アンケートの個々の質問
a quarrel *over* a trivial matter	ささいな問題をめぐる口論
the hotel reception *desk*	ホテルのフロント
a beautiful work of pottery	美しい陶芸作品
an invention with no real utility	実際の実用性のない発明
students living in the dormitory	寮に住んでいる学生たち
severe economic hardship	深刻な経済的困難
a hat made of *cotton* fabric	綿織物でできた帽子
veterans and their spouses	退役軍人とその配偶者
the long procession of the funeral	葬儀の長い列

6

1606
☐ **hospitality**
B2
[hàspɪtǽləti] ハスピタラティ

名 もてなし，歓待

1607
☐ **rumor**
A2
[rúːmər] ルーマァ

名 うわさ，風評
動 〈be rumored〉 ～とうわさされる

1608
☐ **toddler**
[tádlər] タドラァ

名 (よちよち歩きの) 小児，歩き始めの子供
☐ toddle 動 よちよち歩く
cf. infant 名 乳児，幼児

1609
☐ **acquaintance**
B1
[əkwéɪntəns]
アクウェインタンス

名 知り合い，知人；面識；知識
☐ acquainted 形 知り合いで；精通して

1610
☐ **sightseeing**
A2
[sáɪtsìːɪŋ]
サイトスィーイング 🅐

名 観光，見物
▶ do[go] sightseeing 句 観光する[に行く]
☐ sightseer 名 観光客

1611
☐ **subscription**
[səbskrípʃ(ə)n]
サブスクリプション

名 (新聞・雑誌の) 定期購読(料金)
☐ subscribe 動 ～を定期購読[利用]する；～に署名する

1612
☐ **bachelor**
[bǽtʃ(ə)lər] バチャラァ

名 独身男性；学士(号)
TIPS 「独身男性」の意味では，日常的な表現としては a single [unmarried] man。

1613
☐ **cuisine**
[kwɪzíːn] クウィズィーン

名 (特定地域・店の) 料理，食事

1614
☐ **basin**
B1
[béɪs(ə)n] ベイスン

名 盆地；洗面器

1615
☐ **thread**
B2
[θréd] スレッド 🅟

名 糸；(話などの) 筋
動 ～に糸を通す
▶ thread *one's* way through ～ 句 ～を縫うように進む

1616
☐ **irony**
[áɪ(ə)rəni] アイ(ァ)ラニ

名 皮肉(な言葉・事態)
☐ irónical 形 皮肉な

---

a spirit of <u>hospitality</u>	<u>もてなし</u>の心
spreading <u>rumors</u> *of* their divorce	広がる彼らの離婚の<u>うわさ</u>
suitable clothes for <u>toddlers</u>	<u>よちよち歩きの子ども</u>にちょうどよい服
their *mutual* <u>acquaintance</u>	彼らの共通の<u>知り合い</u>
famous <u>sightseeing</u> *spots* on the coast	海岸沿いにある有名な<u>観光</u>スポット
a <u>subscription</u> *to* an English magazine	英文雑誌の<u>定期購読</u>
a <u>bachelor</u>'s *degree* in science	理学の<u>学士</u>号
the <u>cuisine</u> of the country	その国の<u>料理</u>
an empty <u>basin</u>	空の<u>洗面器</u>
a needle and <u>thread</u>	<u>糸</u>を通した針
the <u>irony</u> of fate	運命の<u>皮肉</u>

1617
□ **dishonest**
A2
[dɪsánɪst]
ディスアニスト

形 不正直な，不誠実な；不正の (⇔ honest 誠実な)

□ dishonesty 名不誠実；不正行為

1618
□ **pessimistic**
B2
[pèsəmístɪk]
ペサミスティック

形 悲観的な，悲観主義の (⇔ optimistic 楽観的な)

□ péssimism 名悲観論 (⇔ optimism 楽観論)

1619
□ **prone**
[próun] プロウン

形 ～の傾向がある，～をこうむりやすい

TIPS 特によくないことに用いる。

▶ *be* prone to *do* 句do しがちである

1620
□ **sincere**
B2
[sìnsíər] スィンスィア 🅐

形 心からの，正直な；誠実な

□ sincerity 名誠実さ；正直

1621
□ **skillful**
B2
[skílf(ə)l] スキルフ(ァ)ル

形 熟練した，腕のいい (≒ skilled)

▶ *be* skillful at *doing* 句do するのに熟練している

1622
□ **diligent**
B1
[dílədʒ(ə)nt]
ディリジャント

形 勤勉な，熱心な

□ diligence 名勤勉

1623
□ **feminine**
[fémɪnɪn] フェミニン 🅐

形 女性 (用) の；女性らしい

イメージ 女性らしい繊細さ，優しさを含意。female は性区分としての「女性 (の)」。

cf. masculine 形男性の；男性的な

1624
□ **arrogant**
B2
[ǽrəgənt] アラガント

形 横柄な，傲慢な

□ arrogance 名横柄，傲慢

1625
□ **nasty**
B1
[nǽsti] ナスティ

形 意地の悪い，卑劣な；不快な

1626
□ **absurd**
B2
[əbsə́:rd]
アブサード 🅐

形 不合理な，ばかげた

イメージ 理性や常識で考えて納得のいかない。

□ absurdity 名不合理；ばかげたこと

---

her <u>dishonest</u> reply to his question	彼の質問に対する彼女の<u>不誠実</u>な返答
their <u>pessimistic</u> world view	彼らの<u>悲観的</u>な世界観
He *is* <u>prone</u> *to lose* his temper.	彼はかんしゃくを起こし<u>がち</u>だ。
his <u>sincere</u> apologies to his colleagues	同僚に対する彼の<u>心からの</u>謝罪
her <u>skillful</u> manipulation of the instrument	彼女の<u>熟練</u>した器具の操作
one of the most <u>diligent</u> students in her class	彼女のクラスで最も<u>勤勉</u>な学生の1人
a letter written in a <u>feminine</u> hand	<u>女性らしい</u>字で書かれた手紙
his <u>arrogant</u> attitude toward the customer	客に対する彼の<u>横柄</u>な態度
her <u>nasty</u> way of talking	彼女の<u>意地の悪い</u>しゃべり方
It was <u>absurd</u> to say such a thing.	そのようなことを言うのは<u>ばかげて</u>いた。

1627 □ **corrupt** B2
[kərʌ́pt] コラプト
[形] 堕落した；腐敗した；汚職の
[動] ～を堕落させる；(人)を買収する
□ corruption [名]汚職，買収；堕落

1628 □ **furious** B2
[fjú(ə)riəs] フュ(ァ)リアス
[形] 激怒した；猛烈な，激しい
□ fury [名]激怒；激しさ

1629 □ **idle** B2
[áɪdl] アイドル
[形] 働いていない，使われていない；怠けた
[動] 仕事をしないで過ごす
TIPS 「怠けた」の意味では，lazyを用いるのがふつう。[同音]のidol（アイドル，偶像）とのつづりの違いに注意する。

1630 □ **loyal** B1
[lɔ́ɪəl] ロイアル
[形] 忠誠心のある，忠実な；誠実な
□ loyalty [名]忠誠，誠実
TIPS royal「王の，王立の」との区別に注意。

1631 □ **notorious** B1
[noutɔ́:riəs]
ノウトーリアス [ア]
[形] 悪名高い，(悪いことで)有名な(≒ infamous)
□ notoriety [名]悪名，悪い評判

1632 □ **timid**
[tímɪd] ティミド
[形] 臆病な，気弱な；おどおどした
□ timidity [名]臆病，小心

1633 □ **armed** A2
[ɑ́:rmd] アームド
[形] 武装した，武器を持つ；備えている
□ armament [名]軍備（を整えること）

1634 □ **deaf** B1
[déf] デフ [発]
[形] 耳の聞こえない，耳が不自由な
TIPS 「難聴で，耳が不自由で」は，hard of hearingやhearing(-)impaired「聴覚障害のある」の方が好まれる。
▶ turn a deaf ear to ～ [句]～に耳を貸さない

1635 □ **jealous** B1
[dʒéləs] ジェラス [発]
[形] 嫉妬深い，妬んでいる
□ jealousy [名]嫉妬，妬み

1636 □ **ingenious**
[ɪndʒí:njəs] インジーニァス
[形] 独創的な，精巧な；(人が)器用な，発明の才のある
TIPS indigenous（土着の）との区別に注意。
□ ingenuity [名]独創力，精巧さ

severe criticism of the <u>corrupt</u> politician	<u>汚職</u>した政治家への厳しい批判
a <u>furious</u> debate	<u>激しい</u>討論
the number of <u>idle</u> workers	<u>仕事のない</u>労働者の数
the employees <u>loyal</u> *to* the company	会社に対して<u>忠誠心のある</u>従業員たち
one of the most <u>notorious</u> criminals of this century	今世紀で最も<u>有名な</u>犯罪者の1人
his <u>timid</u> attitude towards his elders	目上の人たちに対する彼の<u>臆病な</u>態度
the hostages held by the <u>armed</u> group	<u>武装した</u>集団に取られた人質たち
sign language for <u>deaf</u> people	<u>耳の不自由な</u>人のための手話
her <u>jealous</u> husband	<u>嫉妬深い</u>彼女の夫
a boy <u>ingenious</u> at making excuses	言い訳をするのが<u>うまい</u>少年

6

1637 □ **voluntary**
[vάləntèri] ヴァランテリ [ア]
[形] 自由意志の，自発的な，自主的な；任意の
□ voluntéer [名] ボランティア，有志 [動] 志願する

1638 □ **vague** B1
[véɪg] ヴェイグ [発]
[形] 曖昧な，不明瞭な，漠然とした
[イメージ] 正確さや精密さを欠き，細部がはっきりしない。
[入試] 言葉や考えが「曖昧な」という意味で和訳で狙われる。
□ vagueness [名] 曖昧さ，漠然

1639 □ **vivid** B1
[vívɪd] ヴィヴィッド
[形] 鮮明な；(想像などが) 生き生きとした
[語源] 生き生きと (viv-) ＋している (-id)。

1640 □ **obscure**
[əbskjúər] オブスキュァ
[形] はっきりしない，不明瞭な；無名の
[イメージ] 説明が不足していてはっきりしない。
[入試] 「無名の」の意味は和訳で狙われる。
□ obscurity [名] 不明瞭さ；無名

1641 □ **bald** B1
[bɔ́:ld] ボールド
[形] ありのままの；髪の(少)ない；むき出しの
[イメージ] 本来あるべきものが表面にない。

1642 □ **sore** B1
[sɔ́:r] ソーァ
[形] 痛い，ヒリヒリする
[名] (傷や炎症などで) 痛い所，傷
□ soreness [名] 痛み

1643 □ **explicit**
[ɪksplísɪt] イクスプリスィト
[形] 明白な；はっきり述べられた (≒ clear)
(⇔ implicit 暗黙の)

1644 □ **dim** B2
[dím] ディム
[形] 薄暗い(⇔ bright)；ぼんやりした
[動] ～を薄暗くする；(感情・期待などが) 弱まる

1645 □ **transparent** B2
[trænspé(ə)rənt] トランスペ(ァ)ラント
[形] 透き通った，透明な；わかりやすい；見えすいた (⇔ opaque 不透明な)
□ transparency [名] 透明性

their <u>voluntary</u> participation in the project	事業への彼らの<u>自発的</u>な参加
a <u>vague</u> explanation of the plan	計画についての<u>曖昧な</u>説明
<u>vivid</u> memories of the incident	その出来事の<u>鮮明な</u>記憶
an <u>obscure</u> reason for her absence	彼女の欠席の<u>はっきりしない</u>理由
the <u>bald</u> facts about the present situation	現在の状況に関する<u>ありのままの</u>事実
the <u>sore</u> part of her shoulder	彼女の肩の<u>痛い</u>部分
the <u>explicit</u> purpose of the law	その法律の<u>明白な</u>目的
a <u>dim</u> corner of the room	部屋の<u>薄暗い</u>片隅
<u>transparent</u> film for wrapping	包装用の<u>透明な</u>フィルム

6

1646
☐ **autonomous**

[ɔ:tánəməs]
オータノマス 🄰

形 自主的な，自立的な；自治権のある

☐ autonomy 名 自主性；自治(権)

1647
☐ **vain**

B1

[véɪn] ヴェイン

形 無駄な，無益な；虚栄心の強い

▶ in vain 句 無駄に，無益に

入試 in vain は和訳問題で狙われやすい。

☐ vanity 名 虚栄心；むなしさ

1648
☐ **decent**

B2

[dí:s(ə)nt]
ディーセント 発 🄰

形 きちんとした (⇔ indecent 好ましくない；下品な)；
まずまずの；親切な

☐ decency 名 きちんとしていること；品位

1649
☐ **indispensable**

B2

[ìndɪspénsəbl]
インディスペンサブル

形 必須の，不可欠な (≒ essential)

イメージ 絶対になくてはならないような。

1650
☐ **authentic**

[ɔ:θéntɪk] オーセンティック

形 本物の；本格的な；信頼のおける

☐ authentícity 名本物であること

1651
☐ **troublesome**

B2

[trʌ́bls(ə)m] トラブルスム

形 面倒な，煩わしい，骨の折れる

1652
☐ **magnificent**

B1

[mæɡnífəs(ə)nt]
マグニフィセント 🄰

形 壮大な，堂々とした

☐ magnificence 名壮大さ

1653
☐ **ambiguous**

B2

[æmbíɡjuəs]
アンビギュアス 🄰

形 曖昧な；複数の意味を持つ

イメージ 2つ以上の意味に解釈できるためはっきりしない。

☐ ambiguity 名曖昧さ；両義性

1654
☐ **commonplace**

[kámənplèɪs]
カマンプレイス 🄰

形 ふつうの，当たり前の，平凡な

イメージ common よりもありふれていることを強調。

名 ありふれたこと

1655
☐ **coherent**

B2

[kouhí(ə)rənt]
コウヒ(ァ)ラント 🄰

形 つじつまの合った，首尾一貫した

☐ coherence 名首尾一貫性，つじつまが合っていること

<u>autonomous</u> economic growth	<u>自立的な</u>経済成長
our <u>vain</u> *attempt* to persuade her	彼女を説得しようとする我々の<u>無駄な</u>試み
<u>decent</u> *clothes* for the occasion	その場にふさわしい<u>きちんとした</u>服装
knowledge <u>indispensable</u> *to* teachers	教師に<u>必須の</u>知識
<u>authentic</u> Chinese cuisine	<u>本格的な</u>中華料理
the <u>troublesome</u> check-in procedure at the airport counter	空港窓口での<u>面倒な</u>チェックイン手続き
a <u>magnificent</u> view of the ocean from our hotel room	ホテルの部屋からの海の<u>壮大な</u>眺め
an <u>ambiguous</u> definition of the term	その用語の<u>曖昧な</u>定義
a <u>commonplace</u> procedure at our office	私たちの会社では<u>ふつうの</u>手続き
her <u>coherent</u> explanation of the incident	事件についての彼女の<u>つじつまの合う</u>説明

6

1656 ☐ **fragile** [frǽdʒəl] フラジャル 発	形 壊れやすい，もろい；はかない *cf.* FRAGILE 割れ物注意（小包などの表示） ☐ fragílity 名壊れやすさ，もろさ	

1657 ☐ **faint** B1 [féint] フェイント	形 かすかな，おぼろげな；わずかな；弱々しい 動 気絶する 名 気絶

1658 ☐ **plentiful** [pléntɪf(ə)l] プレンティフル	形 豊富な，十分な (≒ abundant, plenty of) ☐ plenty 名たっぷり，十分；豊富

1659 ☐ **gross** B2 [gróus] グロウス 発	形 総計の，全体の；ひどい 名 グロス (= 12 ダース)

1660 ☐ **infinite** [ínfənɪt] インファニト ア	形 無限の，限りない (⇔ finite 有限の) イメージ 「終わり (fin)」が「ない (in)-」ので無限に広がる。 ☐ infínity 名無限

1661 ☐ **immense** [ɪméns] イメンス	形 巨大な，莫大な，膨大な イメージ 無限に広がっていると思えるほど大きい。 ☐ imménsity 名莫大

1662 ☐ **fierce** B2 [fíərs] フィアス	形 激しい，猛烈な；どう猛な ☐ fíerceness 名激しさ；どう猛さ

1663 ☐ **vigorous** B2 [víg(ə)rəs] ヴィガラス	形 活発な，精力的な；元気いっぱいの，壮健な ☐ vígor 名活力，元気

1664 ☐ **dual** [d(j)úːəl] デューアル	形 二重の；二面性がある

the careful handling of <u>fragile</u> items	壊れやすい品物の慎重な扱い
a <u>faint</u> *chance* of her recovering	彼女の回復の<u>わずかな</u>可能性
a <u>plentiful</u> *supply* of food	食糧の<u>豊富な</u>供給
the <u>gross</u> *income* of the politician	その政治家の<u>総</u>収入
the <u>infinite</u> potential of the young architect	その若い建築家の<u>無限の</u>可能性
an <u>immense</u> *amount of* debt	<u>莫大な</u>額の借金
<u>fierce</u> *opposition* to the law	その法律に対する<u>激しい</u>反対
an unbelievably <u>vigorous</u> person	信じられないくらい<u>元気いっぱいの</u>人
a person with <u>dual</u> *nationality*	<u>二重</u>国籍の人

6

1665
monetary [mɑ́nətèri] マナテリ
[形] 通貨の，貨幣の；金銭的な

1666
metropolitan [mètrəpɑ́lətn] メトラパラトン
[形] 大都市の；首都の；都会的な
[名] 都会人

1667
pervasive [pərvéɪsɪv] パァヴェイスィヴ
[形] (隅々まで) 広がっている，まん延する
□ pervade [動] 広がる

1668
bankrupt B2 [bǽŋkrʌpt] バンクラプト [ア]
[形] 破産した；破綻した
▶ go bankrupt [句] 破産する
□ bankruptcy [名] 破産，倒産；破綻

1669
terrestrial [təréstriəl] タレストリアル
[形] 地球の；陸上の
▶ (terrestrial) globe [句] 地球儀
cf. extraterrestrial [形] 地球外の celestial [形] 天(体)の

1670
liable [láɪəbl] ライアブル
[形] (よくないことを) しがちな；(法的に) 責任がある
▶ *be* liable to *do* [句] do しがちである
□ liabílity [名] (法的) 責任

1671
diplomatic [dìpləmǽtɪk] ディプラマティック [ア]
[形] 外交（上）の
□ diplómacy [名] 外交
□ díplomat [名] 外交官
[TIPS] 「外交政策」は foreign policy の方がふつう。

the global <u>monetary</u> market	世界の<u>通貨</u>市場
the rail network in the <u>metropolitan</u> *area*	<u>大都市</u>圏の鉄道網
a <u>pervasive</u> *sense of* loss	<u>広がっている</u>喪失感
a person declared <u>bankrupt</u>	<u>破産</u>宣告を受けた人
the <u>terrestrial</u> gravity field	<u>地球</u>の重力場
We *are* all <u>liable</u> *to make* mistakes.	我々は皆間違いを<u>しがちだ</u>。
<u>diplomatic</u> *relations* between the two countries	その 2 国間の<u>外交</u>関係

1672 □ **fluent** B1
[flú:ənt] フルーアント
[形] 流暢な；雄弁な；(動作が) 滑らかな
[イメージ] 流れるようにすらすらと。
□ fluency [名]流暢さ；(動作の) 滑らかさ

1673 □ **demographic**
[dì:məgrǽfɪk] ディーマグラフィック
[形] 人口統計 (学) の
[名] 〈-s〉 (特定の) 人口統計
□ demógraphy [名]人口統計学

1674 □ **anonymous** B2
[ənɑ́nəməs] アナナマス [ア]
[形] 匿名の，無記名の
□ anonýmity [名]匿名

1675 □ **cosmic**
[kɑ́zmɪk] カズミック [発]
[形] 宇宙の(ような)；広大な，重大な
□ cosmos [kɑ́:zməs] [名]宇宙

1676 □ **illiterate**
[ɪlít(ə)rət] イリタラット
[形] 読み書きのできない；無学の；(特定分野の) 知識のない (⇔ literate 読み書きのできる；(～の) 知識 [能力] のある)
[名] 読み書きのできない人
□ illiteracy [名]読み書きができないこと

1677 □ **aesthetic**
[esθétɪk] エスセティク [発] [ア]
[形] 美に関する；美の；美的な
[名] 美学

1678 □ **arbitrary**
[ɑ́:rbətrèri] アーバトレリ [ア]
[形] 任意の，恣意的な
□ arbitrariness [名]任意性，恣意性

1679 □ **ubiquitous**
[ju(:)bíkwɪtəs] ユービクウィタス [発] [ア]
[形] 遍在する，至る所にある；ユビキタスの
□ ubiquity [名]偏在

a fluent *speaker* of Thai	流暢なタイ語の話し手
a demographic analysis of immigrants	移民の人口統計学的分析
an anonymous donation to the charity	慈善団体への匿名の寄付
vast stretches of cosmic space	宇宙空間の広大な広がり
computer illiterate university students	コンピュータの知識のない大学生たち
an evaluation *from the* aesthetic *point of view*	美的観点からの評価
an arbitrary *choice* of numbers	任意の数字の選択
ubiquitous networks of wireless sensors	無線センサーのユビキタスネットワーク

I-121
☐ **fall behind (with / on ~)**

(支払い，学業などに) 遅れる

I-122
☐ **fall short (of ~)**

(~に) 及ばない，(~に) 届かない，(物が) 不足する

I-123
☐ **fall on ~**

(特定の日が) ~にあたる

I-124
☐ **call for ~**

~を要求する，~を必要とする

I-125
☐ **call on ~**

(人) をちょっと訪問する　TIPS〉 場所を訪ねる場合は call at ~。

I-126
☐ **hit on ~**

~をふと思いつく

I-127
☐ **look down on ~**

~を見下す，~を軽蔑する (⇔ look up to ~ ~を尊敬する)

I-128
☐ **look into ~**

~を調べる，調査する

I-129
☐ **look to A (for B)**

(B を求めて) A に頼る，A を当てにする

I-130
☐ **see (to it) that ~**

~となるように取り計らう，手配する　入試〉 it は that 節を指す形式目的語。

I-131
☐ **cut down ~**

~を減らす

I-132
☐ **stand for ~**

~を表す，~の略語である；~を支持する

He fell behind with his rent.

彼は家賃の支払いに遅れた。

The results fell short of our expectations.

結果は私たちの期待に及ばなかった。

Her birthday falls on a Monday this year.

彼女の誕生日は，今年は月曜日にあたる。

This situation calls for a quick decision.

この状況では素早い判断が必要だ。

He called on his uncle *at* his office yesterday.

彼は昨日，会社にいるおじをちょっと訪ねた。

I hit on a very good idea.

私はとてもよい考えを思いついた。

She seems to look down on me.

彼女は私を見下しているようだ。

The police are looking into the cause of the accident.

警察は事故の原因を調査している。

She looked to me for advice.

彼女は助言を求めて私に頼ってきた。

He will see to it that everything is ready for the meeting.

彼が会議の準備がすべて整うように取り計らいます。

We need to cut down the cost of advertising.

我々は広告費を減らす必要がある。

AI stands for artificial intelligence.

AI は人工知能を表している。

I-133
☐ **hold on (to ～)**

（～に）つかまっている　発信 hang on「電話を切らずに待つ」（⇔ hang up 電話を切る）。

I-134
☐ **hold up**

～を襲って強奪する；～を（高く）上げる

I-135
☐ **set in**

（季節などが）始まる

I-136
☐ **set about ～**

～を（し）始める，～に取りかかる

I-137
☐ **set aside ～**

（お金・時間など）を取っておく；（感情など）を考慮に入れない

I-138
☐ **talk back (to ～)**

（～に）口答えする

I-139
☐ **talk ～ into** *doing*

～を説得して do させる（⇔ talk ～ out of *doing*　～を説得して do させない）

I-140
☐ **tell A from B**

A を B と区別する

I-141
☐ **tell on ～**

（負担などが）～にこたえる；～のことを言いつける，告げ口する

I-142
☐ **let ～ down**

～をがっかりさせる，～の期待を裏切る

I-143
☐ **account for ～**

（～の理由）を説明する；～の原因［説明］となる；（割合・部分）を占める

I-144
☐ **carry on (～)**

（～を）続ける

He <u>held on to</u> the rope.

彼はロープに<u>つかまっていた</u>。

The bank *was* <u>held up</u> last night.

その銀行は昨晩<u>強盗に入られた</u>。

The rainy season *has* <u>set in</u>.

梅雨の季節が<u>始まった</u>。

She finally <u>set about</u> *doing* her homework.

彼女はようやく宿題を<u>し始めた</u>。

He <u>set aside</u> the money *for* his son's birthday party.

彼は息子の誕生パーティーのためにそのお金を<u>取っておいた</u>。

You had better not <u>talk back to</u> your teacher.

先生に<u>口答えして</u>はいけないよ。

She <u>talked</u> her father <u>into</u> *buying* her a new car.

彼女は父親を<u>説得して</u>新車を買ってもらった。

I couldn't <u>tell</u> her <u>from</u> her twin sister.

私は彼女を双子の姉と<u>見分けがつか</u>なかった。

The stress began to <u>tell on</u> him.

ストレスが彼には<u>こたえ</u>はじめていた。

She <u>let</u> me <u>down</u> when she didn't help me.

私の手伝いをしてくれなくて，彼女は私を<u>がっかりさせた</u>。

He wanted to <u>account for</u> his conduct.

彼は自分の行動を<u>説明する</u>ことを望んだ。

She <u>carried on</u> talking about herself.

彼女は自分自身の話を<u>続けた</u>。

I-145
☐ **all at once**

突然；いっせいに 　TIPS〉 at once は「ただちに；同時に」。

I-146
☐ **all of a sudden**

突然 (≒ suddenly)

I-147
☐ **as time goes by**

時がたつにつれ，日増しに 　TIPS〉 go by は「過ぎ去る (pass)」の意味。

I-148
☐ **at intervals**

時おり；とびとびに 　入試〉 複数形 intervals であることに注意。

I-149
☐ **at present**

今のところ，目下

I-150
☐ **for the moment [present]**

差し当たり，当座は

I-151
☐ **for the time being**

当分の間，差し当たり

I-152
☐ **from time to time**

時々，時おり

I-153
☐ **in no time**

たちまち，あっという間に

I-154
☐ **at one time**

かつては，昔は

I-155
☐ **in the long run**

最後には，結局は

I-156
☐ **in the long term**

長期的には (⇔ in the short term 短期的には)

All at once the girl began to cry.

少女は突然泣き出した。

All of a sudden, it started pouring.

突然，土砂降りの雨になった。

He is getting better as time goes by.

時がたつにつれ，彼は具合がよくなってきている。

She visits her aunt at intervals.

彼女は時おりおばを訪ねる。

At present, she is satisfied with her life.

今のところ，彼女は自分の生活に満足している。

There is no need to worry for the moment.

差し当たり，心配の必要はない。

This will do for the time being.

当分の間はこれで間に合うだろう。

I see her mother from time to time.

私は時々彼女の母親を見かける。

They ate up the food in no time.

彼らはたちまち食べ物を平らげた。

At one time there were a lot of public phones there.

かつてはそこにたくさんの公衆電話があった。

Honesty will pay in the long run.

誠実さは最後には報われる。

These measures will be effective in the long term.

これらの対策は長期的には効果があるだろう。

▪ 基本動詞を使いこなそう

turn　進む方向を変える

自 回る，曲がる，変わる，(ある状態に)なる
他 〜を回す，ひっくり返す，曲げる，変える
名 回転，曲がり角，順番，変わり目

「向きを変える」が基本的な意味。「方向が変わる」ことから，「回る，回す」の意味となり，さらに結果として「状態の変化」の意味を持つようになる。

turn の基本

■ She <u>turned</u> the wheel *to* the right.　彼女はハンドル<u>を</u>右に<u>切った</u>。
　● 右の方向に向けて「回す」。

■ The car <u>turned</u> the corner.　その車は角<u>を曲がった</u>。
　●「曲がる場所」が目的語になることもある。

■ The milk <u>turned</u> *sour*.　牛乳が酸っぱく<u>なった</u>。
　● 変化して，酸っぱい状態になる。

■ He will <u>turn</u> 80 on his next birthday.
彼は次の誕生日で 80 歳に<u>なる</u>。
　● 状態の変化から，さらに年齢の変化。

■ It's my <u>turn</u> *to sing*.　今度は私が歌う<u>番</u>だ。
　●「順番」が巡って自分のところへ来るというイメージ。

turn を含む重要表現

■ turn upside down : ひっくり返る

The boat <u>turned</u> <u>upside</u> <u>down</u>.
ボートは<u>ひっくり返った</u>。
　● 上下が逆になるように回る。

■ take turns *doing* : 交代で do する

They <u>took</u> <u>turns</u> *driving* the car.
彼らは<u>交代で</u>運転した。
　● それぞれが自分の順番をとらえて行う。

turn の群動詞

■ turn down ～ ： ～を断る，拒否する；(音など)を弱くする

She <u>turned</u> <u>down</u> the offer.
彼女はその申し出<u>を断った</u>。

　●自分に向かってきた申し出を，下に向けて拒む。

■ turn on ～ ： (電気など)をつける (⇔ turn off ～：～を消す)

She <u>turned</u> the TV <u>on</u>.
彼女はテレビ<u>をつけた</u>。

　●スイッチを回して電源を入れる。

■ turn out ～ ： ～を生産する；(灯りなど)を消す

The factory <u>turns</u> <u>out</u> 100 computers a day.
その工場は 1 日に 100 台のコンピュータ<u>を生産</u>する。

　●「機械を回し（＝動かし）て作り出す (out)」というイメージ。

■ turn out (to be) ～ ： ～であるとわかる

The woman <u>turned</u> <u>out</u> *to be* a detective.
その女性は刑事だと<u>わかった</u>。

　≒ It turned out *that* the woman was a detective.

　●事態が展開して，真実が表に出てくる。

■ turn to ～ for ... ： ～に…を求める

He <u>turned</u> <u>to</u> me <u>for</u> help.
彼は私に助け<u>を求めた</u>。

　●「助けを求めて私の方に向く」が文字通りの意味。

■ turn up (～) ： 姿を現す；(音量など)を大きくする

Only 15 people <u>turned</u> <u>up</u> at the party.
パーティーに<u>現れた</u>のは 15 人だけだった。

　●事態が展開した結果として，登場 (up) する。

6

▪ 基本動詞を使いこなそう

run 走るような連続した変化

自 走る，運行する，通じている，流れる，
　～になる，立候補する
他 ～を走る，～に出場する，～を経営する
名 走ること，連続，得点

「走る」という本来の意味から，
連続して移動すること，さら
に状態の変化も表す。
他動詞用法の場合には，「走
らせる」から「経営する」など
へ広がる。

run の基本

■ The girl ran *for* the door.　少女はドアに向かって走った。
  ● 「ドアを求めて走る」感じをとらえる。

■ The buses run every 15 minutes.　バスは15分ごとに運行しています。
  ● 速度よりも移動に意味の重点がある。

■ This machine runs on electricity.　この機械は電気で動く。
  ● 場所の移動ではないことがポイント。

■ The river has run *dry*.　その川は干上がった。
  ● 変化の結果，「乾いた」状態になる。

■ He runs a coffee shop.　彼は喫茶店を経営している。
  ● 店（の営業）を走らせている。

run を含む重要表現

■ **run short of ～**：～が不足する

We are running short of milk.
牛乳が足りなくなってきている。
  ● 「不足した状況」に進んでいる。

■ **on the run**：逃走中で；慌ただしくして

The suspect *is* still on the run.
容疑者はまだ逃走中だ。
  ● 「走っている」状態のままでいる。

410

run の群動詞

■ run across ～ : ～にばったり会う；～を走って横切る

I <u>ran across</u> an old friend of mine yesterday.
昨日旧友に<u>ばったり会った</u>。

● 2 人の進む方向がちょうど交差するイメージ。

■ run after ～ : ～を追いかける

The cat <u>ran after</u> a mouse.
猫はネズミ<u>を追いかけた</u>。

● 何かの後ろを走るということ。

■ run for ～ : ～に立候補する

She <u>ran for</u> President.
彼女は大統領<u>に立候補した</u>。

●「大統領の地位」を求めて走る。

■ run into ～ : ～にぶつかる；～にばったり会う

His car <u>ran into</u> the fence.
彼の車はフェンス<u>にぶつかった</u>。

●「進み続けてはまり込む」というイメージ。

■ run out : なくなる，尽きる

Her money was <u>running out</u>.
彼女のお金は<u>なくなり</u>かけていた。

●「ない状態」に向けて進んでいた。

■ run out of ～ : ～を切らす，使い果たす

I've <u>run out of</u> salt.
塩を<u>切らして</u>しまった。

●「～の外へ走って出る」から「～のない状態に変化する」。

■ run over ～ : (車，運転手が) ～をひく

The dog *was* <u>run over</u> by a truck.
その犬はトラックに<u>はねられた</u>。

● run down にも「～をひく」の意味がある。

► 重要な多義語・多品詞語

fine

形 ❶ 元気な	She *looks* fine today. 今日，彼女は<u>元気</u>そうだ。	
❷ 素晴らしい，優れた	fine works of art <u>優れた</u>芸術作品	
❸ 細い，細かい	a fine thread <u>細い</u>糸	

名 罰金	a fine of \$100 *for* speeding 速度違反での 100 ドルの<u>罰金</u>

動 ～に (…の) 罰金を科す	He *was* fined \$50 *for* illegal parking. 彼は駐車違反で 50 ドルの<u>罰金を科された</u>。

bill

名 ❶ 勘定 (書)，請求書	He paid the bill for our lunch. 彼は私たちの昼食の<u>勘定</u>を払ってくれた。
❷ 紙幣 (《英》note)	a 100-dollar bill 100 ドル<u>札</u>
❸ 議案，法案	The bill was passed. その<u>議案</u>は可決された。
❹ (鳥などの平らな) くちばし	the bill of a duck アヒルの<u>くちばし</u>

TIPS > とがったくちばしは beak。

412

STAGE 7

国公立2次・私大上位で差をつける語②

最終ステージでは，大学での学びに備えたレベルを目指します。大学入試での出題頻度による重要性だけではなく，実用英語としてよく使われる語や，トレンドを反映した語も扱っています。こうした語に関する知識を体得することで，大学での学びの基盤を築きましょう。

Unit 1 [動詞] 1 思考・認識・感情

1680 □ **consent** B2
[kənsént] カンセント [ア]
[動] 承諾する，同意する
▶ consent to *do* [句] do することに同意する
[名] 承諾，承認，同意
▶ informed consent [句] インフォームド・コンセント

1681 □ **enlighten**
[ɪnláɪtn] インライトン
[動] ～を啓発する，啓蒙する
[イメージ] 光を当てて明るくし，よく見えるようにする。
□ enlightenment [名] 啓発

1682 □ **contemplate**
[kɑ́ntəmplèɪt] カンテムプレイト [ア]
[動] ～を熟考する，熟慮する (≒ consider)
▶ contemplate *doing* [句] do しようかと考える
□ contemplátion [名] 熟考；瞑想

1683 □ **blur** B2
[blə́:r] ブラー
[動] ～をぼやけさせる；ぼやける
[名] ぼんやりしたもの

1684 □ **betray** B2
[bɪtréɪ] ビトレイ [ア]
[動] ～を裏切る，そむく；(秘密など) を漏らす
□ betrayal [名] 裏切り (行為)

1685 □ **weep** A2
[wí:p] ウィープ
[動] 泣く，涙を流す
[活用] weep - wept - wept
[名] 泣くこと，ひと泣き

1686 □ **affirm**
[əfə́:rm] アファーム
[動] ～を断言する，～に賛同する，～を肯定する
□ affirmative [形] 肯定の，賛成の

1687 □ **amaze** B2
[əméɪz] アメイズ
[動] ～を驚嘆させる，～をびっくりさせる
□ amazing [形] びっくりするような，素晴らしい
□ amazement [名] 驚き，驚嘆

1688 □ **vow** B2
[váu] ヴァウ
[動] ～を誓う
▶ vow to *do* [句] do すると誓う
[名] 誓い，誓約

1689 □ **yearn** B2
[jə́:rn] ヤーン
[動] 〈+ for ～ / to *do*〉(～を／することを) 切望する，熱望する
□ yearning [名] 熱望，あこがれ

1690 □ **humiliate** B2
[hju:mílièɪt] ヒューミリエイト [ア]
[動] ～に恥をかかせる，屈辱を与える
□ humiliátion [名] 屈辱，恥

He consented *to cooperate* with us.	彼は私たちに協力することを承諾した。
The professor's lecture greatly enlightened the students.	その教授の講義は学生を大いに啓発した。
He is contemplating *buying* a new computer.	彼は新しいコンピュータを買おうかと熟考している。
Sweat blurred his vision.	汗が彼の視界をぼやけさせた。
He knowingly betrayed his friends.	彼は故意に友人を裏切った。
The girl wept *at* the sad news.	少女は悲しい知らせを聞いて泣いた。
She affirmed *that* the rumor was true.	彼女はそのうわさが事実だと断言した。
Her imagination always amazes me.	彼女の想像力はいつも私を驚嘆させる。
She vowed *to tell* the truth.	彼女は真実を話すと誓った。
The couple yearned *for* a child.	その夫婦は子を持つのを切望していた。
She *was* humiliated in public.	彼女は人前で恥をかかされた。

7

Unit 1 [動詞] 2 提供・許可

1691 hinder
[híndər] ヒンダァ
[動] ～を妨げる，妨害する，(邪魔をして) 遅らせる
▶ hinder O from *doing* [句] O が do するのを妨げる，遅らせる
[入試] S hinder [prevent/stop/keep] O from *doing*「S のせいで O は do できない」は整序問題で頻出。
□ hindrance [名] 妨害 (物)

1692 restrain
[ristréɪn] リストレイン
[動] ～を制止する，(人) に (…を) させないようにする；～を抑える
▶ restrain *oneself* from *doing* [句] do するのを我慢する
□ restraint [名] 抑制；制約

1693 nourish
B2
[nə́:rɪʃ] ナーリシュ
[動] ～に栄養を与える，～を養う；～を育む
□ nourishment [名] 栄養物
cf. nutrition [名] 栄養 (摂取)，栄養物

1694 designate
[dézɪgnèɪt]
デズィグネイト [ア]
[動] ～を指名する，～を指定する
▶ *be* designated (as) ～ [句] ～に指定される
[形] [dézignət] (役職に) 任命された(が未就任の)
□ designátion [名] 指名，指定

1695 curb
[kə́:rb] カーブ
[動] ～を抑制する，～を食い止める
[名] 制限，抑制；歩道の縁石

1696 oppress
B1
[əprés] アプレス
[動] ～を抑圧する，～を圧迫する
□ oppression [名] 抑圧
□ oppressive [形] 弾圧的な；過酷な；不快な
□ oppressed [形] 抑圧された；意気消沈した

1697 inhibit
[ɪnhíbɪt] インヒビット
[動] ～を抑制する，～を抑える；～を妨げる
▶ inhibit O from *doing* [句] O に do させないようにする
□ inhibítion [名] 抑制，制止

1698 furnish
B1
[fə́:rnɪʃ] ファーニシュ
[動] (家・部屋に家具など) を備え付ける
▶ furnish A with B [句] A に B を備える
▶ furnished apartment [flat] [句] 家具付きのアパート

The storm <u>hindered</u> us *from getting* to our destination.	嵐は私たちが目的地に着くのを<u>遅らせた</u>。
They <u>restrained</u> her *from* interfering.	彼らは彼女に邪魔を<u>させないようにした</u>。
We need to <u>nourish</u> our body with healthy food.	私たちは健康によい食べ物で体に<u>栄養を与える</u>必要がある。
This area *was* <u>designated</u> *as* a World Heritage Site.	この地域は世界遺産に<u>指定された</u>。
The government will take measures to <u>curb</u> the national deficit.	政府は国の赤字を<u>抑制する</u>策を講ずるだろう。
The citizens of that country *were* <u>oppressed</u> for a long time.	その国の国民は長い間<u>抑圧されていた</u>。
Child abuse can <u>inhibit</u> development of the brain.	児童虐待は脳の発達を<u>妨げる</u>ことがある。
The office *is* <u>furnished</u> *with* the latest computers.	オフィスには最新のコンピュータが<u>備わっている</u>。

7

1699
☐ **yell**
B2 [jél] イェル

動 大声を上げる，怒鳴る

名 叫び声，わめき；(応援の) エール

1700
☐ **proclaim**
B1 [prəukléɪm] プロウクレイム

動 ~を**宣言する**，布告する (≒ declare)
▶ proclaim O (to *be*) ~ 句O が~であると宣言する
☐ proclamátion 名宣言，布告

1701
☐ **dictate**
[díkteɪt, dɪktéɪt]
ディクテイト

動 ~を書き取らせる；~を命令する；~を決定する
☐ dictátion 名書き取り，口述；命令，指図

1702
☐ **roar**
B2 [rɔ́:r] ローァ

動 怒鳴る，わめく；ごう音を立てる；ほえる
名 大きな声，どよめき；ごう音；ほえる声

1703
☐ **contend**
[kənténd] カンテンド

動 ~を**(強く) 主張する**(≒ maintain, insist)；競う，争う
▶ contend with ~ 句~に対処する (≒ cope with)
☐ contention 名主張，論点；競争

1704
☐ **pledge**
[plédʒ] プレッジ

動 誓約する；(~を) 誓う
▶ pledge to *do* 句do すると誓う
名 誓約，誓い，約束
▶ campaign pledge 句選挙公約

1705
☐ **tease**
B2 [tí:z] ティーズ

動 ~をからかう，~をいじめる (≒ make fun of)
名 からかう人；からかい

1706
☐ **mock**
B2 [mák] マック

動 ~を**(まねして) からかう**
TIPS〉 mock は動作・しぐさ・声などをまねる。imitate は「手本に従って同じようにする」。copy は「できるかぎり，そっくりまねる」。

形 偽の，まがいの
☐ mockery 名ばかにすること，あざけり

1707
☐ **swear**
B1 [swéər] スウェァ

動 ~を誓う；~を**断言する**；ののしる
活用〉 swear - swore - sworn
☐ swearing 名ののしり

She <u>yelled</u> *at* the noisy boys.	彼女はうるさい男の子たちに向かって<u>怒鳴った</u>。
The colony <u>proclaimed</u> its independence from Spain.	その植民地はスペインからの独立<u>を宣言した</u>。
Don't let your past <u>dictate</u> who you are.	過去のことで自分が誰か<u>を決めて</u>はいけない。
The coach <u>roared</u> *at* the players.	コーチは選手に向かって<u>怒鳴った</u>。
She <u>contended</u> *that* she had paid all the costs.	彼女は費用は全額払った<u>と強く主張した</u>。
He <u>pledged</u> loyalty *to* his company.	彼は自分の会社に忠誠<u>を誓った</u>。
She <u>teased</u> me *about* my selfies.	彼女は自撮り写真のことで私<u>をからかった</u>。
He <u>mocked</u> her way of talking.	彼は彼女の話し方<u>をまねてからかった</u>。
The newlyweds <u>swore</u> eternal love.	その新婚夫婦は永遠の愛<u>を誓った</u>。

Unit 1

[動詞] 4 変化・変更

1708 □ B2 **contaminate**
[kəntǽmənèɪt] カンタマネイト [ア]
[動] ～を汚染する，～を汚す
[イメージ] 外部からの異物や細菌などによる（気づきにくい）汚染。
□ contaminátion [名]汚染

1709 □ B2 **animate**
[ǽnəmèɪt] アナメイト [発] [ア]
[動] ～を活気づける；～をアニメ化する
[形] [ǽnəmət]生命のある（⇔ inanimate 生命[生気]のない）
□ animated [形]生き生きした；アニメの

1710 □ **enlarge**
[ɪnlɑ́ːrdʒ] インラージ
[動] ～を大きくする，広げる；大きくなる
□ enlargement [名]拡大，増大

1711 □ **escalate**
[éskəlèɪt] エスカレイト [ア]
[動] 悪化する；拡大する；～を拡大させる
[イメージ] 段階的に程度・規模が増す。
□ escalátion [名]拡大，増大

1712 □ B1 **impair**
[ɪmpéər] インペァ
[動] （価値など）を減ずる，（健康など）を損なわせる
□ impaired [形]損なわれた；（複合語で）障害のある
□ impairment [名]（身体的・精神的）障害

1713 □ **thaw**
[θɔ́ː] ソー [発]
[動] （氷が）解ける；（緊張が）和らぐ
[名] 雪解け；緊張緩和

1714 □ B2 **erupt**
[ɪrʌ́pt] イラプト
[動] （火山が）噴火する；（感情が）爆発する；（戦争などが）勃発する
□ eruption [名]噴火，爆発

1715 □ **omit**
[oumít] オウミット
[動] ～を省略する；（うっかり）～を抜かす（≒ leave out）
□ omission [名]省略，脱落

1716 □ **rot**
[rɑ́t] ラット
[動] 腐る，腐敗する（≒ decay）；堕落する
[名] 腐敗，衰退
□ rotten [形]腐った，朽ちた

1717 □ B2 **shatter**
[ʃǽtər] シャタァ
[動] ～を粉々にする，粉砕する；（希望など）をくじく；粉々になる

1718 □ B1 **purify**
[pjú(ə)rəfàɪ] ピュ(ァ)ラファイ
[動] ～を浄化する；～を清める
□ pure [形]純粋な；清潔な

The river *was* <u>contaminated</u> *with* factory wastewater.	その川は工場廃水で<u>汚染されていた</u>。
The event <u>animated</u> the local community.	そのイベントは地域のコミュニティを<u>活気づけた</u>。
Reading will <u>enlarge</u> your vocabulary.	読書はあなたの語いを<u>広げる</u>だろう。
The violence of the protesters gradually <u>escalated</u>.	デモ参加者の暴力が次第に<u>悪化した</u>。
Lack of sleep is <u>impairing</u> her health.	睡眠不足が彼女の健康を<u>損なわせている</u>。
It will take some more time before the ice starts to <u>thaw</u>.	氷が<u>解け</u>始めるまでにもうしばらくかかるだろう。
The volcano suddenly <u>erupted</u>.	火山は突然<u>噴火した</u>。
She <u>omitted</u> the details *from* her report.	彼女は報告書から詳細を<u>省略した</u>。
The tree started to <u>rot</u> from within.	その木は内部から<u>腐り</u>始めた。
The glass table *was* completely <u>shattered</u>.	ガラスのテーブルは完全に<u>粉々になった</u>。
The water *is* <u>purified</u> by a filter.	その水はフィルターで<u>浄化される</u>。

1719	**situate**	動 〜を置く，〜を位置づける

□ **situate**
[sítʃuèit] スィチュエイト

語法 通例，受け身の形で用いる。この場合，situated 自体は形とも考えられる。

▶ (be) situated in [at, on] 〜　句 〜に位置している，〜にある

□ situátion 名状況，情勢；立場

1720
□ **bind**
B2 [báind] バインド

動 〜を縛る；〜を結び付ける；〜を束縛する

活用 bind - bound - bound

▶ be bound to do 句 きっと do する

□ binding 形拘束力がある

1721
□ **evoke**
[ivóuk] イヴォウク

動 (感情など) を呼び起こす，喚起する

□ evocative 形喚起するような

□ evocátion 名呼び起こすこと，喚起

1722
□ **merge**
B2 [mə́:rdʒ] マージ

動 (〜を) 合併する，(〜を) 統合する；合わさる

□ merger 名合併，合同

1723
□ **inject**
B1 [indʒékt] インジェクト

動 〜を注射する，〜を注入する

□ injection 名注射；注入

1724
□ **withstand**
[wiðstǽnd]
ウィズスタンド

動 〜に抵抗する，逆らう，耐える

イメージ 自分の損害を防ぐための受動的な抵抗。

活用 withstand - withstood - withstood

1725
□ **fasten**
B1 [fǽsn] ファスン 発

動 〜をしっかりと留める；〜を閉める；閉まる

□ fastener 名ファスナー

1726
□ **cling**
[klíŋ] クリング

動 〈+ to 〜〉(〜に) くっつく；しがみつく；執着する，固守する

活用 cling - clung - clung

1727
□ **penetrate**
B2 [pénətrèit]
ペナトレイト ア

動 〜を貫く，〜を貫通する；(光などが) 〜を通過する

□ penetrátion 名貫通，浸透

□ penetrating 形貫通する，浸透する；鋭い

Paris *is* <u>situated</u> *on* the Seine River.	パリはセーヌ川のほとりに<u>ある</u>。
The old newspapers *were* <u>bound</u> *together* with a string.	古新聞はひもで<u>縛られた</u>。
The smell <u>evoked</u> memories of her childhood.	その香りは彼女の子どもの頃の記憶を<u>呼び起こした</u>。
Those companies <u>merged</u> *into* a conglomerate.	それらの企業は<u>合併して</u>複合企業となった。
The researcher <u>injected</u> the vaccine *into* healthy mice.	研究者は健康なマウスにワクチンを<u>注射した</u>。
The people had <u>withstood</u> hunger and oppression.	人々は飢餓と抑圧に<u>耐えていた</u>。
Passengers are required to <u>fasten</u> their seat belts.	乗客はシートベルトを<u>締める</u>必要がある。
The baby <u>clung</u> *to* her mother.	赤ん坊は母親に<u>しがみついた</u>。
The bullet <u>penetrated</u> the steel plate.	弾丸は鉄板を<u>貫いた</u>。

7

1728 □ **flee** B2 [flíː] フリー
[動] 逃げる，逃れる；避難する；～から逃れる
[活用] flee - fled - fled

1729 □ **leak** B2 [líːk] リーク
[動] 漏れる；～を漏らす
[名] 漏れ，漏出；漏れ口；(情報) 漏えい
□ leakage [名] 漏出

1730 □ **stir** B1 [stə́ːr] スター
[動] ～をかき回す，かき混ぜる；～をかき立てる
[名] かき混ぜること；混乱，騒ぎ

1731 □ **suspend** B2 [səspénd] サスペンド
[動] ～を一時停止 [中断] する；～を停職 [停学] にする；～をつるす
□ suspension [名] 停止，中断；停職，停学

1732 □ **drown** B1 [dráun] ドラウン [発]
[動] ～を溺死させる；～を水浸しにする；溺れ死ぬ
[TIPS] 日本語の「溺れる」と異なり，「死ぬこと」を意味に含む。
cf. A drowning man will catch at a straw.
《ことわざ》溺れる者はわらをもつかむ。

1733 □ **vibrate** B2 [váibreit] ヴァイブレイト [ア]
[動] 振動する，震える
□ vibrátion [名] 振動

1734 □ **blast** B2 [blǽst] ブラスト
[動] ～を爆破する；(笛など) を強く吹く
▶ blast A through B [句] B を爆破して A (トンネル，道など) を作る
[名] 突風；鳴り響く音；爆風，爆発

1735 □ **bathe** B1 [béið] ベイズ
[動] ～を入浴させる；～を水に浸す；入浴する
[TIPS] 「入浴する」の意味では taka a bath がふつう。

1736 □ **creep** [kríːp] クリープ
[動] 忍び寄る，ゆっくり進む；はう
[活用] creep - crept - crept

1737 □ **rotate** [róuteit] ロウテイト
[動] 回転する，～を回転させる；交替する，～を交替させる
□ rotátion [名] 回転；交替

1738 □ **simulate** [símjəlèit] スィミャレイト
[動] ～を再現する，～をシミュレーションする
□ simulátion [名] シミュレーション；再現

People <u>fled</u> *from* the site of the explosion.	人々は爆発の現場から<u>逃げた</u>。
Oil is <u>leaking</u> *from* the tank.	油がタンクから<u>漏れて</u>いる。
She <u>stirred</u> her drink *with* a straw.	彼女はストローで飲み物を<u>かき混ぜた</u>。
The train service *was* <u>suspended</u>.	列車の運行は<u>一時中断</u>した。
The man almost <u>drowned</u> in the lake.	その男性は湖で<u>溺れ死</u>にそうになった。
Her smartphone kept on <u>vibrating</u>.	彼女のスマートフォンは<u>振動し</u>続けた。
They <u>blasted</u> a tunnel through the mountain.	彼らは山を<u>爆破して</u>トンネルを開けた。
He <u>bathed</u> his newborn son for the first time.	彼は生まれてすぐの息子を初めて<u>入浴させた</u>。
A bug was <u>creeping</u> *across* the table.	虫がテーブルの上を<u>は</u><u>って</u>いた。
He <u>rotated</u> the dial clockwise.	彼はダイアルを時計回りに<u>回転させた</u>。
We used a new program to <u>simulate</u> the experiment.	私たちは実験を<u>シミュレーション</u>するために新しいプログラムを使った。

7

1739		
☐ B2	**clap** [klǽp] クラップ	動 (手)をたたく，拍手する；~を(軽く)たたく 名 拍手；(突然の) 大きな音

1740		
☐ A2	**sew** [sóu] ソウ 発	動 縫物をする；~を縫う；~を縫い付ける 活用〉sew - sewed - sewed [sewn] 同音〉sow 動 種をまく ▶ sewing machine　句 ミシン

1741		
☐ B2	**peel** [pí:l] ピール	動 (果物・野菜など) の皮をはがす，むく；はがれる， むける TIPS〉手や刃物でむく。pare は「刃物でむく」。 名 (果物などの特に厚い) 皮

1742		
☐ B2	**litter** [lítər] リタァ	動 (場所) を (…で) 散らかす；ごみを散らかす 名 ごみ

1743		
☐ B1	**bounce** [báuns] バウンス	動 跳ね返る，弾む；~を弾ませる ▶ bounce back (from) ~　句 (~から) 立ち直る 名 はね返り，バウンド；元気

1744		
☐ B2	**elevate** [éləvèit] エラヴェイト	動 ~を高める；~を昇進させる；~を持ち上げる ☐ elevátion 名 高さ，海抜；上昇，昇進

1745		
☐ B2	**rub** [ráb] ラブ	動 ~をこする，磨く；~を拭き取る

1746		
☐ B1	**trim** [trím] トリム	動 ~をきれいに整える；(余分なもの) を切り取る 名 刈り込み，手入れ

1747		
☐ B1	**quake** [kwéik] クウェイク	動 震える；揺れる，振動する 名 地震 (≒ earthquake)；振動

1748		
☐ B2	**suck** [sák] サク	動 ~を吸う，吸い込む；しゃぶる 名 吸うこと

1749		
☐ B2	**divert** [divá:rt] ディヴァート	動 (注意など) をそらす；~を迂回させる ☐ diversion 名 迂回；注意をそらすこと

He clapped *his hands* in appreciation.	彼は感謝して拍手をした。
He sewed a button *on* his shirt.	彼はシャツにボタンを縫い付けた。
She peeled a banana.	彼女はバナナの皮をむいた。
His room *was* littered *with* trash.	彼の部屋はごみで散らかっていた。
The ball bounced off the fence.	ボールは塀から跳ね返ってきた。
This device is used to elevate the stage.	この装置は舞台を上げるために使われる。
He rubbed his face *with* a towel.	彼はタオルで顔を拭った。
He trimmed the images to fit the size of the frame.	彼は枠のサイズに合うように画像を切り取った。
The ground suddenly started quaking.	地面が突然揺れ始めた。
The baby was sucking his thumb.	赤ん坊は親指をしゃぶっていた。
A loud noise diverted their attention.	大きな騒音が彼らの注意をそらせた。

Unit 1

[動詞] 8 動作・行動・運動 (3)

1750 □ **plunge** [plʌ́ndʒ] プランジ
[動] 飛び込む，突っ込む；急に下がる
▶ plunge into ～ [句] ～に陥る
[名] 飛び込み；急落；突入

1751 □ **evade** [ɪvéɪd] イヴェイド
[動] ～を避ける，回避する；～から逃れる
▶ evade *doing* [句] do するのを逃れる
□ evasion [名] 回避

1752 □ **await** B2 [əwéɪt] アウェイト
[動] ～を待つ；～を待ち構える
[TIPS] await ～ ≒ wait for ～。await は抽象的な意味で用いることが多い。

1753 □ **sneak** B2 [sníːk] スニーク
[動] (歩いて) こっそり動く；～をこっそり持ち出す [持ち込む]
[活用] sneak - sneaked [snuck] - sneaked [snuck]
[形] こっそり行われる

1754 □ **erect** B2 [ɪrékt] イレクト
[動] ～を建てる，建築する；～を垂直にする，立てる
[形] 直立した

1755 □ **polish** B2 [pálɪʃ] パリッシュ
[動] ～を磨く；～を洗練させる，上品にする

1756 □ **tremble** B1 [trémbl] トレンブル
[動] 身震いする；振動する，揺れ動く
[名] 震え；振動

1757 □ **shrug** B2 [ʃrʌ́g] シュラグ
[動] (肩) をすくめる，肩をすくめる
[名] 肩をすくめること
[TIPS] 肩をすくめ，両手のひらを上に向け広げるこの動作は，無関心・驚き・不愉快・当惑などを表す。

1758 □ **evacuate** B2 [ɪvǽkjuèɪt] イヴァキュエイト [ア]
[動] ～を避難させる，退避させる；～から避難する
□ evacuátion [名] 避難，退避

1759 □ **intrude** B2 [ɪntrúːd] イントルード
[動] 〈+ on [into] ～〉(～に) 侵入する，立ち入る；侵害する
□ intrusion [名] 侵入；侵害
□ intruder [名] 侵入者

The boys plunged *into* the water one after another.	少年たちは次々に水に飛び込んだ。
He tried to evade *paying* taxes.	彼は税金の支払いを逃れようとした。
A tragedy was awaiting the couple.	悲劇がその夫婦を待ち受けていた。
She sneaked *into* the room.	彼女はこっそりと部屋に入った。
They erected a monument in the park.	彼らは公園に記念碑を建てた。
He polished his shoes before going out.	彼は外出する前に靴を磨いた。
The girl was trembling *with* fear.	少女は恐怖で震えていた。
She shrugged *her shoulders*.	彼女は肩をすくめた。
They evacuated the building after the earthquake.	彼らは地震の後で建物から避難した。
He intruded *on* her privacy.	彼は彼女のプライバシーに立ち入った。

1760
B1
☐ **bleed**
[blí:d] ブリード

動 血が出る, 出血する

発信 My heart bleeds (for ~). は皮肉的に「(~は)お気の毒に」。
☐ blood [blʌ́d] 名 血, 血液

1761
B2
☐ **haunt**
[hɔ́:nt] ホーント

動 ~を (絶えず) 悩ませる; ~に幽霊が出る
☐ haunted 形 幽霊が出るとされる

1762
☐ **awaken**
[əwéɪkən] アウェイカン

動 ~を呼び起こす, ~を喚起する; ~を目覚めさせる

入試 「感情・興味などを呼び起こす」は長文中で頻出。
☐ awakening 名 覚醒; 自覚

1763
☐ **embody**
[ɪmbádi]
インバディ

動 ~を具体化する
☐ embodiment 名〈+ of ~〉(~の)具体化された人[物]; 具現

1764
B2
☐ **shield**
[ʃí:ld] シールド

動 ~を保護する; ~を覆う
名 盾; 防御物; 遮蔽体

1765
B2
☐ **tame**
[téɪm] テイム

動 ~を飼いならす, 手なずける; ~を抑制する
形 飼いならされた, 従順な

1766
B2
☐ **pave**
[péɪv] ペイヴ

動 (道路) を舗装する

▶ pave the way for ~ 句 ~への道を開く
☐ pavement 名 舗装; 歩道

The man was <u>bleeding</u> *from* his knee.	男性は膝から<u>血が出て</u>いた。
I *was* <u>haunted</u> by the memories of the accident.	私は事故の記憶に絶えず<u>悩まされていた</u>。
Her teacher's lectures <u>awakened</u> her interest in geology.	先生の講義は彼女の地質学への関心を<u>喚起した</u>。
They finally <u>embodied</u> their ideal.	彼らはついに自分たちの理想を<u>具体化した</u>。
This sunscreen <u>shields</u> your skin *from* the sun's UV rays.	この日焼け止めは肌を太陽の紫外線から<u>保護する</u>。
He tried to <u>tame</u> a wild wolf.	彼は野生のオオカミを<u>飼いならそう</u>とした。
The road *was* not <u>paved</u>.	その道路は<u>舗装されて</u>いなかった。

7

1767	**erosion**	名 浸食；腐食
	[ɪróʊdʒ(ə)n] イロウジョン	□ erode 動 侵食 [腐食] する；浸食される，腐食する
		□ erosive 形 浸食 [腐食] 性の

1768 A2	**scenery**	名 景色，景観
	[síːn(ə)ri] スィーナリ	□ scene 名 場面；景色；現場
		語法 scenery は不可算名詞。scene は可算名詞。

1769 B1	**tide**	名 潮 (の干潮)；潮流
	[táɪd] タイド	▶ high[low] tide 句 満潮 [干潮]
		□ tidal 形 潮の，潮流の

| 1770 B1 | **cliff** | 名 崖，断崖 |
| | [klíf] クリフ | |

| 1771 B1 | **flock** | 名 (羊・山羊・鳥などの) 群れ |
| | [flɑ́k] フラック | 動 集まる，群がる |

| 1772 | **meadow** | 名 牧草地，草地 |
| | [médoʊ] メドウ 発 | |

1773 B2	**mist**	名 霧，かすみ，もや
	[míst] ミスト	*cf.* fog 名 霧
		TIPS fog は視界のきかないほどの濃い霧。mist は薄い霧。

| 1774 | **irrigation** | 名 灌漑 |
| | [ìrəgéɪʃ(ə)n] イラゲイション | □ irrigate 動 ～に水を引く，～を灌漑する |

| 1775 | **pollen** | 名 花粉 |
| | [pɑ́lən] パラン | □ pollinate 動 ～に受粉する |

| 1776 | **vegetation** | 名 植物，草木，植生 |
| | [vèdʒətéɪʃ(ə)n] ヴェジテイション | |

| 1777 B1 | **tornado** | 名 (大きな) 竜巻 (≒ twister) |
| | [tɔːrnéɪdoʊ] トーネイドウ | |

| 1778 B1 | **beast** | 名 (大きくて危険な) 動物，獣 |
| | [bíːst] ビースト | |

caves made by <u>erosion</u>	浸食によって作られた洞窟
amazing ocean <u>scenery</u>	素晴らしい海の<u>景色</u>
the ebb and flow of the <u>tide</u>	<u>潮</u>の干満
a house *on the* <u>cliff</u>	<u>崖</u>の上の家
a <u>flock</u> *of* sheep and goats	羊と山羊の<u>群れ</u>
a large stretch of <u>meadow</u>	大きく広がる<u>草地</u>
the summit covered in <u>mist</u>	<u>霧</u>に覆われた山頂
water from the <u>irrigation</u> canal	<u>灌漑</u>用水から引かれる水
<u>pollen</u> carried by insects	虫によって運ばれる<u>花粉</u>
<u>vegetation</u> of the forests	森林の<u>植生</u>
a residential area devastated by a <u>tornado</u>	<u>竜巻</u>によって破壊された住宅地
a wild <u>beast</u> such as a lion or cheetah	ライオンやチーターのような野生の<u>獣</u>

1779 ☐	**segregation** [sègrəgéiʃ(ə)n] セグラゲイション	名 **分離，隔離**；(人種・性・宗教などの) **差別** **イメージ** 集団から切り離されている状態。 **TIPS**「差別の撤廃」は integration。 ☐ ségregate 動 ～を分離する；～を差別する
1780 ☐ B2	**testimony** [téstəmòuni] テスタモウニ 発	名 **証言，陳述**；(真実であることの) **証明** ☐ testify 動 (～だと) 証言する
1781 ☐	**friction** [fríkʃ(ə)n] フリクション	名 **摩擦(力)**；(人間関係の) **衝突，不和** ▶ coefficient of friction 句 摩擦係数
1782 ☐ B1	**hazard** [hǽzərd] ハザード 発	名 **危険要素 [要因]** 動 (予想など) **を思い切って言う**；**～を危険にさらす** ☐ hazardous 形 危険な
1783 ☐	**throne** [θróun] スロウン	名 〈the +〉**王位**；**国王** ☐ enthrone 動 ～を王位につける
1784 ☐ B1	**ward** [wɔ́:rd] ウォード	名 (都市などの行政上の) **区**；**病棟**
1785 ☐ B1	**dynasty** [dáinəsti] ダイナスティ 発	名 **王朝**；**王家**；**一門** ☐ dynástic 形 王朝の，王家の
1786 ☐ B2	**jury** [dʒú(ə)ri] ジュ(ァ)リ	名 (集合的に) **陪審，陪審団**；**審査員団** ▶ sit [be, serve] on a jury 句 陪審員になる ☐ juror 名 陪審員；審査員
1787 ☐	**riot** [ráiət] ライアット 発	名 **暴動，騒動** **TIPS**「一揆」も riot。 動 **暴動を起こす** ☐ rioter 名 暴徒

racial segregation in schools and restaurants	学校やレストランでの人種差別
his testimony in court	法廷での彼の証言
the serious trade friction *between* the two countries	2国間の深刻な貿易摩擦
an *occupational* hazard for coal miners	炭鉱労働者の職業上の危険
the inheritance of the throne	王位の継承
the ward for patients in serious condition	重篤な患者の病棟
the last emperor of the dynasty	その王朝の最後の皇帝
the consensus of the jury	陪審団の意見の一致
the breakout of a riot	暴動の勃発

1788
□ **protocol**
[próutəkɔ̀(ː)l]
プロウタコ(ー)ル

名 議定書；外交儀礼；実験 [治療] 計画
▶ the Kyoto Protocol 句 京都議定書 (1997 年に採択された地球温暖化対策に関する議定書)

1789
□ **regime** B2
[re(ɪ)ʒíːm] レ(イ)ジーム 発

名 政治形態，政治体制；政権；体制
入試 under the present regime「現在の政権下で」は頻出。

1790
□ **sin**
[sín] スィン

名 (道徳・宗教上の) 罪，罪悪
cf. crime 名 (法律上の) 罪，犯罪

1791
□ **jail** B1
[dʒéil] ジェイル

名 刑務所 (≒ prison)，拘置所

1792
□ **proliferation**
[proulìfəréiʃ(ə)n]
プロウリファレイシャン

名 拡散，急増，まん延
□ proliferate 動 急増する，拡散する

1793
□ **senator** B2
[sénətər] セナタァ 発

名 (米国などの) 上院議員
cf. congressperson [congressman] 名 下院議員

1794
□ **sovereignty**
[sáv(ə)rənti]
サヴ(ァ)ランティ

名 主権，統治権；独立国
□ sovereign 名 君主 形 独立の，主権のある

1795
□ **cathedral** B2
[kəθíːdrəl] カスィードラル 発

名 大聖堂

1796
□ **ambassador** B2
[æmbǽsədər] アンバサダァ

名 大使
cf. minister 名 公使　embassy 名 大使館

1797
□ **tyranny** B2
[tírəni] ティラニ 発

名 圧制；独裁政治，独裁国家；絶対権力
□ tyrant [táirənt] 名 独裁者

a breach of *diplomatic* protocol	外交儀礼の不履行
the collapse of the ancient regime	古い政治体制の崩壊
her confession of sins	彼女の罪の告白
the criminals *in* jail	刑務所に入っている犯罪者たち
the proliferation of nuclear weapons	核兵器の拡散
a senator representing a small state	小さな州を代表する上院議員
the restoration of sovereignty	主権の回復
a cathedral designated as part of a World Heritage Site	世界遺産の一部に指定されている大聖堂
the German ambassador *to* Japan	駐日ドイツ大使
victims of oppression and tyranny	弾圧と圧制の犠牲者たち

7

1798 □ B1	**glimpse** [glímps] グリンプス	名 ちらっと見ること，一見 ▶ catch [get, have] a glimpse of ~　 句 ~がちらりと見える 動 ~をちらっと見る
1799 □	**mindset** [máɪndsèt] マインドセット	名 (固定された) 考え方，物の見方
1800 □ B1	**sorrow** [sárou] サロウ	名 悲嘆，悲しみ；不幸 □ sorrowful　形 悲嘆に暮れた；悲しみをさそう
1801 □ B1	**rage** [réɪdʒ] レイジ	名 激しい怒り，激怒 ▶ with rage　句 激怒して ▶ *be* all the rage　句 大流行している 動 ひどく怒る；(病気・嵐などが) 猛威を振るう
1802 □ B1	**terror** [térər] テラァ	名 恐怖；テロ (行為) □ terrorist　名 テロリスト □ terrify　動 ~を怖がらせる
1803 □ B2	**conscience** [kánʃəns] カンシャンス 発	名 良心，道義心；罪悪感 入試 conscious「意識している」との区別に注意。 □ consciéntious　形 良心的な，誠実な
1804 □ B1	**superstition** [sù:pərstíʃ(ə)n] スーパァスティション	名 迷信 □ superstitious　形 迷信の，迷信による
1805 □ B2	**contempt** [kəntémpt] カンテンプト	名 軽蔑，侮辱 ▶ with contempt　句 軽蔑して □ contemptuous　形 (人が) 軽蔑して，軽蔑的な □ contemptible　形 軽蔑すべき，卑劣な
1806 □	**quest** [kwést] クウェスト	名 追及，探究；冒険の旅 ▶ in quest of ~　句 ~を求めて

438

my first glimpse of Mt. Fuji	私が初めて見た富士山の姿
the executive's rigid mindset	その重役の硬直した物の見方
a woman overcome with sorrow	悲しみに打ちのめされた女性
the rage of the rioters	暴徒たちの激しい怒り
the terror of a tornado	竜巻の恐怖
his struggle with his conscience	彼の良心との闘い
a blind belief in superstitions	迷信に対する盲信
her contempt *for* her supervisor	彼女の上司に対する軽蔑
their quest *for* eternal peace	恒久平和の追及

7

1807 ☐ **faculty** B2 [fǽkəlti] ファカルティ [ア]
[名] 能力，機能；教員陣；学部
▶ a faculty meeting [句] 教授会

1808 ☐ **disability** B1 [dìsəbíləti] ディサビラティ
[名] 身体障害
☐ disábled [形] 障害のある

1809 ☐ **fame** B2 [féɪm] フェイム
[名] 名声，有名なこと
[入試] fame and fortune「名声と富」は頻出表現。
▶ come to fame [句] 有名になる
☐ famous [形] 有名な

1810 ☐ **drawback** [drɔ́:bæ̀k] ドローバック [ア]
[名] 欠点，短所，不利な点

1811 ☐ **prestige** B2 [prestí:dʒ] プレスティージ [ア]
[名] 名声，高い評判，威信
[形] 一流の，高級の
☐ prestigious [形] 名声のある，名門の

1812 ☐ **shortcoming** [ʃɔ́:rtkʌ̀mɪŋ] ショートカミング [ア]
[名] 欠点，短所，欠陥 (≒ defect)
[イメージ] 期待に添わない足りない部分。

1813 ☐ **dignity** B2 [dígnəti] ディグナティ [ア]
[名] 威厳，尊厳；品位
▶ with dignity [句] 威厳をもって，堂々と，重々しく
☐ dignify [動] ～に威厳を与える

1814 ☐ **wit** B2 [wít] ウィット
[名] 機知，機転；〈-s〉知力，理解力
▶ at *one's* wits' [wit's] end [句] 途方に暮れて

1815 ☐ **flaw** B2 [flɔ́:] フロー
[名] 欠陥，不具合，欠点：傷，割れ目
[動] ～に傷をつける
☐ flawed [形] 傷のある，欠点のある

1816 ☐ **esteem** [ɪstí:m] イスティーム
[名] 尊重，尊敬(≒ respect)；(高い) 評価
▶ hold ～ in high esteem [句] ～ (人) を大いに尊敬 [高く評価] する
[動] ～を尊重する
cf. self-esteem [名] 自尊心

the innate <u>faculty</u> for language	生得的な言語<u>能力</u>
aid to *people with* <u>disabilities</u>	<u>障害</u>のある人々への援助
her yearning for <u>fame</u> as a singer	彼女の歌手としての<u>名声</u>への憧れ
several <u>drawbacks</u> of the new model	新しいモデルのいくつかの<u>欠点</u>
a school *with high* <u>prestige</u>	高い<u>名声</u>のある大学
<u>shortcomings</u> of the pension system	年金制度の<u>欠陥</u>
a naval officer *with* considerable <u>dignity</u>	かなりの<u>威厳</u>のある海軍将校
a response full of <u>wit</u>	<u>機転</u>の利いた返答
<u>flaws</u> in the design of the product	製品の設計上の<u>欠陥</u>
a kind boss *held in high* <u>esteem</u>	大いに<u>尊敬</u>されている優しい上司

1817 B2	**thesis** [θíːsɪs] スィースィス 発	名 主題，テーマ；論文 (複数形 theses)
1818	**aviation** [èɪviéɪʃ(ə)n] エイヴィエイション	名 航空術 [学]，航空技術；航空産業
1819 B2	**axis** [ǽksɪs] アクスィス	名 (グラフの) 軸；回転軸；中心線 (複数形 axes) □ axial 形 軸の
1820 B1	**formula** [fɔ́ːrmjələ] フォーミュラ	名 (問題解決の) 方式；(数学などの) 公式；決まり文句 (複数形 formulas, formulae) □ formuláic 形 陳腐な
1821 B1	**arithmetic** [əríθmətɪk] アリスマティク 発 ア	名 算数，計算；計算能力 形 [ærɪθmétɪk] 算数の
1822 B1	**diagram** [dáɪəgræm] ダイアグラム ア	名 図，図表，図式 動 ～を図表で示す cf. figures and tables 句 図と表
1823	**geometry** [dʒiámətri] ジアマトリ 発	名 幾何学；幾何学的配置；配列 □ geométric 形 幾何学の，幾何学上の cf. algebra 名 代数
1824	**petroleum** [pətróuliəm] パトロウリアム ア	名 石油 ▶ Organization of Petroleum Exporting Countries 　句 (OPEC) 石油輸出国機構 □ petrol 名《英》ガソリン (《米》gas, gasoline)
1825 B1	**geology** [dʒiálədʒi] ジアロジ	名 地質(学) □ geológical 形 地質学の，地質学上の
1826 B1	**comet** [kámət] カメット	名 すい星
1827	**anthropology** [ænθrəpálədʒi] アンスラパロジ ア	名 人類学，文化人類学 (= cultural ～) □ anthropológical 形 人類学の，人類学上の □ anthropologist 名 人類学者

the <u>thesis</u> of her term paper	彼女の学期末レポートの<u>テーマ</u>
the origin of aviation	航空術の起源
the *vertical* <u>axis</u> of the chart	図の縦<u>軸</u>
most frequently used *mathematical* <u>formulas</u>	最もよく使われる数学の<u>公式</u>
simple calculations in arithmetic	<u>算数</u>の簡単な計算
the <u>diagrams</u> in the textbook	教科書の中の<u>図表</u>
the basics of geometry	幾何学の基本
a substitute for petroleum	石油の代用品
a branch of earth science known as <u>geology</u>	<u>地質学</u>として知られる地球科学の一分野
the orbit of a <u>comet</u> approaching the earth	地球に接近している<u>すい星</u>の軌道
her interest in anthropology	人類学に対する彼女の興味

1828 ☐ **cortex** [kɔ́ːrteks] コーテックス	名 (大脳) 皮質 (複数形 cortices) ☐ cortical 形 皮質の
1829 ☐ **thirst** B2 [θə́ːrst] サースト	名 (喉の) 渇き；渇望，欲求 (≒ desire) ☐ thirsty 形 喉が渇いた
1830 ☐ **diagnosis** [dàɪəgnóʊsɪs] ダィアグノウスィス 発	名 診断(結果) (複数形 diagnoses) ☐ diagnostic 形 診断の
1831 ☐ **mutation** [mjuːtéɪʃ(ə)n] ミューテイション	名 突然変異；変化，変形 入試 生物関連の文章では頻出。 ☐ mútate 動 突然変異する ☐ mútant 名 突然変異体 形 突然変異の
1832 ☐ **staple** [stéɪpl] ステイプル	名 主要食品；主要産品；ホッチキスの針 形 主要な，重要な ▶ staple diet 句 主食，常食 ☐ stapler 名 ホッチキス
1833 ☐ **fist** [físt] フィスト	名 握り拳，拳 ▶ a fist fight 句 素手での殴り合い
1834 ☐ **anatomy** [ənǽtəmi] アナトミ ア	名 解剖学；(生体の) 構造 ☐ anatómical 形 解剖の，解剖学上の
1835 ☐ **breast** B1 [brést] ブレスト	名 胸，胸部；乳房
1836 ☐ **flu** B1 [flúː] フルー	名 インフルエンザ (= influenza) ▶ come down with the flu 句 インフルエンザにかかる
1837 ☐ **parasite** [pǽrəsàɪt] パラサイト	名 寄生生物，寄生虫 TIPS 他人に依存 [寄生] して暮らす人を指すこともある。 ☐ parasític 形 寄生的な，寄生による cf. host 名 宿主

the *cerebral* cortex of the human brain	人間の脳の大脳皮質
a raging thirst	ひどい喉の渇き
a treatment based on an accurate diagnosis	正確な診断に基づいた治療
the evolution of species through mutation	突然変異による種の進化
a stable supply of staples	主要産品の安定供給
a clenched fist	握りしめた拳
the anatomy of the human body	人体の構造
an operation for breast *cancer*	乳がんの手術
a vaccine for a new type of flu	新型インフルエンザのワクチン
the host of a parasite	寄生生物の宿主

7

1838
☐ **transplant**
[trǽnsplæ̀nt]
トランスプラント [ア]

[名] (臓器などの) 移植(手術)
[動] [trænsplǽnt] ～を移植する
[語源] 移して (trans-) ＋植える (plant)。

1839
☐ **flesh**
B2
[fléʃ] フレシュ

[名] (動物の) 肉；果肉；(精神との対比での) 肉体
▶ flesh and blood [句] 生身の人間，人間性；肉親

1840
☐ **dose**
B2
[dóus] ドウス

[名] (薬の) 一服，(1 回の) 服用量
▶ a dose of ～ [句] 一服の～
[動] ～に投薬する

1841
☐ **forehead**
B1
[fɔ́:rhèd] フォーヘッド

[名] 額，前額部
▶ rub *one's* forehead [句] 額をこする (何かを思い出そうとするときの動作)

1842
☐ **pulse**
B2
[pʌ́ls] パルス

[名] 脈，脈拍，(心臓の) 鼓動
▶ take [feel] *one's* pulse [句] ～の脈を測る
▶ pulse rate [句] 脈拍数
[動] 脈打つ，鼓動する

1843
☐ **sanitation**
B2
[sæ̀nətéiʃ(ə)n]
サナテイション

[名] (公衆) 衛生；衛生設備
[入試] public health [hygiene] での言い換えに注意。
☐ sánitary [形] (公衆) 衛生の；衛生的な

1844
☐ **metabolism**
[mətǽbəlìz(ə)m]
メタボリズム [ア]

[名] (新陳) 代謝
☐ metabólic [形] (新陳) 代謝の
▶ metabolic syndrome [句] メタボリックシンドローム (代謝症候群)

1845
☐ **plague**
B2
[pléig] プレイグ [発]

[名] 伝染病，疫病；ペスト；災難
[入試] infectious disease や epidemic で言い換え可能。
[動] ～を絶えず悩ませる

1846
☐ **trauma**
[tráumə] トラウマ

[名] 心的外傷，心の傷，トラウマ
☐ traumátic [形] トラウマになる
☐ tráumatize [動] ～にトラウマを与える

a successful liver <u>transplant</u>	成功した肝臓移植
<u>flesh</u>-eating animals	肉食動物
a <u>dose</u> *of* medicine	1回分の薬
his *high* <u>forehead</u>	彼の広い額
the regular beats of her <u>pulse</u>	彼女の脈の規則的な鼓動
the maintenance of *public* <u>sanitation</u>	公衆衛生の維持
<u>metabolism</u> in muscles	筋肉の代謝
the outbreak of a <u>plague</u>	伝染病の大流行
the <u>trauma</u> caused by bullying	いじめが原因のトラウマ

1847 □ **surplus** [sə́ːrpləs] サープラス
[名] 余剰，余り (≒ excess)；黒字(分) (⇔ deficit 赤字)
▶ in surplus [句] 余分で，黒字で
[形] 過剰の，余分の

1848 □ **quota** [kwóutə] クウォウタ
[名] (作物・商品の) 割当て(数量)；ノルマ

1849 □ **threshold** [θréʃ(h)ould] スレシュホウルド [ア]
[名] 敷居，入り口；(変化の) 境界，閾(いき)(値)；始まり
[イメージ] 家の敷居のように，2つの範囲や領域を分ける境目。

1850 □ B1 **sphere** [sfíər] スフィァ
[名] 球，球体 (≒ globe)；分野，範囲；地位
▶ in the sphere of ～ [句] ～の分野で
□ spherical [形] 球状の，丸い

1851 □ **bulk** [bʌ́lk] バルク
[名] 大部分，大半；容積，容量；巨体
▶ in bulk [句] 大量に，大口で
[形] 大量の，大口の

1852 □ B1 **deficiency** [dɪfíʃ(ə)nsi] ディフィシャンスィ [ア]
[名] 不足，欠乏；欠陥
▶ AIDS (= Acquired Immune Deficiency Syndrome) [名] 後天性免疫不全症候群
□ deficient [形] 不足した；欠陥のある

1853 □ **magnitude** [mǽgnət(j)ùːd] マグナテュード
[名] 大きいこと，重要さ；大きさ，規模；(地震の) マグニチュード
▶ of the first magnitude [句] 最大級の，最も重要な

1854 □ **realm** [rélm] レルム [発]
[名] 領域，範囲；王国 (の国土)

1855 □ **default** [dɪfɔ́ːlt] ディフォールト
[名] 初期設定，規定値；(義務の) 不履行；不参加
▶ win a game by default [句] 不戦勝となる
[動] 義務を怠る；(試合に) 欠場する

1856 □ B1 **diameter** [daɪǽmətər] ダイアマタァ [ア]
[名] 直径；(レンズの) 倍率
cf. radius [名] 半径
cf. circumference [名] 円周

an increasing *trade* surplus	増加する貿易黒字
the quota *for* tuna fishing	マグロの漁獲量の割当て
We are *on the* threshold *of* a new era.	私たちは新しい時代の始まりにいる。
that country's sphere *of influence*	その国の勢力範囲
the bulk *of* her work	彼女の仕事の大部分
a deficiency of iron	鉄分の不足
the magnitude of the universe	宇宙の壮大さ
the realm of literature	文学の領域
a win *by* default	不戦勝
the diameter of a circle	円の直径

1857
□ **being**
A2
[bíːɪŋ] ビーイング

名 **生き物；存在**

TIPS〉「生き物」の意味は「存在している物」からの語義の拡張。

▶ human being 句 人間
▶ come into being 句 生じる，出現する
▶ bring O into being 句 Oを生み出す，生じさせる

1858
□ **crack**
B2
[krǽk] クラック

名 **ひび，割れ目，裂け目；欠点**
動 **ひびが入る，割れる；～を割る**

□ cracked 形 ひびの入った，割れた

1859
□ **correlation**
[kɔ̀(ː)rəléɪʃ(ə)n]
コーラレイション

名 **相関(関係)**

□ correlate 動 相互に関係する

1860
□ **cluster**
[klʌ́stər] クラスタァ

名 **(果実・花などの) 房** (≒ bunch)**；集団，群れ**
動 **群れを成す，群生する**

1861
□ **advent**
B2
[ǽdvent] アドヴェント 🔊

名 **(重要な人・事物の) 出現，到来**

1862
□ **texture**
[tékstʃər] テクスチャ

名 **手触り，質感；食感；木目；生地**

TIPS〉「すべすべした手触り」は a smooth texture。「ざらざらした手触り」は a rough texture。

1863
□ **entity**
[éntəti] エンタティ

名 **実在する物，実体**

1864
□ **mold**
[móʊld] モウルド

名 **鋳型，型；(人の) タイプ，性格**
▶ break the mold 句 (従来の) 型を破る
動 **～を型に入れて作る**

1865
□ **segment**
B2
[ségmənt] セグマント

名 **部分，区分** (≒ section)**；(区切った) 断片**
動 **～を部分に分ける**

1866
□ **strip**
B1
[stríp] ストリップ

名 **(紙などの) 細長い一片；細長い場所**
動 **～を剥ぎ取る，剥く**

1867
□ **accord**
[əkɔ́ːrd] アコード

名 **協調，一致；協定**
▶ *be* in accord (with ～) 句 (～と) 一致している
動 **(特権など) を与える** (≒ grant)**；一致する**

---

the possibility of intelligent <u>beings</u> on other planets	他の惑星に知的<u>生命体</u>がいる可能性
the <u>cracks</u> in the window pane	窓ガラスに入った<u>ひび</u>
a positive <u>correlation</u> *between* attendance and performance	出席と成績の正の<u>相関</u>
a <u>cluster</u> of grapes	ブドウの<u>房</u>
the <u>advent</u> of a new epoch	新しい時代の<u>到来</u>
the *smooth* <u>texture</u> of the surface	表面のすべすべした<u>手触り</u>
abstract <u>entities</u> such as numbers and sets	数や集合といった抽象的な<u>実在物</u>
plaster poured into a <u>mold</u>	<u>型</u>に流し込まれたしっくい
a <u>segment</u> of DNA	DNA の<u>断片</u>
a <u>strip</u> *of* material	<u>1 片</u>の生地
a peace <u>accord</u> *between* the two countries	2 国間の平和<u>協定</u>

7

Unit 2 [名詞] [11] 行為・行動・態度・能力

1868 **command** [kəmǽnd] カマンド B1
[名] 命令，指揮；(特に言葉の) 運用能力
[入試] 「(言葉を自由に操る) 運用能力」は語法・和訳で頻出。
[動] 命令する；指揮する；～を制する；～を見晴らす

1869 **endeavor** [ɪndévər] インデヴァ [発] [ア] B2
[名] (懸命な) 努力；企て，試み
[動] (真剣に) 努力する

1870 **retreat** [rɪtríːt] リトリート B2
[名] 後退，退却；撤回
[動] 引き下がる，退く；退却する；撤回する

1871 **posture** [pástʃər] パスチャ
[名] 姿勢，ポーズ；態度
[動] 〈+ as ～〉(～の) 振りをする，気取る

1872 **constraint** [kənstréɪnt] カンストレイント
[名] (自由・行動に対する) 制約，制限；抑制，気がね
□ constrain [動] ～を制限する；～を強制する

1873 **intervention** [ìntərvénʃ(ə)n] インタァヴェンション
[名] 仲裁，介入，干渉
□ intervene [動] 仲裁する；介入する

1874 **stride** [stráɪd] ストライド B2
[名] 大またで歩くこと，歩幅；進歩
▶ make great strides [句] 大きな進歩を遂げる
[動] 大またで歩く
[活用] stride - strode - strode [stridden]

1875 **courtesy** [kə́ːrtɪsi] カーティスィ B2
[名] 礼儀(正しいこと)；礼儀正しい[儀礼的な]言動，好意
▶ by courtesy of ～ [句] ～の好意により
□ courteous [形] 礼儀正しい

1876 **revenge** [rɪvéndʒ] リヴェンジ B2
[名] 復讐，報復，仕返し
▶ take revenge on ～ [句] ～に仕返しをする
[動] 復讐する

1877 **feat** [fíːt] フィート B2
[名] 偉業，功績；妙技

1878 **deed** [díːd] ディード B1
[名] 行為，行い
[イメージ] 善悪が明白に区別のつく行い。

his perfect <u>command</u> of Italian	彼の完璧なイタリア語の<u>能力</u>
their <u>endeavor</u> *to solve* the problem	問題を解決しようとする彼らの<u>努力</u>
the <u>retreat</u> of enemy troops	敵軍の<u>退却</u>
a person with *bad* <u>posture</u>	<u>姿勢</u>の悪い人
<u>constraints</u> *on* freedom of expression	表現の自由に対する<u>制約</u>
the country's military <u>intervention</u> *in* the conflict	紛争へのその国の軍事<u>介入</u>
She was walking *with long* <u>strides</u>.	彼女は<u>大また</u>で歩いていた。
the proper <u>courtesy</u> for the occasion	その場に適切な<u>礼儀</u>
the fear of a <u>revenge</u> *attack*	<u>報復</u>攻撃への恐怖
a <u>feat</u> of robotics engineering	ロボット工学の<u>偉業</u>
He tries to *do a* good <u>deed</u> every day.	彼は毎日1つのよい<u>行い</u>を心がけている。

7

1879 □ B1	**sigh** [sái] サイ	名 ため息 動 ため息をつく
1880 □ A2	**envelope** [énvəlòup] エンヴァロウプ	名 封筒；包むもの □ envélop 動 ~を包む
1881 □ B1	**garment** [gá:rmənt] ガーマント	名 (一着の) 衣服
1882 □	**gadget** [gǽdʒɪt] ギャジット	名 (ちょっとした) 装置，機器，道具 イメージ いろいろと便利な小物。 □ gadgetry 名 (集合的に) 装置類，道具類
1883 □ B2	**intersection** [ìntərsékʃ(ə)n] インタァセクション	名 交差点 (≒ crossroad)；交差 □ intersect 動 (~と) 交差する；~を横切る，区分する
1884 □ B1	**nephew** [néfju:] ネフュー	名 おい cf. niece 名 めい
1885 □ A2	**bride** [bráid] ブライド	名 花嫁，新婦 □ bridal 形 新婦の；婚礼の cf. bridegroom 名 新郎
1886 □	**chamber** [tʃéimbər] チェインバァ 発	名 会議室，議場；議院；(特殊用途の) 部屋，~室 イメージ 特定の目的・機能を果たす区切られた空間。
1887 □ B2	**barn** [bá:rn] バーン	名 納屋，物置き，倉庫
1888 □ A1	**chill** [tʃíl] チル	名 冷え(込み)，冷気；寒気；冷淡さ 動 ~を冷やす；冷える 形 冷え冷えとした □ chilly 形 肌寒い；冷淡な
1889 □ A2	**perfume** [pá:rfju:m] パーフューム ア	名 香水，香料，香り

454

a <u>sigh</u> of relief	安どの<u>ため息</u>
an <u>envelope</u> with a ticket inside	チケット入りの<u>封筒</u>
different <u>garments</u> in the wardrobe	洋服ダンスの中のいろいろな<u>衣服</u>
a lot of *digital* <u>gadgets</u> on his desk	彼の机の上のたくさんのデジタル<u>機器</u>
a collision *at the* <u>intersection</u>	<u>交差点</u>での衝突事故
the youngest of his <u>nephews</u>	彼の<u>おい</u>の中で一番幼い子
a portrait of the <u>bride</u> and her father	<u>新婦</u>とその父親の肖像写真
the *gas* <u>chambers</u> in Auschwitz	アウシュビッツのガス<u>処刑室</u>
the hay stored in the <u>barn</u>	<u>納屋</u>に保存された干し草
a <u>chill</u> of night	夜の<u>冷え込み</u>
the strong smell of <u>perfume</u>	強い<u>香水</u>の匂い

1890
lottery
[lάt(ə)ri] ラタリ
B1

名 宝くじ；抽選，くじ引き
□ lot 名 くじ，くじ引き

1891
sibling
[síblɪŋ] スィブリング

名 兄弟姉妹
TIPS 性別に関わらず，「きょうだい」。

1892
signature
[sígnətʃər] スィグナチャ
B1

名 署名(すること)，サイン；特徴づけるもの
□ sign 動 ～に署名する 名 印，表れ；標識；記号
TIPS 英語の sign には日本語の「(著名人の) サイン」の意味はない。
cf. autograph 名 (著名人の) サイン

1893
wrinkle
[rígkl] リンクル

名 (顔・皮膚・物の) しわ
▶ iron out the wrinkles 句 ちょっとした問題を解決する
動 しわを寄せる

1894
laundry
[lɔ́:ndri] ローンドリ 発
B2

名 洗濯(すること)；洗濯物；クリーニング店
▶ do the laundry 句 洗濯をする

1895
compliment
[kámpləmənt]
カムプラメント 発
B1

名 賛辞，ほめ言葉，お世辞；〈-s〉祝いの言葉
動 [kámpləmènt] ～をほめる，称賛する
入試 complement「補完物；補語」との区別に注意。
□ compliméntary 形 ほめ言葉の；無料の

1896
excursion
[ɪkskɔ́:rʒ(ə)n]
イクスカージョン 発
B2

名 (団体の) 小旅行，遠足
入試 execution「処刑」と混同しない。

1897
harassment
[həræsmənt]
ハラスメント 7

名 迷惑行為，ハラスメント
□ harass 動 ～に嫌な思いをさせる，～に嫌がらせをする

1898
venue
[vénju:] ヴェニュー
B2

名 (コンサート・会議などの) 開催地，会場

---

a winning <u>lottery</u> ticket	<u>宝くじ</u>の当たり券
a child with no <u>siblings</u>	<u>兄弟姉妹</u>のいない子
her <u>signature</u> on the contract	契約書の彼女の<u>署名</u>
<u>wrinkles</u> on his forehead	彼の額の<u>しわ</u>
a basketful of dirty <u>laundry</u>	かごいっぱいの汚れた<u>洗濯物</u>
her <u>compliment</u> *on* his new necktie	彼の新しいネクタイについての彼女の<u>ほめ言葉</u>
an <u>excursion</u> *to* the zoo	動物園への<u>遠足</u>
a victim of *sexual* <u>harassment</u>	性的<u>嫌がらせ</u>の被害者
the <u>venue</u> *for* the convention	大会の<u>会場</u>

1899 □ B2	**flame** [fléɪm] フレイム	名 炎，火炎 ▶ in flames　句燃えて，炎上して 動 燃え上がる
1900 □ B1	**sword** [sɔ́:rd] ソード 発	名 剣，刀；武力 ▶ a double-edged sword　句もろ刃の剣
1901 □ B1	**bump** [bʌ́mp] バンプ	名 でこぼこ；(体の) こぶ；(軽い) 衝突 動 ドンとぶつかる ▶ bump into ～　句～にぶつかる；～にばったり出くわす □ bumpy　形 (道が) でこぼこの
1902 □ B1	**triumph** [tráɪəmf] トライアンフ 発	名 勝利；大成功 動 勝利を収める □ triúmphant　形大勝利 [成功] の
1903 □ B1	**scope** [skóʊp] スコウプ	名 範囲，視野 ▶ beyond the scope of ～　句～の範囲を超えて
1904 □	**timber** [tímbər] ティンバァ	名 材木，木材 (≒ lumber 《米》)；樹木
1905 □ B2	**fragrance** [fréɪɡrəns] フレイグランス	名 芳香，香り；香料；香水 □ fragrant　形香りのよい
1906 □ B2	**blade** [bléɪd] ブレイド	名 (刃物の) 刃；(スクリューなどの) 羽根
1907 □ B1	**bullet** [bʊ́lɪt] ブリット	名 銃弾 ▶ bullet train　句 (日本の) 新幹線，弾丸列車
1908 □ B2	**tomb** [tú:m] トゥーム 発	名 (大がかりな) 墓；墓石，墓標 cf. grave　名 (一般的な) 墓
1909 □ B2	**torture** [tɔ́:rtʃər] トーチァァ	名 拷問；ひどい苦痛 TIPS 肉体的，精神的，どちらの苦痛も表す。 動 ～をひどく苦しめる，拷問にかける □ torturous　形拷問のような，苦痛な

a blue flame of gas	ガスの青い炎
the sword of a samurai	侍の刀
bumps in the road	道のでこぼこ
shouts of triumph	勝利の歓声
the broad scope of the investigation	広範囲にわたる捜査
the decline of the timber industry	木材産業の衰退
the fragrance of the perfume	香水の芳香
a broken blade of the turbine	タービンの折れた羽根
a handgun loaded with bullets	銃弾の装てんされた拳銃
the grand tomb of the King	王の壮大な墓
the severe torture inflicted on him	彼に与えられたひどい拷問

7

1910
□ **restless**

[réstləs] レストラス

形 落ち着きのない，そわそわする (⇔ restful 安らかな，平穏な)

1911
□ **vicious**

[víʃəs] ヴィシャス

形 悪意のある，意地の悪い；凶暴な，残忍な

▶ vicious circle [cycle] 句悪循環

□ vice 名悪行，悪習；非行 (⇔ virtue 善，美徳)

1912
B2
□ **earnest**

[ə́ːrnist] アーネスト

形 真剣な，熱心な，真面目な (≒ serious)

▶ in earnest 句本格的に，真面目に

1913
B2
□ **humble**

[hʌ́mbl] ハンブル

形 謙虚な；つつましい；身分の低い

□ humbleness 名謙虚，謙遜

1914
□ **naive**

[nɑːíːv] ナーイーヴ 発

形 単純な，世間知らずの；(よい意味で) 純真な

TIPS 日本語の「ナイーブな」と違い，ネガティブな意味で用いられることが多い。

□ naivety 名単純さ，世間知らず；無邪気

1915
B1
□ **naked**

[néɪkɪd] ネイキッド 発

形 裸の，着衣のない；むき出しの

1916
□ **apt**

[ǽpt] アプト

形 ～しがちな，～の傾向がある；適切な

イメージ 人の生まれつきや習慣的傾向，物本来の特性による傾向。

▶ *be* apt to *do* 句do しがちである

□ aptitude 名適性，素質

1917
□ **brutal**

[brúːtl] ブルートル

形 残忍な，野蛮な

□ brutálity 名残虐性；残忍な行為

1918
B2
□ **clumsy**

[klʌ́mzi] クラムズィ 発

形 不器用な，ぎこちない (≒ awkward)

イメージ 見てすぐにわかるほどの，生まれつきの不器用さ。

□ clumsiness 名ぎこちなさ

1919
□ **proficient**

[prəfíʃ(ə)nt]
プラフィシャント ア

形 熟達した，堪能な

□ proficiency 名熟練，技量

1920
B1
□ **trustworthy**

[trʌ́stwəːrði]
トラストワーズィ ア

形 信頼できる，信用できる

---

the <u>restless</u> behavior of the boys	少年たちの<u>落ち着きの</u> <u>ない</u>行動
a <u>vicious</u> rumor about her	彼女についての<u>悪意の</u> <u>ある</u>うわさ
their <u>earnest</u> efforts	彼らの<u>真剣</u>な努力
her <u>humble</u> attitude	彼女の<u>謙虚</u>な態度
his <u>naive</u> way of thinking	彼の<u>単純</u>な考え方
a <u>naked</u> baby held in her arms	彼女の腕に抱かれた<u>裸</u> <u>の</u>赤ん坊
He *is* <u>apt</u> *to jump* to conclusions.	彼は早とちりを<u>しがち</u> だ。
the <u>brutal</u> treatment of animals	動物の<u>残忍</u>な扱い
He is <u>clumsy</u> with his hands.	彼は手先が<u>不器用</u>だ。
a very <u>proficient</u> speaker of Vietnamese	非常に<u>堪能</u>なベトナム 語の話者
an extremely <u>trustworthy</u> politician	非常に<u>信頼のできる</u>政 治家

1921 □ **crude** [krú:d] クルード
[形] 粗野な，下品な；粗雑な；天然のままの
▶ crude oil [句]原油

1922 □ **weird** B1 [wíərd] ウィァド [発]
[形] 奇妙な，変な；不気味な

1923 □ **marvelous** A2 [má:rv(ə)ləs] マーヴ(ァ)ラス
[形] 素晴らしい，すごくいい (≒ wonderful)，驚くべき
[TIPS] wonderful より意味が強い。
□ marvel [動]驚く [名]素晴らしいこと，驚異

1924 □ **abnormal** B1 [æbnɔ́:rml] アブノームル
[形] 異常な；ふつうでない (⇔ normal)
□ abnormálity [名] (体の) 異常，奇形

1925 □ **intriguing** [ɪntrí:gɪŋ] イントリーギング [発]
[形] 興味をそそる，極めて面白い
□ intrígue [動]～の興味をそそる；陰謀を企てる
□ íntrigue [名]陰謀

1926 □ **legitimate** B2 [lɪdʒítəmɪt] レジタミット [ア]
[形] 妥当な；合法の；嫡出の
[入試] lawful への言い換えも多い。
□ legitimacy [名]合法性
□ legitimize [動]～を合法化する；～を正当化する

1927 □ **splendid** [spléndɪd] スプレンディッド
[形] 壮麗な，華麗な；すてきな
[イメージ] まばゆく輝くような素晴らしさ。
□ splendor [名]壮麗(さ)，見事(さ)

1928 □ **rigorous** [rígərəs] リガラス
[形] 厳しい，厳格な (≒ strict)
[イメージ] 強く張りつめたような厳しさ。
□ rigor [名]厳しさ

1929 □ **priceless** B2 [práɪsləs] プライスラス
[形] 非常に貴重な，非常に価値のある (≒ valuable)
[入試] invaluable と同義。語法問題で頻出。valueless は「価値のない」。

the crude comments of the minister	大臣の粗野なコメント
a series of weird incidents	一連の奇妙な出来事
a marvelous night view of the city	市街地の素晴らしい夜景
abnormal activity in the brain	脳の異常な活動
an intriguing topic of discussion	興味をそそる議論のテーマ
a legitimate procedure of decision-making	意思決定の妥当な手続き
the splendid ornamentation in the palace	宮殿の壮麗な装飾
rigorous export restrictions	厳しい輸出制限
the priceless experience of studying abroad	留学という非常に貴重な経験

7

STAGE 7

Unit 3 [形容詞] [3] 程度・様態

1930 □ **affluent**
[ǽfluənt] アフルアント [ア]

[形] 豊かな，裕福な；豊富な(≒ abundant)

□ affluence [名] 裕福；豊富さ

1931 □ **drastic**
[drǽstɪk] ドラスティック

[形] 抜本的な，徹底的な，思い切った

1932 □ **solitary**
[sɑ́lətèri] サラテリ

[形] ひとりだけの；孤独(好き)な；人里離れた

[語法] 「ひとりだけの」の意味では，限定用法。

[TIPS] lonely とは違い「寂しい」ことを必ずしも意味せず，ときには「孤独を楽しんでいる」という意味にもなる。

□ solitude [名] 孤独，ひとりでいること

1933 □ **sheer**
B1
[ʃíər] シァ

[形] 全くの(≒ utter)；切り立った

1934 □ **partial**
B1
[pɑ́ːrʃ(ə)l] パーシャル

[形] 部分的な，一部の；不公平な

□ partiálity [名] 不公平，えこひいき；強い好み

□ partially [副] 部分的に

1935 □ **robust**
[róubʌst] ロウバスト

[形] たくましい，頑強な；頑丈な；断固とした

□ robustness [名] たくましさ，頑健

1936 □ **mighty**
B2
[máɪti] マイティ

[形] 強力な，強大な

[TIPS] powerful よりも強さ，大きさを強調する。

▶ The pen is mightier than the sword.
《ことわざ》文は武に勝る。

[副] すごく，とても

□ might [名] 大きな力，権力

1937 □ **acute**
B2
[əkjúːt] アキュート

[形] 深刻な；(痛みが) 激しい，(病気が) 急性の (⇔ chronic 慢性の)

□ acuteness [名] 深刻さ

an <u>affluent</u> section of the city	市の<u>裕福な</u>地域
a <u>drastic</u> reform of the curriculum	カリキュラムの<u>抜本的</u>な改革
her <u>solitary</u> life after retirement	退職後の彼女の<u>ひとり</u>の暮らし
a case of <u>sheer</u> *luck*	<u>全くの</u>幸運の例
the <u>partial</u> approval of the plan	計画の<u>部分的な</u>承認
a <u>robust</u> young soldier	<u>たくましい</u>若い兵士
the <u>mighty</u> *power* of nature	自然の<u>強大な</u>力
an <u>acute</u> *pain* in the stomach	胃の<u>激しい</u>痛み

7

1938 □ **punctual** B2
[pʌ́ŋ(k)tʃuəl] パンクチュアル
[形] 時間通りの；期限を守る，遅れない
[イメージ] 決められた時点にぴったり合って。
□ punctually [副]時間［期限］通りに
□ punctuálity [名]時間［期日］厳守

1939 □ **eternal** B1
[ɪtə́ːrnl] イターヌル
[形] 永遠の，永久の（≒ everlasting）；果てしない
□ eternally [副]永遠に，永久に
□ eternity [名]永遠，永久；（うんざりするほど）長い間

1940 □ **antique** B2
[æntíːk] アンティーク
[形] 骨董品の；年代物の；古くさい
[名] 骨董品
□ antiquity [名]古代，大昔

1941 □ **swift** B2
[swíft] スウィフト
[形] 素早い，敏速な
□ swiftness [名]素早さ，敏速さ
[名] アマツバメ

1942 □ **abrupt** B2
[əbrʌ́pt] アブラプト
[形] 突然の，不意の；ぶっきらぼうな
[TIPS] sudden より意外性がある。
□ abruptly [副]不意に，突然に；素っ気なく

1943 □ **preliminary** B2
[prɪlímənèri] プリリマネリ
[形] 予備の，準備の
▶ preliminary results [句]中間結果
[名] 予備段階；（スポーツなどの）予選

1944 □ **simultaneous** B2
[sàɪm(ə)ltéɪniəs] サイムルテイニアス [ア]
[形] 同時の，同時に起こる
▶ simultaneous equations [句]連立方程式
□ simultaneously [副]同時に
□ simultanéity [名]同時性

the <u>punctual</u> arrival of the train	列車の時間通りの到着
the illusion of <u>eternal</u> love	永遠の<u>愛</u>という幻想
a unique collection of <u>antique</u> jewelry	<u>骨董</u>の宝飾品の類いまれなコレクション
a <u>swift</u> response to the stimulus	刺激に対する<u>素早い</u>反応
an <u>abrupt</u> *change* in the weather	天候の<u>突然</u>の変化
<u>preliminary</u> research before the experiment	実験前の<u>予備</u>調査
the <u>simultaneous</u> *translation* of the speech	演説の<u>同時</u>通訳

7

1945 □ B2	**hybrid** [háɪbrɪd] ハイブリッド	形 雑種の；混成の；(自動車が) ハイブリッドの 名 雑種；混成物；ハイブリッドカー *cf.* crossbreed 名雑種 動 (〜を) 異種交配する
1946 □ A2	**loose** [lúːs] ルース 発	形 緩い；ゆったりした，だぶだぶの；大まかな TIPS 日本語の「ルーズな」(=だらしない)の意味では，sloppy や careless を用いる。 ▶ come loose 句ほどける，外れる ▶ let O loose 句Oを放す；O(人)に好きなようにさせる 動 〜を放す；〜をほどく
1947 □	**superficial** [sùːpərfíʃ(ə)l] スーパァフィシャル ア	形 表面の；表面的な，うわべだけの(≒ shallow)， (内容が) 深みのない □ superficially 副表面的に
1948 □	**edible** [édəbl] エダブル	形 食べられる，食用に適した *cf.* eatable 形 (腐っていないので) 食べられる
1949 □ B2	**neat** [níːt] ニート	形 きちんとした，整頓された；適切な，巧みな ▶ keep O neat and tidy 句Oを整理整頓しておく
1950 □ B1	**humid** [hjúːmɪd] ヒューミッド	形 湿気の多い，蒸し暑い TIPS humid は主に暑い気候について「不快なほど湿気がある」。 moist は物や目，肌が「適度に湿った」。damp は天気・空 気が「じめじめして不快な」。 □ humidity 名湿気，湿度
1951 □	**rigid** [rídʒɪd] リジッド	形 厳格な，厳しい(≒ strict)；堅い，硬直した (≒ stiff) □ rigidly 副厳格に，頑固に
1952 □ B2	**upright** [ʌ́pràɪt] アプライト	形 直立の，真っすぐ立った 副 直立して，真っすぐに
1953 □	**intact** [ɪntǽkt] インタクト	形 完全なままの，無傷の 入試 ふつう叙述用法で用いる。

a <u>hybrid</u> individual of different animals	異なる動物間の<u>雑種</u>個体
her <u>loose</u> sweater	彼女の<u>ゆったりした</u>セーター
their <u>superficial</u> friendship	彼らの<u>うわべだけの</u>友情
the <u>edible</u> part of the fruit	果物の<u>食べられる</u>部分
a <u>neat</u> *pile of* blankets	毛布の<u>きちんとした</u>山
the <u>humid</u> *climate* of summer	夏の<u>湿気の多い</u>気候
<u>rigid</u> school rules	<u>厳格な</u>校則
the <u>upright</u>, bipedal walk of humans	人間の<u>直立</u>二足歩行
The building remained <u>intact</u> after the quake.	地震の後，その建物は<u>無傷の</u>ままだった。

469

1954 □ **inherent**
[ɪnhí(ə)rənt]
インヒ(ァ)ラント [ア]

[形] 固有の，本来の
[イメージ] 生まれつき備わっている。
▶ (*be*) inherent in ～ [句] ～につきものである
□ inhere [動] (性質などが) 内在する

1955 □ **intrinsic**
[ɪntrínsɪk]
イントリンスィック

[形] 本質的な，本来の，固有の (⇔ extrinsic 非本質的な，固有ではない)
[イメージ] 価値・性質がそのものの内部に宿っている。
▶ (*be*) intrinsic to ～ [句] ～に本来備わっている
□ intrinsically [副] 本質的に，本来

1956 □ **stiff**
B2
[stíf] スティフ

[形] 堅い，固い；(筋肉などが) 凝った；堅苦しい
[イメージ] 曲げたり伸ばしたりするのが難しい。
▶ stiff neck [句] 肩こり
□ stiffen [動] 堅くなる，こわばる

1957 □ **bare**
B1
[béə*r*] ベア

[形] むき出しの；裸の；ありのままの；最低限の
[イメージ] あるべきものがなくて，むき出しの。人の場合は，体の部分的露出。
cf. barefoot(ed) [形] 素足の [副] 素足で

1958 □ **compatible**
B2
[kəmpǽtəbl] カンパタブル

[形] 〈+ with ～〉(～と) 両立できる，適合する；互換性のある；うまが合う
□ compatibílity [名] 互換性，両立性，適合性

1959 □ **vacant**
B2
[véɪkənt] ヴェイカント

[形] 空(から)の；空いている，使われていない
[イメージ] 本来あってよいものがないために空いている。
[TIPS] トイレ・部屋などの表示で「空き」は vacant，「使用中」は occupied [engaged]。
□ vacancy [名] 空席，空室；欠員

instincts inherent *in* all animals	すべての動物に固有の本能
the intrinsic value of education	教育の本質的な価値
a stiff rubber strap	堅いゴムのストラップ
a walk on the beach *in* bare *feet*	素足でのビーチの散歩
environmentally compatible products	環境に適合する製品
a few vacant rooms at the hotel	ホテルの少しの空き部屋

7

1960
□ B1 **altogether**

[ɔ̀:ltəgéðər]
オールトゥゲザァ

副 全く，完全に，すっかり；全体で，全部で

▶ not ～ altogether 句 全く～というわけではない（部分否定）

1961
□ B2 **accordingly**

[əkɔ́:rdɪŋli]
アコーディングリ

副 それに応じて（適宜）；それゆえに，従って

1962
□ B1 **deadly**

[dédli] デッドリ

副 ひどく，とても

形 全くの，極端な；致命的な

入試 形「致命的な」は頻出。

1963
□ B1 **shortly**

[ʃɔ́:rtli] ショートリ

副 間もなく，すぐに；手短に，簡潔に

1964
□ **beforehand**

[bɪfɔ́:rhænd]
ビフォーハンド

副 あらかじめ，前もって（≒ in advance）

1965
□ **thereby**

[ðèərbái] ゼァバイ

副 それによって，従って

1966
□ **namely**

[néɪmli] ネイムリ

副 すなわち，よりはっきり言うと

語法 直前に述べたことをより具体的に示すために用いる。
cf. that is to say 句 すなわち

1967
□ B1 **aboard**

[əbɔ́:rd] アボード

副 （乗り物に）乗って（≒ on board）

前 ～に乗って

TIPS abroad 副「外国で[へ，に]」との区別に注意。
▶ All aboard! 句 皆さん，ご乗車[乗船]願います。

1968
□ B2 **undoubtedly**

[ʌ̀ndáutɪdli]
アンダウティドリ

副 疑う余地なく，確かに（≒ without doubt）
cf. no doubt 句 確かに；おそらく

This book consists of 500 pages <u>altogether</u>.	この本は<u>全部で</u> 500 ページから成る。
She realized the danger and acted <u>accordingly</u>.	彼女は危険を認識し，<u>それに応じて</u>行動した。
They had a <u>deadly</u> serious discussion.	彼らは<u>ひどく</u>まじめに議論した。
He went out again <u>shortly</u> *after* he got home.	彼は帰宅した後<u>すぐに</u>，また外出した。
You had better book a table at the restaurant <u>beforehand</u>.	レストランの席は<u>あらかじめ</u>予約しておきなさい。
The company built a new production line, <u>thereby</u> *improving* its productivity.	その会社は新しい生産ラインを作り，<u>それによって</u>生産性を向上させた。
the largest prefecture of Japan, <u>namely</u>, Hokkaido	日本で最大の都道府県，<u>すなわち</u>北海道
Passengers started to *go* <u>aboard</u> through the boarding gate.	乗客たちは搭乗口を通って<u>乗り込み</u>始めた。
<u>Undoubtedly</u>, he is relieved to have completed his paper.	<u>疑う余地なく</u>，彼は論文を完成させて安堵している。

I-157
☐ **have (a) good reason [every reason] to *do***

do する十分な理由がある

I-158
☐ **have *one's* own way**

思い通りにする，我を通す

I-159
☐ **have ～ in common (with ...)**

(…と) ～の共通点がある　語法 目的語〈～〉には something (何か)，nothing (何もない)，a lot [much] (たくさん) などを用いる。

I-160
☐ **have a good command of ～**

(言語など) を使いこなせる，～を自由に使う力がある

I-161
☐ **have an [a good] eye for ～**

～を見る目がある，～の目が高い

I-162
☐ **have the cheek to *do***

ずうずうしくも do する　発信 What a cheek!「厚かましい！」

I-163
☐ **have ～ to do with ...**

…と～の関係がある　語法 目的語〈～〉には something (何らかの)，nothing (何もない)，a lot [much] (大いに) などを用いる。

I-164
☐ **have no choice but to *do***

do するより仕方がない，do するほかに選択の余地がない

I-165
☐ **have second thoughts**

考え直す，気が変わる

I-166
☐ **have [*be*] yet to *do***

まだ do していない　入試 remain to be *done* に書き換え可能。

I-167
☐ **have [*be*] still to *do***

まだ do していない

I-168
☐ **have no objection to ～**

～が嫌ではない，～に異論はない　入試 to は前置詞なので，名詞や *doing* が後続。

She has good reason to *be* against the plan.

彼女にはその計画に反対する<u>十分な理由がある</u>。

He always wants to have *his* own way.

彼はいつも<u>自分の思い通りにしたがる</u>。

They have *a lot* in common *with* each other.

彼らには互いに<u>共通点がたくさんある</u>。

She has a good command of Chinese.

彼女は中国語を<u>使いこなせる</u>。

He has an eye for antiques.

彼は骨董品を<u>見る目がある</u>。

She had the cheek to *ask* me for a loan.

彼女は<u>ずうずうしくも</u>私に金を貸してほしいと頼んできた。

She has *nothing* to do with the scandal.

彼女はそのスキャンダル<u>とは何の関係もない</u>。

We had no choice but to *wait* for her arrival.

私たちは彼女の到着を待つ<u>しか仕方がなかった</u>。

He had second thoughts *about* going abroad.

彼は海外へ行くことについて<u>考え直した</u>。

The problem has yet to *be* solved.

その問題は<u>まだ</u>解決して<u>いない</u>。

He has still to *finish* his task.

彼は<u>まだ</u>自分の仕事を終えて<u>いない</u>。

She had no objection to *changing* the plan.

彼女は計画を変更することに<u>異論はなかった</u>。

I-169
□ **ahead of ~**

~の前方に，~の先に (⇔ behind)

I-170
□ **apart [aside] from ~**

~を除いて，~は別として；~から離れて

I-171
□ **but for ~**

~がなければ，~がなかったならば (≒ without)

I-172
□ **due to ~**

~のために，~が原因で

I-173
□ **except for ~**

~を除いて

I-174
□ **for all ~ / with all ~**

~にもかかわらず

I-175
□ **owing to ~**

~のせいで，~が原因で

I-176
□ **in addition (to ~)**

(~に) 加えて，(~の) ほかに (= besides)

I-177
□ **in that S + V**

S が V するという点で

I-178
□ **on condition that S + V**

もし S が V するなら，S が V するという条件で

I-179
□ **the moment [instant, minute, second] S + V**

S が V するとすぐに，S が V するととたんに

I-180
□ **in case S + V**

S が V するといけないから，S が V する場合に備えて；もし~ならば

476

Those students were walking *well* ahead of me.

その生徒たちは私のかなり前を歩いていた。

Apart from this, there's nothing to be desired.

この点を除けば，申し分ない。

But for her help, we could not have made it in time.

彼女の助けがなかったら，私たちは時間に間に合わなかっただろう。

Our flight was cancelled due to a mechanical problem.

私たちの飛行機は機材の問題のために欠航となった。

Her paper was perfect except for a few typos.

数か所のタイプミスを除いて，彼女の論文は完璧だった。

For all his efforts, he failed again.

努力したにもかかわらず，彼はまた失敗した。

Trains were delayed owing to the storm.

嵐のせいで列車が遅れた。

In addition to English, she speaks German and French.

英語に加えて，彼女はドイツ語とフランス語を話す。

Humans differ from animals in that they can use language.

言語を使えるという点で，人は動物とは異なる。

You can go out on condition that you come home by seven.

7 時までに帰るなら外出してもよい。

The moment he sat down, he fell asleep.

座るとすぐに，彼は眠りに落ちた。

Leave early in case you should get stuck in a traffic jam.

交通渋滞に巻き込まれるといけないから，早く出発しなさい。

▪ 基本動詞を使いこなそう

have 身近にある

他 ～を持っている，手に入れる，経験する，
食べる，飲む；…させる，される

「所有する」が基本的な意味。
単に物を所有することだけで
はなく，経験として状態など
を所有することも意味する。
そこから，使役，被害の受け身，
完了の意味へも広がる。

have の基本

■ She didn't <u>have</u> any money.　彼女は全くお金を持っていなかった。
● 「お金」という物を所有していなかった。

■ I <u>have</u> a lot to do this morning.
今朝はやることがたくさんある。
● 「やるべき活動・行為」をたくさん所有している。

■ He <u>had</u> a cheeseburger for lunch.
彼は昼食にチーズバーガーを食べた。
● 「手に入れる」→「体に入れる」

■ I'm going to <u>have</u> a medical checkup next week.
私は来週健康診断を受けます。
● 「健康診断」という経験を持つ。

■ I'd like to <u>have</u> this suitcase *taken* to my room.
このスーツケースを部屋まで運んでもらいたいのですが。
● 「スーツケースを部屋まで運ばれた」という状態を持つ。

■ I <u>had</u> my purse *stolen* on the train.　電車の中で財布を盗まれた。
● 「財布を盗まれる」という被害の経験を持つ。

■ She <u>had</u> the clerk *call* a taxi.　彼女は店員にタクシーを呼んでもらった。
● have O *do* で「O に do させる」という使役。「O が do する」状態を持つ。

■ I won't <u>have</u> you smoking in the house.
家の中で喫煙させるわけにはいきません。
● won't [can't] have O *doing* で「O に do させてはおかない [おけない]」。

⁂ have を含む重要表現

■ have had it (with ～) : (～は)もううんざりだ；～はもうだめだ

I <u>have had it with</u> her. 　彼女にはもううんざりだ。

●「十分に経験したので，もういらない」というイメージ。

■ have only to *do* : do しさえすればよい

You <u>have only to *stay*</u> here. 　君はここにいさえすればよい。

●only have to *do* の場合もある。

■ have yet to *do* : まだ do していない，do する必要がある

She <u>has yet to *get*</u> a reply from him.

彼女は<u>まだ</u>彼から返信をもらって<u>いない</u>。

●*be* yet to *do* も「まだ do していない」。

7

⁂ have の群動詞

■ have ～ (all) to *oneself* : ～を独占する

She <u>has</u> a large room <u>all to herself</u>.

彼女は広い部屋を<u>1人で使っている</u>。

●自分に合うように利用できる。

■ have ... to do with ～ : ～と…の関係がある

He <u>had *nothing* to do with</u> the crime.

彼はその犯罪<u>とは全く関係がなかった</u>。

●nothing を a lot [much] にすると「大いに関係がある」。

■ have ～ off : ～を休みにする

She will <u>have</u> a week <u>off</u> next month.

彼女は来月1週間<u>休みを取る</u>。

●「(職場から) 離れた状態・時間」を持つ。

■ have on ～ : ～を身に着けている

The man <u>had</u> sunglasses <u>on</u>.

その男はサングラスを<u>かけていた</u>。

●「身に着けた状態」で持っている。

do 何かをする

他 ～をする，行う，果たす，仕上げる
自 行動する，暮らす，～で間に合う

「ある行為をする」の意味を基本に，目的語の示す意味など文脈に応じて，どのような行為かが明確になる。また，ある状況で求められる行為を果たすということから，「間に合う」の意味へも広がる。

do の基本

■ What are you going to do this weekend?
この週末は何をする予定ですか。
● 「何かをする」という最も基本的な意味。

■ I'll do *the cooking.* 私が料理をしましょう。
● 〈the ＋動作を表す名詞〉が行為の内容。

■ Will you do *me a favor*? ちょっとお願いがあるのですが。
● 「私に対して手助けとなる行為 (favor) をしてくれないか」という意味。

■ His car can do 100 miles per hour.
彼の車は時速 100 マイルで走れる。
● 文字通りには「車が時速 100 マイルをする」。

■ Eating too many sweets will do *you harm.*
甘いものの食べすぎは体によくないですよ。
● 「あなたに害をもたらす」という意味。

■ She *is* doing very *well* at school.
彼女は学校でとても成績がよい。
● 「うまく過ごしている」→「成績がよい」

■ Any book *will* do as long as it is interesting.
面白ければ，どんな本でもよいです。
● 「S (主語) で間に合う」という意味の do。

480

do を含む重要表現

■ do ~ justice ： ~を公平に扱う，正しく評価する

To do *him* justice, he is a good teacher.
彼を公平に判断すれば，彼はよい先生だ。

● 「~に公平 (な評価) を与える」 という意味。

■ make do with ~ ： ~で間に合わせる (≒ do with ~)

I have to make do with $10 this weekend.
私は今週末は 10 ドルで間に合わせなければいけない。

● make do without ~ 「~なしで済ませる」 という表現もある。

do の群動詞

■ do away with ~ ： ~を廃止する

We should do away with the old regulations.
我々はその古い規制を廃止するべきだ。

● 「どこかよそへ持って行く」 → 「捨て去る」

■ do up ： (ボタン・ひもなど) を留める，しめる

Do up your buttons.
ボタンを留めなさい。

● ボタンをきちんとした状態 (up) にする。

■ what to do with ~ ： ~をどう処理するか

I don't know what to do with these documents.
私はこれらの書類をどうしたらよいかわからない。

● 書類に関して何かをする。

■ do without ~ ： ~なしで済ませる (≒ make do without ~)

We can't do without an air-conditioner in this hot weather.
こんな暑い天気ではエアコンなしでやっていけない。

● 「何かがない状態でやる」 → 「~なしで暮らしていく」

■ 重要な多義語・多品詞語

bound

形 ❶ 〈*be* bound to *do*〉
do する義務がある

We *are* bound by school rules *to have* short hair.
私たちは校則で髪を長くしすぎないよう義務づけられている。

❷ 〈*be* bound to *do* で〉
きっと do する

Their plan *is* bound *to succeed*.
彼らの計画はきっと成功する。

❸ 〈+ for 〜〉 **〜行きの**

She took the bus bound *for* New York.
彼女はニューヨーク行きのバスに乗った。

❹ **結び付いている**
〈bind の過去分詞〉

They *are* bound *to* each other by close friendship.
彼らは固い友情で互いに結び付いている。

動 **跳びはねて進む**

The ball bounded back to him.
ボールは跳ねて彼のところに戻ってきた。

名 〈-s〉**限界，限度**

Her knowledge *knows no* bounds.
彼女の知識は限界を知らない。

file

動 ❶ **(書類)を整理する**

He filed the documents.
彼は書類を整理した。

❷ **(訴状)を提出する**

She filed a suit *against* the hospital.
彼女はその病院に対し訴状を提出した。

名 ❶ **ファイル，書類**

the files on the desk
机の上のファイル

❷ **列，縦列**

a long file *of* customers
客の長い列

❸ **やすり**

a nail file
爪用のやすり

単語索引

本書に収録されている単語を ABC 順に掲載しています。数字は見出し語の通し番号を表します。
通し番号が斜体のものは派生語として掲載されているものです。

aggression	*531*	anatomy	1834	aptitude	*1916*
aggressive	531	ancient	263	arbitrariness	*1678*
agree	30	animate	1709	arbitrary	1678
agreement	*30*	animated	*1709*	archaeology	784
agricultural	*724*	announce	623	archeological	*784*
agriculture	724	announcement	*623*	architect	*1007*
aid	176	annoy	1425	architectural	*1007*
aim	352	annoyance	*1425*	architecture	1007
aisle	1353	annoyed	*1425*	archive	1279
alarm	626	annoying	*1425*	arctic	846
alarmed	*626*	annual	561	argue	19
alarming	*626*	anonymous	1674	argument	*19*
alert	908	anonymity	*1674*	arise	404
alien	567	anthropological	*1827*	arithmetic	1821
allergic	*1025*	anthropologist	*1827*	armament	*1633*
allergy	1025	anthropology	1827	armed	1633
alliance	*1280*	antibiotic	792	arms	*439*
allied	*1280*	anticipate	1492	army	439
allow	66	anticipation	*1492*	arouse	1466
allowance	*66*	antique	1940	arrange	395
ally	1280	antiquity	*1940*	arrangement	*395*
alter	644	anxiety	*527*	array	1058
alteration	*644*	anxious	527	arrest	949
alternative	195	ape	407	arrogance	*1624*
altitude	1508	apologize	631	arrogant	1624
altogether	1960	apology	*631*	artificial	285
amateur	1066	apparent	*59*	ashamed	1373
amateurism	*1066*	appear	59	aspect	157
amaze	1687	appearance	*59*	aspiration	*1500*
amazement	*1687*	appetite	986	aspire	1500
amazing	*1687*	applaud	1436	assemble	930
ambassador	1796	appliance	1068	assembly	*930*
ambiguity	*1653*	application	*72*	assert	907
ambiguous	1653	apply	72	assertion	*907*
ambition	994	appoint	1178	assess	607
ambitious	*994*	appointment	*1178*	assessment	*607*
amount	198	appreciate	320	asset	1530
amuse	1424	appreciation	*320*	assign	616
amusement	*1424*	approach	89	assignment	*616*
analogue	1404	appropriate	242	assist	617
analogy	*1404*	approval	*608*	assistance	*617*
analysis	459	approve	608	associate	94
analytical	*459*	approximate	564	association	*94*
analyze	*459*	approximately	*564*	assume	303
anatomical	*1834*	apt	1916	assuming	*303*

503

熟語・表現索引

本書で見出しを立てて収録している熟語・表現を ABC 順に掲載しています。

初版第1刷発行　2020年2月1日

英単語・熟語

Bricks2
プリックス

小崎 充（こざき まこと）

1989（H1）年　東京外国語大学卒業。1994（H6）年　同大学院修士課程修了。現在, 国士舘大学理工学部人間情報学系教授。専門は言語学, 認知科学。主な著作に『大学入試全レベル問題集　英文法①〜⑤』,『入門英文法問題精講』（以上旺文社）,『快速英単語 入試対策編』（文英堂）などがある。

山川 修司（やまかわ しゅうじ）

河合塾講師, 河合塾マナビス講師, 神田外語学院非常勤講師。河合塾では首都圏, 東北地区（仙台）校舎で指導。高校1年生から高卒生までの長文読解・英作文を主に担当し, 模試や教材の執筆も行う。授業では暗記ばかりに頼らずに, なぜそうなるのかを理論的に考えさせるようにしている。大学院での研究テーマは「生成文法」。

編 著 者	小崎 充・山川 修司
発 行 者	前田 道彦
発 行 所	株式会社 **いいずな書店**

〒110-0016
東京都台東区東台東 1-32-8　清鷹ビル4F
TEL 03-5826-4370
振替 00150-4-281286
ホームページ https://www.iizuna-shoten.com

印刷・製本	大村印刷株式会社

ISBN978-4-86460-322-5 C7082

◆ 英文校閲／Dr. Thomas J. Cogan
　　　　　　Robert Reed
◆ 入試データ分析／侑イー・キャスト
◆ 装丁／BLANC design inc. 阿部ヒロシ
◆ イラスト／中野 ともみ
◆ DTP ／オフィス・クエスト 沼田和義

おさえておきたい前置詞 ①

from [(弱)frəm/ (強)frʌm]	① [出発点] …から ② [出身地] …出身の	□① walk **from** the hotel（ホテルから歩く） □② be **from** Tokyo（東京出身の）
to [(弱)tə/(強)tuː]	① [到達点] …に ② [範囲] …まで ③ [一致] …にあわせて	□① go **to** the station（駅に行く） □② from Monday **to** Friday （月曜日から金曜日まで） □③ dance **to** the music（音楽にあわせて踊る）
for [(弱)fər/ (強)fɔːr]	① [方向] …に向かって ② [継続する期間・距離] …の間 ③ [目的・理由] …のために ④ [賛成] …に賛成して ⑤ [交換] …（の金額）で，…と引き換えに ⑥ [基準] …のわりには	□① leave **for** New York （ニューヨークに向かって出発する） □② stay in Paris **for** a week （1週間パリに滞在する） □③ a present **for** you （あなたのためのプレゼント） □④ be **for** the opinion （その意見に賛成している） □⑤ buy the shirt **for** 50 dollars （シャツを50ドルで買う） □⑥ look young **for** one's age （年のわりには若く見える）
at [(弱)ət/(強)æt]	① [時・場所の1点] …に，…で ② [対象] …を見て，聞いて	□① start **at** ten o'clock（10時に始まる） □② be surprised **at** the news （ニュースを聞いて驚く）
in [ɪn]	① [場所] …の中で，…に ② [期間] …（ある期間・年）に ③ [手段] …（言語・方法）で ④ [経過時間] …後に，…たって ⑤ [着用] …を着て	□① live **in** Tokyo（東京に住む） □② be born **in** 1994（1994年に生まれる） □③ be written **in** English （英語で書かれている） □④ be back **in** 10 minutes（10分後に戻る） □⑤ a man **in** black（黒い服を着た男）
on [ɑn/ɔːn]	① [接触] …（の上）に ② [特定の時] …（日付・曜日）に ③ [乗り物] …に乗って ④ [関連] …（専門的な内容）に関して	□① a picture **on** the wall（壁にかかっている絵） □② go to church **on** Sundays （日曜日に教会に行く） □③ go **on** the first train （始発電車に乗って行く） □④ a book **on** Japanese literature （日本文学に関する本）
about [əbáut]	[関連] …について	□ think **about** the future （将来について考える）
around [əráund]	① [周辺] …のまわりに ② [時間] …ごろに	□① sit **around** the big tree （大きな木のまわりに座る） □② get home **around** six o'clock （6時ごろに家に着く）

語	意味	例
of [(弱)əv/(強)ɑv]	① [所属・所有] …の	□① all the members **of** the team （チームの全メンバー）
	② [部分] …の中の, …のうちの	□② one **of** my best friends （親友のうちの一人）
	③ [分離] …を, …から	□③ rob me **of** my bag（私からバッグを奪う）
with [wɪð]	① [同伴] …と一緒に	□① go shopping **with** my mother （母と一緒に買い物に行く）
	② [所有] …をもった	□② a coat **with** five pockets （5つのポケットをもったコート）
	③ [道具] …を使って, …で	□③ write a name **with** a pen （ペンで名前を書く）
	④ [付帯状況] …を～したままで	□④ **with** your mouth full （口をいっぱいにしたままで）
near [níər]	[位置・時間] …の近くに	□ **near** the station （駅の近くに）
beside [bisáid]	[位置] …のそばに, …のわきに	□ sit down **beside** me （私のそばに座る）
along [əlɔ́ːŋ]	[方向] …（細長いものなど）に沿って	□ run **along** the river （川に沿って走る）
across [əkrɔ́ːs]	① [方向] …（平面）を横切って	□① run **across** the street （通りを横切って走る）
	② [位置] …の向こう側に	□② a building **across** the street （通りの向こう側の建物）
into [(弱)ɪntə/ (強)íntu]	① [内部への移動] …の中に ② [変化] …に（変わる, なる）	□① go **into** the house（家の中に入る） □② translate English **into** Japanese （英語を日本語に訳す）
through [θruː]	① [通過] …を通って ② [時] …の間ずっと	□① **through** the tunnel（トンネルを通って） □② stay in Europe **through** the summer （夏の間ずっとヨーロッパに滞在する）
	③ [場所] …中に	□③ spread **through** the world （世界中に広まる）
over [óuvər]	① [覆う様子] …の上に	□① spread a map **over** the table （テーブルの上に地図を広げる）
	② [数量] …を超えて ③ [従事] …（食事・お茶など）をしながら	□② children **over** ten（10歳を超える子ども） □③ discuss the matter **over** lunch （昼食をしながらその問題について話す）
under [ʌ́ndər]	① [真下] …の下に ② [未満] …（年齢・数量など）に満たない	□① a cat **under** the table（テーブルの下の猫） □② children **under** 10 （10歳に満たない子ども）
	③ [過程] …の最中で, …のもとで	□③ be **under** investigation（調査中である）